Toevluchtso

Van Frances Fyfield zijn leverbaar bij Archipel:

De aard van het beest
Blind date
Broedermoord
Donker als de hel
Onderstroom
Volmaakte onschuld

Frances Fyfield
Toevluchtsoord

Vertaald door Corrie van den Berg

Amsterdam · Antwerpen

Archipel is een onderdeel van Uitgeverij De Arbeiderspers

Oorspronkelijke titel: *Seeking sanctuary*
Uitgave: Bantam Press, Londen

Omslagontwerp: UNA (Amsterdam) Ivo van Dijk
Omslagfotografie: Benelux Press

ISBN 90 6305 067 4 / NUR 331
www.boekboek.nl

Proloog

(Documenten in het bezit van K. McQ., E. Smith en één ander persoon, te weten een ontwerp-testament en een definitieve versie, ter verspreiding indien en wanneer noodzakelijk.)

Document 1

ONTWERP-TESTAMENT

Beste Smith, ik stuur je het ontwerp-testament retour voorzien van verklarende aantekeningen. Ik wens zeer binnenkort te sterven, dus doe er wat mee, ik houd het niet meer uit. Als ik sterf en iemand komt me halen, dan hoop ik dat het Satan is en niet God.

DIT IS DE UITERSTE WIL EN HET TESTAMENT van mij, Theodore Calvert. *(Met geen sodemieter om trots op te zijn behalve een huis, een vriend en een wanstaltige berg geld. Verder is er niets meer.)*

1. Ik herroep hierbij alle andere testamenten en testamentaire beschikkingen door mij gemaakt vóór heden, de datum van deze, mijn uiterste wilsbeschikking. *(Vijftien volgens de laatste telling.)*

2. Ik benoem E. Smith, advocaat, tot executeur-testamentair en beheerder van mijn nalatenschap, met toekenning van alle macht en gezag, in het bijzonder het recht tot inbezitneming van alle goederen en waarden van mijn nalatenschap en met het recht tot het benoemen van een extra executeur en extra bewindvoerders indien hij dit nodig acht.

3. Ik wens gecremeerd te worden. *(Zwart verkoold, bedoel ik, zonder gebeden of wat ook, gooi mijn as de eerste de beste priester maar in het*

gezicht als blijk van mijn minachting.)

4. Vorengenoemde E. Smith, of welke executeur of bewindvoerder of bewindvoerders hij ook zal benoemen, met enige juridische capaciteit, zal het wettelijk loon ontvangen voor werk of zaken verricht ter verificatie van mijn testament of ten behoeve van de uitvoering of het beheer ervan, met inbegrip van werk of zaken van professionele aard die een beheerder zelf kan doen. *(Bla, bla, bla.)*

5. Ik laat de volgende specifieke legaten na:

Aan Kay McQuaid de som van £ 20.000 jaarlijks, zolang zij in mijn huis woont. *(Is dat genoeg? Ze heeft me nooit enig kwaad gedaan, toch? Of wel? Ze is hoe dan ook de enige die ik vertrouw.)*

6. AFHANKELIJK VAN EN NA BETALING van mijn terechte schulden, uitvaartbezorgings- en testamentskosten, SCHENK, LEGATEER EN VERMAAK IK mijn gehele terechte en persoonlijke nalatenschap voorzover niet anders in dit testament beschikt wordt, met inbegrip van alles wat ik mogelijk zou erven, aan mijn gevolmachtigden in beheer om te verkopen, in te vorderen en dezelve in geld om te zetten, met het recht de verkoop, invordering en conversie hiervan uit te stellen, voor zolang zij dit in hun absolute discretionaire bevoegdheid wenselijk achten. *(Bla, bla, bla.)* Mijn gevolmachtigden zullen de netto opbrengst van verkoop, invordering en conversie gedurende een periode van twee jaar na mijn overlijden in beheer houden, in de tussentijd zorg dragend voor de betaling van de bestaande staande opdrachten zoals die in het addendum bij deze uiterste wilsbeschikking beschreven staan. *(Bla.)*

7. IK SCHENK, LEGATEER EN VERMAAK de opbrengst van de bovengenoemde trust aan mijn twee dochters, om gelijkelijk tussen hen verdeeld te worden OP VOORWAARDE DAT zij gedurende bovengenoemde periode van twee jaar vrij van ZONDE blijven. *(Nee, ik bedoel niet dat zij zich moeten houden aan de tien geboden en al die andere nonsens uit de catechismus van die afgrijselijke kerk van hun moeder. Ik bedoel echte ZONDE. Ik wil dat ze godslasterlijke taal uitslaan, op graven dansen, zich overgeven aan luiheid, smulpaperij en bandeloosheid, maar jij zei dat ik hier geen voorwaarde van kon maken. Voorwaarden dienen een negatieve inhoud te hebben. Ik wil dat zij zich onbeschoft, opstandig en zelfs weerzinwekkend gedragen. Ik geloof niet in ZONDE, maar ik wil dat ze weten wat het inhield om die te vermijden. Ik wens ze ALLES behalve de destructieve vroomheid van hun moeder toe.)*

Ten behoeve van deze uiterste wilsbeschikking, wordt ZONDE hier gedefinieerd als INCEST, WREEDHEID en VERRAAD. Het bedrijven van deze zonde zal vanzelf duidelijk worden. *(Jouw advies om het te beperken. Het gaat niet om een willekeurige selectie. Ik kan niets ergers bedenken dan de drie categorieën die ik beschreven heb, afgezien van moord, en alledrie behelzen ze het vermoorden van de ziel. Het zijn de zonden waarvan ik door mijn vrouw ben beschuldigd, altijd in de naam van God, en het zijn de enige die ik nooit heb begaan. Snap je wel?)*

8. INGEVAL geconstateerd wordt dat een van of allebei mijn dochters enige van vorengenoemde variaties van ZONDE hebben bedreven, vervallen hun aanspraken en gaan de opbrengsten van mijn nalatenschap naar Jack McQuaid, onvoorwaardelijk. *(Waarom? Waarom dacht je, idioot? Omdat het hem misschien, heel misschien, zou kunnen redden; zo dat niet het geval is: het kan net zo goed meteen naar de duivel gaan.)*

Ondertekend door vorengenoemde THEODORE CALVERT als zijn uiterste wilsbeschikking in aanwezigheid van ons beiden, hier gelijktijdig aanwezig, die in zijn aanwezigheid en in aanwezigheid van elkaar hiertoe onze namen als getuigen hieronder hebben gezet. *(Vraag niet waarom, Smith. Ik ga die donkere nacht in en zal heel lang weg zijn. Ik ga dood van verdriet. Doe gewoon wat ik vraag, in godsnaam. En ik bedoel niet om GODSWIL. NIETS uit liefde voor God. IK HAAT GOD, ik haat God... Ik haat Christus en al zijn idiote heiligen. Ik haat wat er van mijn dochters is overgebleven. Ik haat de God van mijn vrouw, een geperverteerde, obsessieve christen die mijn kinderen in heiligheid heeft ondergedompeld en ze heeft ingekapseld, ze van mij heeft afgepikt, ze geleerd heeft mij te haten, en ik haat de Kerk, die verantwoordelijk is voor haar waanzinnigheid en angst voor de duivel. En die mij al doende heeft geleerd hoe de hel eruitziet. Kinderen die je niet erkennen en je beschimpen, je eigen vlees en bloed. De hel is weten wat haat is, machteloosheid, dodelijk verdriet. De hel is toezien hoe je kinderen hun leven vergooien, zonder er iets tegen te kunnen doen. Verteerd worden door liefde en berouw. Ik BEN al in de hel.*

Stuur dit snel retour. Ik wil sterven.)

Document 2

DEFINITIEVE VERSIE

DIT IS DE UITERSTE WIL EN HET TESTAMENT van mij, Theodore Calvert.

1. Ik herroep hierbij alle andere testamenten en testamentaire beschikkingen door mij vóór heden gemaakt.

2. Ik benoem E. Smith, advocaat, tot executeur-testamentair en beheerder van mijn nalatenschap, met toekenning van alle macht en gezag, in het bijzonder het recht tot inbezitneming van alle goederen en waarden van mijn nalatenschap en met het recht tot het benoemen van een extra executeur en extra bewindvoerder indien hij dit nodig acht.

3. Ik wens gecremeerd te worden.

4. Vorengenoemde E. Smith, of de executeur of bewindvoerder die hij zal benoemen, met enige juridische capaciteit, zal het wettelijk loon ontvangen voor werk of zaken verricht ter verificatie van mijn testament of ten behoeve van de uitvoering of het beheer ervan, met inbegrip van werk of zaken van professionele aard die een beheerder zelf zou kunnen doen.

5. Ik laat het volgende specifieke legaat na: aan Kay McQuaid de som van £ 20.000 jaarlijks, en het vruchtgebruik van mijn huis gedurende twee jaar.

6. AFHANKELIJK VAN EN NA BETALING van mijn terechte schulden, uitvaartbezorgings- en testamentskosten, SCHENK, LEGATEER EN VERMAAK IK al mijn onroerende en roerende goederen voorzover niet anders in dit testament beschikt wordt, met inbegrip van alles wat ik mogelijk zou erven, aan mijn bewindvoerders om te verkopen, in te vorderen en in geld om te zetten, met het recht de verkoop, invordering en conversie hiervan uit te stellen, voor zolang zij dit in hun absolute discretionaire bevoegdheid wenselijk achten. Mijn gevolmachtigden zullen de netto opbrengst van verkoop, invordering en conversie gedurende een periode van twee jaar na mijn overlijden in beheer houden, in de tussentijd zorg dragend voor de betaling van de bestaande staande opdrachten zoals die in het addendum bij deze uiterste wilsbeschikking beschreven staan.

7. IK SCHENK, LEGATEER EN VERMAAK de opbrengst van het bo-

vengenoemde trustfonds aan mijn twee dochters, om gelijkelijk tussen hen verdeeld te worden OP VOORWAARDE DAT zij gedurende bovengenoemde periode van twee jaar vrij van ZONDE blijven. Ten behoeve van deze uiterste wilsbeschikking, wordt ZONDE hier gedefinieerd als INCEST, WREEDHEID en VERRAAD. Het bedrijven van deze zonde zal vanzelf duidelijk worden.

8. INGEVAL geconstateerd wordt dat een van of allebei mijn dochters enige van vorengenoemde variaties van ZONDE hebben bedreven, vervallen hun aanspraken en gaan de opbrengsten van mijn nalatenschap naar Jack McQuaid, nadat diens identiteit naar behoren geverifieerd is, onvoorwaardelijk.

Ondertekend door vorengenoemde THEODORE CALVERT als zijn uiterste wilsbeschikking in aanwezigheid van ons beiden, hier gelijktijdig aanwezig, die in zijn aanwezigheid en in aanwezigheid van elkaar hiertoe onze namen als getuigen hieronder hebben gezet.

I

Ere zij God

In de kloosterkapel was het warm als in een ziekenzaal. De atmosfeer was broeierig en doortrokken van een hele reeks aroma's: van verwelkende bloemen, ontsmettingsmiddel, natte jassen, het stijfsel van de kraakheldere witte kazuifel van de bisschop, de geur van heiligheid van zijn mijter en de allesoverheersende verstikkende lucht van wierook. Het uitdelen van de H. Hostie volgde op een preek waarin het ofwel aan oprechte overtuiging ofwel aan oprechtheid had ontbroken. Anna Calvert keek naar de nonnen die in de rij stonden te wachten op het ontvangen van het Heilig Sacrament, voordat ze hun plaats aan de andere kant van het gangpad weer zouden innemen, en snoot haar neus.

De oudste van de zusters was overleden; goed, ze was hoogbejaard en ziek en haar dood kwam te gelegener tijd en betekende de verlossing uit een dapper gedragen toestand van aftakeling, haar laatste stap op het lange, smalle pad naar de hemel, maar toch: de laatste ademtocht van een goede ziel. Het was de uitvaartmis voor een vrouw die vele goede daden had verricht en die een verstrekkende invloed had gehad; de bisschop wenste haar verdiensten echter niet te noemen, en Anna vroeg zich af waarom. Het was dé gelegenheid om de loftrompet over haar te steken, maar hij had schijnbaar moeite met het onthouden van namen en verkoos in plaats daarvan een preek te houden over de toestand van de katholieke Kerk, doorspekt met ijzingwekkende vermaningen die erop neer kwamen dat wij allemaal, ook de gestorvenen, zullen moeten boeten voor onze zonden.

Anna snoot nogmaals haar neus en trok de vochtige kraag van haar blouse los van haar nek in een poging te ontsnappen aan haar gevoel van bevreemding. Waarom was het hier zo benauwd? Het raam achter het altaar krulde zich sierlijk naar het plafond in een piek even volmaakt als die van de mijter van de bisschop, een vorm die reikte naar de hemel en de bomen die achter het glas zichtbaar waren, zodat het leek alsof om hen heen een woud van berken was. Ze keek opzij naar haar jongere zus, Therese, die aan de overkant van het gangpad bij de andere nonnen zat en er in dit bejaarde gezelschap belachelijk jong uitzag. Therese, die ook naar haar keek, al even slecht op haar gemak, bewoog heel even haar vingers als geheim teken van geruststelling en rolde met haar ogen. Anna boog haar hoofd om haar glimlach van opluchting te verbergen. Misschien had het zijn voordelen, een mis zó dor en onpersoonlijk dat tranen op afstand werden gehouden.

Wat bedoelde de bisschop met zonden? Zuster Jude was heel goed in staat geweest het kwaad te omschrijven, want ze was dol op definities; mogelijk had ze haar fouten gehad, maar zonden waren haar volstrekt vreemd, tenzij humor en gebrek aan eerbied hiertoe gerekend werden, wat blijkbaar inderdaad zo was gezien de stijl en inhoud van het armzalige, gekunstelde ritueel van de bisschop. Goede smaak en emotie waren ook al opvallend afwezig. Zuster Jude was de tante van Anna's overleden moeder, maar ze was ook een leermeesteres geweest, een vriendin en bron van inspiratie, een mentor en zelfs een niet van allure gespeende substituut-grootmoeder. In de echte wereld was ze lerares geweest: ze was in één woord een juweel, een baken van stabiliteit en wijsheid binnen deze kleine nonnengemeenschap. En hoewel zuster Jude vaak met haar achternicht overhoop had gelegen, had ze toch altijd in alles rekening met haar gehouden, behalve door te sterven terwijl ze nog zo hard nodig was, zoals ook de anderen hadden gedaan. Overmand door verdriet herinnerde Anna zichzelf eraan dat ze niet, om een woord van Jude te gebruiken, expres was doodgegaan. Waar het op neerkwam was dat alles aan haar was opgebruikt, behalve haar geest.

De oude zusters stonden in de rij, met het hoofd gebogen en de handen gevouwen, in de houding van dienaressen: net standbeelden die niet konden huilen. Het was een saaie bedoening, dacht Anna, door plotselinge wanhoop gegrepen; een saaie en dorre toestand. Geen gesnik of gejammer, de enige die tandenknarste was zij. Formulaire muziek van een bandje, saaie gebeden, op één toon opgedreund, niets wat duidde op een bijzondere gelegenheid of op verdriet. Mis nummer tweeënvijftig, zouteloos en onpersoonlijk als cornflakes, zo liefdeloos als wat, maar daardoor een zeer geschikt middel om gevoelens in bedwang te houden.

De warmte versterkte de geur van de lelies die zij had gekocht; ze hadden de hele nacht in de kapel bij het lijk in de kist gelegen en waren al bijna verwelkt, terwijl de petieterige zuster Jude, haar vitterige maar trouwste vriendin – ondanks het leeftijdsverschil van vijftig jaar – begon te ontbinden. Haar gebeente was vederlicht geweest en onbezwaard door zonde. De dreun van het gebed deed geen recht aan de dode en ook al niet aan de niet te bederven dimensies van de kapel. Ten behoeve van de levenden slikte Anna haar hevig prikkende tranen in.

Ze dromden vanuit het zachte licht in de kapel naar buiten en stroomden beleefd op elkaar wachtend een voor een via de smalle deur het gebouw uit, de straat aan de voorzijde op. Therese voegde zich bij haar. Ze streek een loshangende lok van Anna's haar achter haar oor, en Anna deed bij haar hetzelfde, voordat ze stevig gearmd naar de begrafenisauto's liepen. De ruwe stof van Thereses tuniek met de lange mouwen voelde warm tegen Anna's huid. Dankbaar omklemde ze de arm en ze voelde hoe de ander hetzelfde deed. Het kerkhof was kilometers ver. Ze zaten naast elkaar in een van de luxueuze wagens, die ook geschikt zouden zijn om een bezoekende paus te vervoeren, en keken naar de regen die glinsterende druppels op de ramen vormde. Er werd met bewondering gekeken naar de twee blonde meisjes die niet anders dan zussen konden zijn en intens trots op elkaar met de vingers ineengestrengeld kalm naast elkaar zaten. Gezamenlijk deden ze hun best de andere inzittenden op hun gemak te stellen: twee ex-leerlingen en een verwant van de overledene van de onbekende kant van de familie, die ze nog nooit gezien hadden, stuk voor stuk goede katholieken die vol lof waren over de heilige mis en opgetogen over de aanwezigheid van de bisschop.

De route door de buitenwijken en nog verder was lang en lelijk, een laatste saaie reis naar de correcte begraafplaats, exclusief voor hen die het ware geloof bezaten.

'Ze was misschien liever ergens in de natuur begraven,' mompelde Anna tegen Therese.

'Deze bekleding zou ze fantastisch hebben gevonden,' zei Therese en beiden moesten ze moeite doen om de plotseling opkomende lust tot giechelen, waar de gelegenheid om leek te vragen, te onderdrukken. De begrafenisstoet reed langs het ijzeren hek dat een industrieterrein omsloot en vervolgde zijn weg kronkelend omhoog naar het kerkhof op de heuvel, dat uitkeek op het ijzeren hek en de grauwe lucht erachter. Anna wilde hier niet begraven worden. Het leek haar de uiterste vernedering begraven te worden tussen eeuwige bloemen terwijl mechanisch gebeden gepreveld werden in het paternalistisch idioom dat haar onderhand hels maakte.

De woorden die bij het graf gesproken werden klonken al even neutraal als die in de kapel en er werd voldaan aan de ongeschreven regel voor begrafenissen dat het regende en dat alle aanwezigen zich enigszins schichtig en houterig gedroegen, als stonden ze onder verdenking. Ze verzamelden zich rond het gat in de grond toen de kist werd neergelaten en besprenkeld werd met water door de priester die de bisschop verving, omdat de prelaat alweer een volgende afspraak had. Hij zei de gebeden als trainde hij zijn spreektempo door het opdreunen van het telefoonboek en Anna had de aandrang haar kluit aarde naar de aanwezigen te smijten in plaats van op de kist te laten vallen, waar de andere kluiten met plofgeluidjes op neerkwamen, alsof de dode bekogeld werd. Terwijl ze daar stond, schouder aan schouder met Therese, stegen woede en verontwaardiging in haar op als een paddestoelwolk, tot ze dacht dat ze zou barsten. Therese leunde tegen haar aan.

Toen stapten plotsklaps de leeftijdgenoten van zuster Jude naar voren, allemaal tegelijk, de vier alleroudste zusters – Matilda, Agnes, Joseph en Margaret – met in de natte wind wapperende habijten en sluiers. Aangevoerd door Margaret begonnen ze eenstemmig te zingen:

Salve, Regina, mater misericordia,
Vita, dulcedo, et spes nostra salve,
Ad te clamamus, exules filii hevae.

Welkom, o Koningin, moeder van barmhartigheid, ons leven, onze vreugde en onze hoop... IJle, piepende oude stemmen van een eigenaardige, weemoedige schoonheid. Ze zochten beschutting bij elkaar, met hun voeten onzeker in de modderige uit de grafkuil geschepte aarde geplant, beverig de simpele melodie zingend, tonen zo helder als klingelende klokjes; het klonk spontaan en zuiver. Straatarme vrouwtjes die tot meerdere eer en glorie van God zich met hart en ziel de longen uit het lijf zongen. *O clemens, O pia, O dulcis Virgo Maria...*

Een ogenblik lang was het alsof Anna hen kende.

Ze huilden allebei, zij en Therese, in elkaars armen, met hun voeten als wortels in het vochtige gras, ze huilden alsof ze nooit meer zouden ophouden. Ze huilden van verdriet en verbijstering, en Anna huilde bovendien uit pure frustratie, want zelfs van gene zijde was het zuster Jude weer gelukt. Ze had de hemelse jachthond alwéér op haar losgelaten: ze kon het beest horen blaffen en op de achtergrond van het gezang hoorde ze Jude met lichte stem haar favoriete gedicht voordragen.

> Ik ontvluchtte Hem alle nachten en alle dagen;
> Ik ontvluchtte Hem over de spanne der jaren;
> Ik verborg me voor Hem...

Het geluid stierf weg. Het lawaai van het verkeer in de verte drong zich weer op en overstemde het zachtere gedruis van verfrommelende zakdoeken, schuifelende voeten en smart.

'Ken je dat gedicht nog waar ze zo van hield?' mompelde Anna tegen Therese. 'Zeg ja.'

'Natuurlijk,' zei Therese bij haar oor. 'Ik ken het nog.'

> Voor die sterke voeten die mij volgden, achtervolgden...
> Ze roffelden – en een Stem
> Luider dan de voeten – bulderde
> 'Wie Mij verraadt, verraadt al wat is.'

Therese verplaatste haar hand die op Anna's schouder lag naar de nek om die te strelen, nog niet bereid haar los te laten.

'Blijf het opzeggen, Anna, steeds weer. Het is een goed gedicht. Denk je dat je het verder wel redt in je eentje?'

'Ja. We zullen ons erdoorheen moeten slaan, nietwaar?'

'We zouden er onderhand aan gewend moeten zijn. Wij arme, kleine zielige weeskindertjes.'

Anna glimlachte zowaar even, met haar vuist veegde ze de tranen van haar gezicht, waardoor er een rode plek op haar wangen achterbleef. Ze waren gewend de spot te drijven met alles wat naar zelfmedelijden zweemde, het was een bron van vermaak voor hen beiden.

'Hé, zus, dat "klein" kun je onderhand wel weglaten. Jij gaat zeker terug met de ouwe besjes?'

'Ik moet wel. Zuster Joseph is totaal van slag... Je begrijpt het toch wel?'

'Natuurlijk. Zit er maar niet over in.'

'Kom je tussen de middag eten?'

'Je weet best van niet. Hou je taai, lieve schat.'

Anna begreep het heel goed. Therese was haar zuster, maar de nonnen waren nu haar familie, al meer dan een jaar. Toch deed het pijn, die gewijzigde prioriteit, als een schroeiplek. Zoveel pijn dat ze merkte dat ze, zonder zich alle woorden precies te kunnen herinneren, dat verdomde gedicht weer zat te mompelen, terwijl de auto waar ze haar naartoe hadden gedirigeerd zich vulde. De anderen gingen zo ver mogelijk van haar af zitten. Een knap "klein" meisje dat in zichzelf zat te prevelen met een domme grijns op haar gezicht.

'Sorry,' begon ze met manische opgewektheid te snateren. 'Ik probeerde me haar favoriete gedicht te binnen te brengen. Over God die een ziel over de hele wereld achternazit... Ik moest het van haar uit mijn hoofd leren. Kennen jullie het? En vinden jullie de bisschop ook geen stomme ouwe zak?'

Een lid van de parochie gaf haar een klopje op haar hand, alsof ze het wel begreep. De dierbare overledene had immers toen ze nog leefde nooit onderscheid gemaakt tussen gekken en gewone mensen en het was misschien het beste dat goede voorbeeld maar te volgen in plaats van geschokt te reageren. De zon brak door en het groepje van vier bevrijdde zich van het ongemakkelijke van de situatie door clichés uit te wisselen, terwijl Anna ineengedoken in haar hoekje bleef zitten, onrustbarend zwijgzaam. Toen de auto stilhield voor de smalle voordeur, glipte ze naar buiten zonder iemand gedag te zeggen, rende de straat uit en verdween, overvallen door het vernederende besef hoe ze nu over haar zouden denken. Een raar, verwend kind, zeiden ze. Hoe oud was ze nu al niet? Tweeëntwintig, naar het scheen, maar ze zag eruit als vijftien. Wat een onderdeurtje. En kennelijk niet helemaal goed bij haar hoofd.

Ze ging naar links en sloeg daarna weer linksaf, zodat ze op de hoofdweg uitkwam. Daarna sloeg ze nogmaals linksaf en liep langs de muur van het klooster, die eruitzag als andere muren, om vervolgens opnieuw linksaf te slaan, naar de flats waarin ze woonde. De kortste route vandaar naar het klooster voerde via de achterdeur in de tuinmuur, waar ze langs was gekomen, maar niemand gebruikte die ooit. De deur werd geheel door de muur ingesloten en bijna aan het zicht onttrokken door overhangende klimop. Toen ze eenmaal binnen was in haar eigen flatgebouw, het tweede in de rij, rende ze de vijf trappen op naar haar eigen appartement, verruilde haar nette kleren voor een T-shirt en een korte broek en ging het dak op.

Het dak was vanuit haar woonkamer te bereiken met een losse ladder, via een dakvenster dat hier niet voor bedoeld was en dat uitkwam op een vlak stuk, voor twee derde omgeven door een balustrade. Anna had zuster Jude verteld dat dit het echte koninkrijk der hemelen was. Een smalle promenade rond een platform dat een ventilatieschacht herbergde en nog andere zaken, zoals een open met gaas afgedekt waterreservoir. Als er een hemel was dan was het hier, boven de bomen, met voldoende ruimte om in de met zink beklede dakgoot te liggen zonnen.

Vanaf de achterkant kon ze, met haar ellebogen op de rand van de balustrade steunend, in de kloostertuin kijken. Er recht in, althans voorzover dat ging tegen het einde van de zomer, nog voor de bladeren begonnen te vallen. Het was ironisch dat ze in de winter, wanneer er in de tuin nauwelijks bewegingen van mensen te bespeuren waren, de beste kans had om te spioneren, terwijl ze in de zomer, als er veel meer te zien viel, alleen maar af en toe door het gebladerte heen een de nieuwsgierigheid prikkelende glimp kon opvangen. Aan haar kant stonden de kleinere bomen, van die ritseldingen, die rottige platanen – het onkruid onder het geboomte – maar vogels waren er gek op. De binnenmuren waren overdekt met klimop en er stonden ontelbare lage heesters, tierige berberis en zwarte-bessenstruiken. Toch kon ze de paadjes door de wildernis nog zien, en Edmund de tuinman, die vlak bij zijn schuur in het open gedeelte aan het einde op een bank zat uit te puffen. Edmund was altijd aan het uitpuffen. Door het lover heen kon ze zijn buik over zijn dijen zien puilen; de lege kruiwagen die naast hem stond, kon elk moment omvallen. Er kwam een jonge vent naar hem toe, die hem behoedzaam bij zijn arm pakte en meenam, de schaduw in.

Anna fronste en vergat een volle minuut lang haar verdriet. Bij het zien van de jongeman stond haar hart even stil. Ze had hem eerder gezien, verschillende malen zelfs, maar ze wist niet wie hij was, en ze moest wel weten wie iedereen was want een deel van haar missie in het leven was zich om Therese te bekommeren, te zorgen dat ze veilig was. Hij had geelblond haar... maar de bomen onttrokken hem aan het zicht en hij ging op geniepige wijze in zijn omgeving op. Ze zouden een boomchirurg moeten laten komen voor die bomen – er waren te veel platanen, die putten de grond waarop ze stonden uit – maar zelfs moeder-overste Barbara zou een boomchirurg op de dag van een begrafenis niet aan de slag laten gaan, want dat soort dagen werd beschouwd als zondagen en bovendien kostten boomchirurgen geld. De wind bracht de boomkruinen, die er zo laat in de zomer nogal slordig uitzagen, in beweging; dezelfde bries deed Anna's lange haar opwaaien. Rusteloos liep ze heen en weer over de beperkte dakruimte, een hand aan de balustrade houdend. Deze reikte tot aan haar borst, ze kon niet van het dak vallen, maar toch hield ze zich er altijd aan vast.

Aan de zuidzijde van haar domein kon ze op straat kijken, wat een sterk contrast opleverde met de rust van de dichtbegroeide tuin. Het was een tweebaansweg met een klein rijtje neringen erlangs: een café, de Oppo Bar, een delicatessenzaak, een bloemisterij en een chique levensmiddelenzaak met een tijdschriftenafdeling, allemaal luxewinkels ten behoeve van de gegoede bewoners van deze aangename Londense buurt. Er viel van hier af zat te bekijken, van de leegstromende Oppo Bar in de avond tot de groenteboer die 's ochtends vroeg aan het lossen was, met tussendoor de genoeglijke aanblik van chagrijnige opstoppingen rond geparkeerde auto's tijdens het spitsuur. Nu heerste de rust van vroeg in de middag. Anna liep weer naar de kant van de kloostertuin en ging met haar rug tegen de balustrade aan zitten met als enig uitzicht haar voeten. Hier uit de wind kreeg ze het warm; ze schopte haar schoenen uit en huilde nog een deuntje.

Het was maar goed dat Therese niet meteen de tuin in was gekomen, iets wat ze overigens nooit deed. Haar zus van vlees en bloed, niet de zuster in Jezus Christus, die sukkel, maar haar eigen lieve zus die vroeger een andere naam had gehad en nu Therese heette. Als ze haar wel zou hebben gezien had ze misschien naar beneden geschreeuwd: *Gaat het echt wel goed met je? Heus waar?* – hetgeen slechts als een verre kreet te horen zou zijn geweest, voldoende om haar spelletje bloot te geven, te verraden dat ze van een afstand keek. Therese, we zijn veel te jong om zo in rouw gedompeld te zijn. We hebben helemaal niemand meer. Waar hebben we dat aan verdiend? Waar ben je, 'zuster' Therese? Ben je in de keuken bezig je aan Gods wil te onderwerpen? Ach, sufferdje. Lief klein sloofje.

In de ontvangkamer van het klooster hing de zware geur van de bloemen die uit de kapel kwamen. Pastoor Goodwin hield zijn theekopje schutterig vast en peinsde gedurende een kort moment over het feit dat het hem in al die jaren dat hij hier al kwam steeds niet was gelukt de zusters aan hun verstand te brengen dat hij veel liever gewoon aan de keukentafel instantkoffie uit een beker dronk dan hier in deze gastenkamer te zitten met zijn vergane glorie en boenwaslucht. Kamers als deze kwam je alleen maar in kloosters tegen, verder nergens. Een vertrek dat voor het beste bewaard werd, als een ouderwetse mooie kamer die ook zo werd betiteld, en die alleen op zon- en hoogtijdagen werd gebruikt en tussendoor bijna stuk werd geboend, gemeubileerd met een paar buffetkasten uit de jaren dertig die niet te verschuiven zo zwaar waren en te lelijk om te verkopen. Er was in ieder geval nog heel vaag de geur van tabak te bespeuren, stelde hij goedkeurend vast, en in de hoek stonden plastic stoelen opgestapeld, wat erop duidde dat de kamer ooit veel vaker was gebruikt dan nu, voor de komst van Barbara, de relatief recente moeder-overste. Zijn ruimtelijke afmetingen rechtvaardigde de kamer vroeger met bijeenkomsten van Anonieme Alcoholisten, het Marialegioen en andere liefdadige bewegingen, waarvan moeder Barbara had bedacht dat ze geen zoden aan de dijk zetten. Hij peinsde erover dat hij misschien liever met de alcoholici in deze kamer zou zitten dan met moeder Barbara, maar bracht zich vervolgens zijn christelijke geweten weer te binnen. Het was een best mens en als ze daarnaast ongevoelig was viel haar dat wel te vergeven. Ze probeerde datgene te bewaren wat niet te bewaren en kwetsbaar was, en daarin school zeker enige deugd. Ze was ook een vrouw met een waarachtig geweten, iemand die kon luisteren en in staat was haar mening te herzien. Soms vormde haar gebrek aan verbeelding een beperkende factor. Maar wat kon hij anders verwachten? Hij leegde zijn theekopje en sprak er hardop zijn genoegen over uit, waarna hij ten eerste bedacht wat een huichelaar hij was en ten tweede, droefgeestig, wat hij wel niet miste op de tv. Arsenal tegen Tottenham. De paardenkoersen. Dat had hij voor vanmiddag in gedachten gehad, voordat hij de trein zou nemen.

'Het was een prachtige uitvaart, eerwaarde. De familie was er erg over te spreken. Ik wou dat u erbij was geweest.'

'Ik ook. Maar u wilde de bisschop en ik moest naar een andere stervende. Dermot Murray, hebt u die gekend?'

Hij zei niet dat hij blij was geweest dat zijn plicht hem naar elders had geroepen. Zuster Jude was een echte vriendin van hem, een vriendin door dik en dun, en haar overlijden had hem diep getroffen. Barbara kende Dermot Murray niet en wie hij was zou haar worst wezen ook. Ze maakte een vluchtig kruisteken.

'Echt een prachtige uitvaart. En onze kleine Therese heeft zichzelf met de lunch overtroffen, ondanks haar verlies: ze hebben alles opgegeten. Ik begrijp niet hoe ze het klaarspeelt met die keukenhulp, die meid met haar grove taalgebruik. Die moet een beproeving zijn voor haar. Ze is zo gewetensvol, zo ríjp, met haar eenentwintig jaar.' Ze boog zich vertrouwelijk naar hem toe. 'En moet u horen, eerwaarde, de opbrengst van de collecte was werkelijk grandioos. We maken zelfs winst. De begrafenisondernemer matst me immers altijd. We zouden misschien begrafenissen moeten gaan doen, professioneel bedoel ik, of misschien zelfs trouwerijen. We zijn uiteraard wel verplicht om hier 's zondags een mis op te dragen. De kapel is een bestaansmiddel, zoals de bisschop het uitdrukt. Had ik het geld van de familie moeten aannemen? Ze mogen trouwens dankbaar zijn dat we zuster Jude hier al die jaren hebben gehad.'

Hij deed geen poging haar erop te wijzen dat er geen grond was voor dergelijke dankbaarheid. Jude had een pensioen gehad; een prima pensioen dat ze met veertig jaar lesgeven had opgebouwd en dat de orde opstreek als vergoeding voor haar verzorging. Ze teerde niet op liefdadigheid. Ze was een investering geweest. Het zou niet diplomatiek zijn hierop te wijzen, het was simpelweg een gedachte die bij hem opkwam. Hij was stapelgek geweest op zuster Jude; ze was een intellectueel van de allernuchterste soort, iemand die van roddelen en van gebbetjes hield en bovendien iemand die een geheim wist te bewaren. Door haar had hij een beter begrip van deze instelling gekregen dan wanneer hij alleen maar te maken had gehad met moeder-overste, die hem nu vanachter het theeservies aankeek. De spanningen van die dag en van de afgelopen week waren haar inmiddels aan te zien. Barbara stond aan het hoofd van een instituut dat bijna ter ziele was, maar was daardoor nog niet immuun voor de persoonlijke impact van de dood. Iedereen was dol geweest op Jude, hoewel er ook enkelen waren geweest, onder wie ook Barbara, die daarnaast bang voor haar waren.

'Eerwaarde, ik kan er niet meer tegen. Ik vraag me werkelijk af of God me op aarde heeft neergezet om bestand te zijn tegen een stelletje merendeels bejaarde excentrieke tantes die onder een en hetzelfde dak wonen. En tegen de godslasterlijke taal van het personeel.'

'Ja, dat was zijn bedoeling.'

'En de gemeentebelastingen dan en die glibberige makelaar die me dag in dag uit brieven schrijft om me te vertellen hoeveel dit pand wel niet waard is? Moet ik daar ook maar tegen kunnen?'

'Ja.'

'En de thesaurier van de bisschop die me iedere week opbelt om erop te hameren dat dit huis zich commercieel moet bewijzen, dat het zijn geld moet opbrengen, omdat het anders verkocht wordt en de zusters op straat komen te staan? Moet ik me dat ook laten welgevallen?'

'Ja.'

'En moet ik in een gebouw wonen dat aan alle kanten op instorten staat omdat we geen geld hebben om reparaties te laten uitvoeren? En moet ik maar genoegen nemen met die wildernis van een tuin en die ouwe geitenbreier van een tuinman die nergens goed voor is?'

'Ja.' Zijn adem begon enigszins hijgerig te worden en hij droomde van voetbal. Droomde van een ander soort JA, het gebulder van de tribunes op zijn televisiescherm, waardoor zijn armen de lucht in zouden schieten en hij niet meer zou weten waar hij het zoeken moest van plezier en opwinding.

'En moet ik, en moet de rest maar goedvinden dat die brutale kattenkop, dat gemene kleine nest, hier zomaar in en uit blijft lopen, alleen omdat haar zus Therese een van de onzen is en ze zo dichtbij woont? Moet ik dat blijven goedvinden nu haar tante dood is? Dat nest, dat onnozele...'

'*JA*!' schreeuwde hij. 'JA! Juist nu, JA!'

Van verbijstering viel ze volledig stil. Ze zette haar theekopje uiterst voorzichtig neer en dacht er toen pas aan haar mond te sluiten. 'Waarom?'

Hij wachtte even alvorens te antwoorden. 'Omdat de hemel haar de weg verspert en ze op de hel afstevent. U kunt, wij kunnen niet de verantwoordelijkheid op ons nemen haar welke richting ook uit te sturen. U móét haar binnenlaten. Wanneer ze maar wil.'

Bij het raam gonsde een vlieg, op sterven na dood. Hij verlangde ernaar hem te pletten maar was tegelijk dankbaar voor de afleiding die het geluid hem bezorgde. De helft van de wedstrijd zou er intussen wel op zitten, zelfs als je rekening hield met extra tijd voor schijn- en echte blessures. Moeder Barbara streek de plooien van haar habijt glad, ten prooi aan verwarring, niet overtuigd en in alles, zelfs in de vlieg, teleurgesteld. Hij dacht er weer aan tactisch te zijn.

'Anna zou van groot nut voor u kunnen zijn. En trouwens, er staat haar en haar zus een flinke erfenis te wachten,' voegde hij eraan toe, zichzelf op hetzelfde moment verwensend.

'Wie heeft u dat verteld?' vroeg ze op scherpe toon.

'Zuster Jude. Zij was immers erg bevriend met de hele familie voordat de meisjes... ziek waren. En voordat hun moeder, die arme ziel, haar verstand kwijtraakte.' Hij koos zijn bewoordingen zorgvuldig.

'Ach, hemel, ik kende Isabel Calvert zelf ook,' zei ze, met gedecideerde stem. 'We hebben een poosje bij elkaar op school gezeten. Ze was toen ook al heel erg vroom, de arme vrouw. Een voorbeeld voor ons allemaal. Trouwde met een rijke man, maar waar werd ze mee opgezadeld? Een zwijn van een vent die haar met twee zieke kinderen liet zitten. Zo zie je maar hoe gevaarlijk het kan zijn om met een man te trouwen die niet katholiek is. Heeft Jude u ook verteld dat hij de meisjes misbruikte?' Ze boog zich vertrouwelijk naar hem toe. 'Seksueel, bedoel ik.'

'Ze heeft me verteld dat die suggestie is gewekt,' zei hij omzichtig. De vlieg zette zijn vergeefse herrie voort. 'Zoals ik het begrepen heb, was haar mening dat als een van de ouders de meisjes misbruikte, het de moeder was.'

'Volstrekte onzin,' stelde Barbara onomwonden. 'Iedereen weet dat die vrouw een heilige was.'

Ze keken elkaar woedend aan. Christopher Goodwin wist dat hij een woordenstrijd op basis van onbewezen aantijgingen niet kon winnen. Hij haalde zijn schouders op en glimlachte, ter voorbereiding van zijn vertrek. Als hij thuis was, kon hij zijn priesterboord afdoen. Al zou hij zich zonder deze halsband waarschijnlijk net zo naakt voelen als Barbara zonder haar uniform, er waren dagen dat hij het ding als een regelrechte kwelling ervoer. Iemand moest om de vlieg erin te laten een raam hebben opengezet: hij wou dat ze dat eens vaker deden.

'Hoe dan ook,' zei hij, opstaand, 'de familie Calvert heeft uw orde wel de enige jonge novice sinds jaren opgeleverd. Dat is niet niks. Novicen zijn met een lantaarntje te zoeken, nietwaar?'

Ze knikte, met tegenzin. 'Ja zeker. Therese is een zegen. En Anna een bezoeking.'

'Bezoekingen zijn er om ons op de proef te stellen,' mompelde hij, vol afkeer van het cliché waarvan hij zich bediende. 'En zelfs een vloek kan waardevol blijken.'

Hij klopte haar op de schouder, als een oude wijze oom, ook al was zij ouder dan hij. Terwijl hij het deed verbaasde hij zich er maar weer eens over dat zij, zo'n vastberaden, doortastend type, zich altijd met iets van eerbied tegenover mannen opstelde. Dat deden de nonnen allemaal, met uitzondering van wijlen Jude, en hij wist nooit zeker of het iets natuurlijks was of dat het spot inhield of dat het misschien voortkwam uit de voortdurende behoefte aan het contrast met de mannelijke zienswijze. Mannen konden in een klooster werkelijk alles flikken. De nonnen waren kwetsbaar in hun ontzag.

'Die jongen die Edmund als hulpje heeft ingeschakeld is een buitengewoon harde werker,' zei Barbara, die in een vloeiende beweging opstond en naar de deur liep, en passant van onderwerp veranderend. 'Denkt u dat hij voor hetzelfde loon Edmunds baantje zal willen overnemen?'

'U kunt Edmund niet ontslaan, moeder, dat kunt u gewoon niet doen.'

'Ik ben het echt zát om uit liefdadigheid genoegen te nemen met een luilak die nauwelijks iets presteert. Maar ik vrees dat u gelijk hebt. Wel jammer: die jongen is een goede katholiek.'

Pastoor Goodwin deed er het zwijgen toe, want hij wist dat een groter lofprijzing niet mogelijk was.

'Zullen we er morgen in de vergadering maar verder over praten? Anna heeft gezegd dat ze komt notuleren. U weet wel hoe goed ze daar in is, en ze heeft vaak ook goede opmerkingen. Bovendien kan ze met een computer omgaan. Ze is als een frisse wind, echt een aanwinst, moeder.'

'Ach, misschien ook wel.'

Ze gingen voor de deur uiteen, zij om de telefoon te gaan beantwoorden die fel rinkelde in de nabijheid van haar werkkamer, en hij om zich naar de voordeur te begeven. Hij was dol op deze gang, weliswaar altijd meer op weg naar buiten dan naar binnen. De vloer was belegd met zwarte en witte tegels in ruitvorm, en de muren waren gelambriseerd met donker hout, dat herinneringen opriep aan het nogal onbeholpen maar sierlijk ingerichte huis dat hier vroeger was geweest en waarvan de schoonheid alleen nog bewaard was in deze gang, de refter en de kapel. Het gebouw was de orde in de vorige eeuw nagelaten door een vrome oude vrijster die in haar familiehuis een basisschool voor de armen uit de buurt had geleid. Het was de bedoeling dat de nonnen haar goede werk voortzetten en voor altijd in haar huis zouden blijven wonen. De school was echter al lang geleden gesloten en het was nu een doorgangshuis voor leden van de orde en het laatste onderkomen voor zusters die te oud waren om elders nog van nut te zijn, terwijl buiten de muren de armen van de parochie danig in aantal geslonken waren.

Zuster Agnes zat op wacht bij de deur in haar hokje, op de stoel waarop ze het grootste deel van de dag doorbracht, een stoel met harde zitting; ze las er bij het zwakke licht van het glas-in-loodraam vlak bij haar hoofd en zag er nooit uit alsof ze op haar gemak zat, zelfs niet als ze sliep. Waarom, in hemelsnaam, had ze geen betere stoel? Hij bekeek haar met warme genegenheid terwijl ze er worstelend van afkwam en de deur, die hij met gemak zelf kon openen, voor hem openhield. Ze was gezet en ze moest ervan hijgen, ze had roze wangen met kuiltjes erin en ze glimlachte als een engel. Hij had altijd zin om haar te omhelzen en een smakkerd op haar perkamenten wang te geven, maar hij deed het nooit.

Dus, zo oreerde hij in zichzelf terwijl hij in het licht van de late middagzon snel de straat uit liep, met het gevoel dat hij altijd had na een onderhoud met Barbara, alsof hij na school weer naar huis mocht, dit oord heeft tóch een functie. Vrouwen als Agnes, die niet meer op een andere manier verder konden leven, veilig en beschermd tegen alle kwaad opsluiten in een goudmijn. De gedachte kwam bij hem op bij Anna Calvert langs te gaan, maar lieve God, het was zijn plicht haar zóveel te vertellen dat hem de kracht en de wil ontbraken om op haar bel te drukken, onderwijl biddend dat ze naar haar werk zou zijn. Ze zou trouwens later toch weer in de kapel zijn om op haar geheel eigen wijze te bidden; dat zou ze niet kunnen nalaten. Het kind hing bijna voortdurend in de kapel rond. God zou haar bijstaan. Pastoor Christopher Goodwin liet zijn plan om naar huis te gaan geheel varen en begaf zich in plaats daarvan naar het station. Je kon de Heer ook dienen door je over te geven aan de geneugten van de vriendschap en iedereen moest zichzelf af en toe wat ruimte geven, zelfs een priester.

Echt een bedrieglijke deur, dacht Anna, een deur die niets prijsgeeft van wat zich erachter verbergt. Hij vormde een vlak met de muur en het trottoir en van de misselijke lateibalk erboven drupte regenwater direct op het hoofd van de bezoeker. De deur was van hout, met barsten erin en de ongelakte, uitgesleten contouren en het bescheiden van spijlen voorziene raampje, op ooghoogte en zo groot als een stoeptegel, hadden iets kerkachtigs. De bel zat ernaast, hoog in de muur, zodat ze op haar tenen moest staan om erbij te kunnen. Iemand van normale lengte zou niet zo dicht tegen de deur hoeven te staan om op deze manier om toelating te verzoeken, maar Anna wel. Ze was zo klein dat ze nog in een kindermaat paste: het was alsof haar figuur in alles behalve in lengte was gerijpt. Ze reikte naar de bel, zich bijna tegen het hout aan persend en deed toen snel weer een stap naar achteren. De deur kon een bezoeker nogal eens verrassen. Agnes verschool zich erachter, en die nam vrijwel nooit de moeite eerst door het raampje naar buiten te kijken, ze was de slechtste poortwachteres die ze maar hadden kunnen kiezen; alleen was er niets te kiezen geweest want het was de taak die ze zichzelf had toebedacht en die ze zich niet zou laten afnemen. De bel ging; zij deed open. Als ze zich door iets liet leiden dan was het eerder door haar neus dan door haar ogen. Ze zou de duivel nog binnenlaten, zelfs zonder schaapskleren, en toen ze zag dat het Anna was keerde ze zich teleurgesteld af, maar was wel zo beleefd de deur voor haar open te houden. Anna was nauwelijks een nieuw gezicht te noemen en zelfs geen zondares, al waren zonden in Agnes' ogen een privilege van mannen.

'Het spijt me van je verlies, Anna. Wou je naar Therese toe?' vroeg ze met haar beverige stem. 'Het is zes uur, weet je. Misschien is ze aan het rusten voor het avondeten.'

'Nee hoor, dank u.'

Het 'dank u' klonk hol. Anna liep door de zwart-witte gang, die haar om de een of andere reden altijd opmonterde. De tegels waren in het midden dof van sleetsheid en langs de gelambriseerde muren was het zwart het diepst. Het geometrische patroon nodigde uit om te gaan hinkelen, zoals ze ook gedaan had toen ze hier als onwillig kind voor het eerst was geweest, slechts matig geïnteresseerd bij het vooruitzicht iemand te zullen ontmoeten die haar beschreven was als een tante, maar dan heel oud, met haar hoofd gehuld in een kap en met het uiterlijk van een vleermuis. Ze was mokkend en wel door haar moeder meegesleept voor een bezoek aan haar tante Jude. Therese kwam achter hen aan en wist haar onwil met meer succes te verbergen omdat de omgeving haar meteen aansprak en zij zich instinctmatig voorbeeldig gedroeg. Anna bleef dwars tot ze te horen kreeg dat ze, vooruit dan maar, op de zwarte en witte tegels mocht hinkelen en de tuin in mocht en daar mocht staan schreeuwen als ze dat zo graag wilde. Een beetje lawaai kon in dit oord geen kwaad, zei Jude, wat haar achteraf had verbaasd want er was in die tijd nog een kleine montessorischool voor vijftien meisjes in één klaslokaal aan een kant van de gang ondergebracht. Een hele tijd geleden nu al. Zestien jaar.

De kapel zag er kaal uit zonder de kist en de vele bloemen, het was een ruimte waar met gemak vijftig mensen konden zitten en in deze staat van leegheid leek hij kleiner, koeler en bekoorlijker dan ooit tevoren. Er stond een traditioneel altaar tegen de achtermuur en verder naar voren was een lange, smalle tafel waarop de voorbereidselen voor de Heilige Communie werden getroffen. De hele sierlijke ruimte werd gedomineerd door het grote kruisbeeld dat centraal voor het hoge raam hing; dat raam welfde omhoog naar het plafond en liet een sterke kleurloze bundel licht binnen die op het kruis viel, zodat het een schaduw van het raam tot aan de deur wierp en de figuur aan het kruis slechts vaag te onderscheiden was. Anna bekruiste zich met het automatische gebaar van iemand die dit met de paplepel was ingegoten en knikte naar de gestalte.

'Hé, Jezus, alles kits? Is je pa er vanavond ook?'

De stilte was intens. Ze sloeg haar armen over elkaar. Achter het gezicht van de Zoon, was er altijd dat van de Vader. Bij voorkeur het type pater familias met een rond gezicht, als een oude, Italiaanse restauranteigenaar.

'Ach, schei nou uit met dat gedoe. Je hebt me best gehoord.'

De in vol blad staande berkenbomen zwiepten hun takken tegen het boogvenster. De kleine ramen die ter weerszijden hoog in de muur zaten schitterden als juwelen. Door een ervan kwam tocht naar binnen, hij was met behulp van een lange stok geopend en godzijdank waren ze vergeten het te sluiten. Christus hing slap aan zijn kruis. Anna knikte, tevreden over het geluid van de bomen.

'Oké, vanavond ben je er. Maar waar was je vanochtend verdomme, Heer?'

Het kruisbeeld gaf geen antwoord. Ze zat met haar benen over elkaar geslagen op de voorste bank aan het middenpad. Een laag hek scheidde haar van het altaargedeelte, een hek dat niet bedoeld was om de priester die de mis opdroeg van de aanwezigen te scheiden, maar eenvoudigweg nodig was voor degenen die niet in staat waren zonder enige steun neer te knielen. Sommige nonnen stonden erop te knielen om de Heilige Communie te ontvangen; andere, die zich aan de moderne tijd hadden aangepast bleven staan. Het was voor de priester gemakkelijker als ze knielden, vooral voor iemand als pastoor Goodwin die voortdurend krom liep, al bleek hij behoorlijk lichtvoetig te zijn wanneer hij van het klooster wegsnelde. Die man was trouwens stukken beter dan de bisschop.

'Vanmorgen was je hier dus echt niet, Heer. Het was een puur godloze toestand, nergens een god te bekennen.'

De stilte was niet compleet. Door het hoge boogvenster achter het altaar heen hoorde ze de hoge berken ruisen. Het was dit raam dat de ruimte distinctie verleende, zich kromde tot helemaal boven in de hoge muur in de vorm van een omgekeerde boot, de glas-in-loodramen in de vorm van langgerekte ruiten, met rookachtig glas, heel licht blauw zonder andere kleuren, waardoor de kapel in een heldere maar bescheiden gloed werd ondergedompeld, zelfs als de zon op zijn felst scheen. In blank eikenhout gevat leek het raam zich naar haar toe te buigen, als bevond ze zich in de beschutting van de boot; het omarmde haar. Het kruis was van hetzelfde lichte hout gemaakt als de lijst van het raam. Vanaf haar plek zag ze dit duidelijker doordat ze in de schaduw ervan zat. De gestalte die er op een ongerieflijke manier aan hing zag er met zijn gespierde armen, gerekte torso en zijn in Anna's ogen vettige ouderwetse haar van een lelijke bruine tint uit alsof hij een Armani-pak had kunnen dragen, of in ieder geval, als hij plat had gelegen, alsof hij ietwat verwrongen in een ligstoel hing. Het gezicht had iets katterigs met de uitgezakte mond en de half geloken ogen. De indruk die er het sterkst uit naar voren kwam was er een van zuivere verbazing, en voor een vermoorde man met een hinderlijke lendendoek om zag hij er verrassend schoon en onbebloed uit, veeleer een afgeleefde Italiaan dan een vlezige timmerman.

Als Anna tegen God praatte, of juister gezegd hem min of meer van alles toeslingerde, sprak ze tot de God die de inspiratie vormde voor dit raam en niet tegen deze beeltenis van zijn zoon in extremis, al bleven haar ogen afdwalen naar het vage gezicht aan het kruis.

'Weet je wat het met jou is?' zei ze. 'Je kunt maar niet besluiten of je wilt dat ze medelijden met je hebben of dat ze voor je vallen.'

Ze was aan het honen zonder in geschreeuw te vervallen. Zelfs als ze met haar woede, verachting of frustratie in de allerhevigste strijd verwikkeld was kon ze er niet toe komen in de kapel te schreeuwen. Op straat kon ze gillen, twee vingers in de lucht steken en gillen tegen wildvreemden, maar hierbinnen kon ze niet schreeuwen, zelfs al had ze er af en toe heel veel zin in. Hierbinnen kalfde een schreeuw af tot weinig meer dan een fluistering. Er hing nog steeds een vage lucht van wierook, iets wat ondanks het geopende raam was achtergebleven van de eerder gehouden mis.

'Ik snap gewoon niet,' zei Anna, 'waarom jij, als jij hier echt woont, met al dit licht, je gewoon laat opsluiten zonder frisse lucht. En dat je goedvindt dat ze de hele ruimte vullen met al die geuren. Je hebt hier gewoon niets te vertellen, Heer, geen moer.'

Ze kwam van de bank af en ging op een van de stoelen zitten. Deze had een rieten zitting, die tegen haar knieholten kriebelde. Het gebrek aan normaal menselijk comfort maakte haar woest. God eiste dat niet eens.

'Lieve Heer, ik ben gekomen om mijn sléchte intenties aan te kondigen. Hoor je me?'

De zon verdween even achter de ramen. Vroeger geloofde ze dat zonnestralen die vanachter de wolken schenen, de aanwezigheid van engelen verrieden en dat het de engelen waren die de wolken uiteindelijk wegbliezen. Iets later in de geschiedenis van haar fantasie werden de bundels zonlicht een soort hemelse semaforen van de heiligen.

'Lieve Heer, ik ben van plan mezelf te benevelen en misschien ook wel ontucht te plegen. Met andere woorden me vol te laten lopen en wie weet ook een nummertje te maken.'

De wind liet de berken geruststellend ritselen. Als kind had ze ook gedacht dat het geluid van de wind in de bomen het ademen van God was. Want God, zo was haar verteld, had alles gemaakt en ze kon zich niets voorstellen bij een zwijgende Schepper. Een God die de wereld had gemaakt zou dit toch zeker duidelijk laten merken door zo veel mogelijk herrie te maken? Alle geluiden uit de natuur hoorden bij God; alleen het geluid van auto's, vliegtuigen en machines hoorde bij mensen.

'Heb je me gehoord?'

Dronken worden en neuken. Tegen welk gebod zondigde je daarmee?

'Oké dan. Misschien kan ik en passant Agnes' keel dichtknijpen. Dat maakt het erger, toch?'

Ja.

Anna breidde in wanhoop haar handen uit.

'Hoe kun je ons dit aandoen, verdomme? O, ik heb het niet eens over mezelf, maar over hen. Waarom laat je dit hier naar de verdommenis gaan en waarom heb je haar in deze val gelokt? Jij bent het die maagden als mijn zusje verleidt, maar intussen zie je er niet uit. Smerige bástaard!'

Dit keer bereikte haar stem het volume van schreeuwen. Bijna dan. Ze had er meteen spijt van en terwijl ze een verontschuldiging mompelde hoorde ze de deur achter zich. Anna bleef roerloos zitten, wachtte tot de voetstappen haar kant uit kwamen, lichte stappen van zachte schoenzolen. Therese droeg altijd soepele schoenen. Een gestalte groter dan zij kwam naast haar zitten. Uit een hoek van haar naar beneden gerichte ogen zag Anna dat ze een oud missaal in haar hand had, dat ze zachtjes op de stoel rechts van haar neerlegde. Therese had altijd wel iets in haar handen.

'Anna, hou daarmee op.'

Anna ademde zwaar en spreidde haar handen in haar schoot. 'Waarmee stoppen, zustertje? Ik was gewoon aan het bidden.'

'Ja, ik hoorde je wel. Je bent bedroefd en dan word je altijd kwaad. Je was niet aan het bidden, je zat te schelden. Waarom zou Jezus naar je luisteren als je hem een bastaard noemt?'

'Maar dat was hij toch? Nou en of. Een op de vlucht geboren bastaard.'

'Des temeer reden om niet te schelden.'

Therese was boos. Anna wist dat ze boos was. Het stemde haar tevreden. Haar aardige zusje met de zachte stem beefde van woede, maar die woede zou zoals altijd van korte duur zijn en om het minste of geringste omslaan in vergeving, begrip of in smeekbeden, niet noodzakelijkerwijs in die volgorde, maar niet tegen te houden: om razend van te worden. Zelfs als ze kwaad was, zag ze er nog bevallig uit, ze zat met haar rug kaarsrecht, haar knieën aaneengesloten, haar hielen van de grond af en haar voeten gekromd, als een danseresje dat op het punt staat met haar oefeningen te beginnen.

''s Avonds voor ik slapen ga...' begon Anna op te zeggen.

'...volgen mij veertien engeltjes na,' vulde Therese aan.

Een minuut lang heerste er een ongemakkelijke stilte waarin alleen het murmelende geritsel van de bomen buiten en Thereses zachte ademen te horen waren. Toen legde Therese haar hand op Anna's blote arm. Anna verstarde, tot Thereses hand zich om de hare klemde en deze vast bleef houden.

'O, Anna, lieverd, waarom doe je dit toch steeds? Waarom geef je jezelf er zo van langs?'

'En hoe komt het dat jij er zo snel overheen bent, ongevoelige nicht die je bent?'

'Ik moest het eten klaarmaken. Het was het beste wat ik haar te geven had. Jude was dol op eten, dat weet je ook wel.'

'Gods keukensloofje, dat ben je.'

'Dat kun jij wel vinden, maar ik heb er zelf voor gekozen.'

'Je verdoet je leven. Koken voor ouwe vrouwen. Je laat je belazeren, je verknoeit je leven.'

'En jij doet het allemaal veel beter, zeker?'

'Ik ben tenminste vrij.'

'Als je het zelf zegt.'

Hun huid verschilde van tint. Thereses slanke arm stak uit dezelfde eenvoudige blauwe blouse die ze altijd droeg binnenshuis en was melkwit terwijl Anna's arm roodbruin was. Voor Anna was Thereses gebrek aan pigment een kenmerk van haar gevangenschap: zo zagen gevangenen eruit. Haar woede stak weer de kop op; ze had moeite zich in bedwang te houden.

'Ik vraag me af of het anders ook zo zou zijn gelopen. Of het is voorbeschikt. Vergeef me de uitdrukking.'

'Of het Gods wil is? Ik weet het echt niet. Ik weet alleen dat ik over het algemeen heel blij en tevreden ben en ik zou ontzettend graag willen dat jij dat ook was.'

'Ach, hou toch op. Weet je hoe je nu klinkt?'

Therese hield haar hand nog steeds stevig vast. 'Hoor eens, lieve schat, je kunt mij lastige vragen stellen zoveel je wilt, maar je moet de anderen met rust laten. Je kunt niet tegen vrouwen die al zo oud zijn zeggen dat hun hele leven, dat ze in het volste geloof geleefd hebben, niks voorstelt. Dat is gemeen. Je doet ze er alleen maar verdriet mee.'

'Wat heb ik dan gezegd? Ik heb alleen maar tegen die stomme Barbara gezegd dat zuster Jude zonder haar nonnenketenen een heel bijzondere vrouw had kunnen worden. Ze had in de echte wereld heel wat kunnen zijn.'

'Maar ze was ook heel wat, sufferd. En zonder haar ketenen was ze misschien wel helemaal niets geweest. Dan zou er niets aan haar verloren zijn. Dat zou voor mij ook zo kunnen zijn.'

'Jij zou mij altijd nog hebben. Jij hebt mij. Ik zou jou wel overeind houden.'

'Dat is niet genoeg. Geen enkel mens kan ooit zoveel betekenen.'

In haar stem klonk vermoeidheid door, een vermoeidheid die aangaf dat het een gesprek was dat ze al heel vaak gevoerd hadden, zo niet in dezelfde bewoordingen dan toch over hetzelfde thema. Therese pakte het missaal van de stoel naast haar en legde het in Anna's schoot.

'De familie is op haar kamer geweest om te kijken wat ze wilden meenemen. Maar ik was er net iets eerder.'

'Jude had toch niets om na te laten?'

'Ze had boeken en cassettebandjes. Ik heb haar oude missaal meegenomen, voor jou.'

Anna legde haar hand erop. Het was heel oud en het barstte van de bidprentjes en losse blaadjes met aantekeningen, bijeengehouden met een elastiekje. Het riep enige weerzin bij haar op. Ze wilde het missaal niet, maar wist dat het toch echt van haar was.

'Wil je dat ik verhuis?' vroeg ze nederig. 'Ben ik te lastig?'

'Nee, natuurlijk niet. We zouden je allemaal missen. Je moet dat alleen doen als je er zelf aan toe bent.'

'Niet zonder jou.'

Therese zuchtte. 'En mij maar vertellen dat jíj vrij bent.'

Ze maakte haar hand los van die van haar zus, zachtjes, maar vastbesloten, trok even aan Anna's haar en streek langs haar blote knieën met haar tot haar kuiten reikende rok, die er net als haar blouse als een veel gedragen tweedehands kledingstuk uitzag en een vage keukenlucht uitwasemde. Ze knielde voor het altaar, maakte het kruisteken en verwijderde zich op haar zachte zolen. Toen ze de deur zachtjes achter zich sloot tochtte het even. De ruimte was duisterder zonder haar. Anna voelde zich alleen gelaten en in haar wiek geschoten; met haar voeten trappelde ze op de vloer. Kleine voeten. Het geluid verdronk in de ruimte, maar bracht toch enige troost.

'Zie je nou, Heer' – Anna richtte zich tot de bomen en de donkerende hemel achter het enorme raam. 'Zie je nou hoe ze me vertrouwt? Ze laat me hier alleen achter want ze weet dat ik de boel niet kort en klein zal slaan. Nou, daar zou ik maar niet zo zeker van zijn als ik jou was. Jij hebt meer levens kapotgemaakt dan je hebt gered. En iedereen kan dat trouwens heel goed zelf.'

In het vervagende licht spatten de levendige kleuren van de kruiswegstaties van de muren af. De hooghartige smart op het gezicht van de gekruisigde Christus volhardde in verstarring, net als de smetteloos witte plooien van zijn zedige lendendoek. Ze zou het liefst de stalen draad waaraan het kruisbeeld hing doorknippen en toekijken hoe het neerviel en in brokken uiteenspatte. Ze wou dat de muren instortten, als in Jericho: ze zat roerloos, met haar handen om de stoelzitting geklemd, en wenste uit alle macht dat het zou gebeuren.

Toen klonk het pistoolschot.

Een van de grote glazen ruiten van het hoofdraam verbrijzelde. Het glas vloog met een knal de ruimte in: een glinsterende regen ving het licht op en stortte in zilverige fragmenten naar beneden, tinkelend en botsend, uiteenstuivend in een dodelijk stof tot de stilte weer inviel. Anna krabbelde overeind, greep het missaal en rende naar de deur. Daar bleef ze staan en keek om. De helft van het gebroken glas was in het raam blijven zitten met een scherpe, puntige kartelrand. Het geruis van de bomen klonk luider. *Nader en nader komt de hemelhond, ongehaast jagend, onverstoord voortsnellend, met doelgerichte spoed, majesteitelijke drang...*

Ze rende de gang met de zwarte en witte tegels door en stormde het gebouw uit. Agnes' stoel was onbezet; niemand hoorde haar. Anna bleef rennen.

In een andere tuin stortte de kauw ter aarde. Kay McQuaid pakte een baksteen om hem af te maken. Wat een vlooienbak.

Ik heb je te grazen, klerebeest.

2

Gij zult u geen gesneden beeld maken

De ekster was in een regen van veren en andere overblijfselen op de grond gevallen. Zijn zwart was minder intens dan in de lente. Edmund zag de matte glans van zijn veren en zijn gekromde pootjes toen hij de vogel voorzichtig in een doek oppakte, zijn warmte door het flanel heen voelend, hem uiterst behoedzaam optillend, bang te worden opgeschrikt door een plotselinge beweging, een hartslag of het openen van een oog, maar het beest was wel degelijk dood; was ongetwijfeld al dood toen hij viel en de takken van de boom op weg naar beneden zijn vleugels raakten en zijn val vertraagden, tot hij neerkwam in een dwarreling van veren en lichtgroene bladeren. Edmund huilde. Vol eerbied zijn last meedragend, met zijn armen uitgestrekt zodat die niet te dicht bij zijn eigen lijf kwam, strompelde hij over het pad van de berken naar het achterste gedeelte van de tuin, in zijn wankele voortgang gehinderd door zijn tranen. Tranen en schaamte. De stenen van het pad lagen schots en scheef. Aan het eind ervan struikelde hij. De dode vogel viel uit zijn handen terwijl hij in de houding van een boeteling neerkwam, tegen de knieën van zuster Matilda die daar kalmpjes op de stenen bank zat, die op zijn beurt rustte tegen de voeten van het beeld van de aartsengel Michaël, de leider van Gods engelenschare en de bedwinger van Lucifer. Ze bad een rozenhoedje met behulp van de rozenkrans die ze aan haar middel droeg – *Wees gegroet, Maria, vol van genade, de Heer is met u; gij zijt de gezegende onder de vrouwen...* – onder het beeld van de heilige held, dat half bedekt was met groen mos. Het was een natte zomer geweest. Edmunds struikelval werd door de plooien van Matilda's habijt, die op een hoopje om haar knieën lagen, verzacht.

'Ssj, ssj,' mompelde ze, 'geen tranen voor het slapengaan, hoor je? Kom maar hier zitten, lieve Edmund.'

Edmund kwam steunend overeind, nog steeds huilend, ging naast haar op de stenen bank zitten en begon de tweede helft te mummelen van het gebed dat hij haar had horen beginnen, een geluid als balsem voor zijn ziel. *Heilige Maria, Moeder van God, bid voor ons zondaars, nu en in het uur van onze dood. Heilige Maria...* Het klonk als een geprevelde verwensing. De dode ekster lag voor zijn voeten. Hij wendde zijn ogen ervan af en schoof hem iets verder met zijn voet, waarna hij er weer heel even naar keek toen hij de doek erover liet vallen met de bedoeling het dode beest af te dekken. De snavel van de vogel stak eronderuit, strak en levenloos. Edmunds schouders schokten.

'Wat heb ik gedaan? Wat heb ik gedaan?'

Hij boog zich naar voren en begroef zijn hoofd in zijn handen, die de geur van de dood bij zich droegen. Als hij naar de vogel keek zou hij de maden al zien rondkruipen, althans dat zouden zijn ogen zich verbeelden. Matilda legde haar mollige hand onder op zijn rug en streek er zachtjes over. Toen boog ze zich naar voren en omhelsde hem, haar armen omvatten zijn schouders en haar boezem perste zich tegen zijn ruggengraat. Hij voelde haar warmte, maar die vermocht nog niet hem tot bedaren te brengen.

'Ik hoorde vanmorgen de merel zingen,' snikte hij. 'Hij zóng, net zoals hij in april zong. Alsof zijn leven ervan afhing. Alsof het einde van de wereld nabij was. Een merel! Een merel die zingt in september!'

Ze wachtte geduldig tot hij verder zou gaan. Sinds ze de kapel voor de tuin had verruild, hadden uren in zijn gezelschap haar alles bijgebracht over de kracht van de zang van de merel, het rijzen en dalen van zijn melodieën, de bron van alle muziek tijdens de ochtendlijke samenzang door het jaar heen. Ze kende zijn gejubel uit vreugde over broedsels, nestjes en warmte en ze wist dat de zorgzame instandhouding van het leven van deze vogels in deze tuin, en van dat van zijn andere vrienden, de glorieuze bekroning vormde van alle jaren dat Edmund de tuin onderhield. Gedeeltelijk kon ze de vogelzang horen, gedeeltelijk ook niet door haar inconsistente doofheid. Er was een zich steeds vernieuwende familie koolmeesjes die uit zijn hand at, maar de merels waren zijn grootste trots. Er waren gezinnen en gasten in de tuin, vogels die kwamen foerageren of roven. Ze maakte zich van hem los en begon weer langzaam en ritmisch over zijn rug te wrijven.

'Maar in deze tijd van het jaar zíngen ze toch niet? Ze roepen toch, bedoel ik, ze zingen toch niet? Of wel? Het zingen is opgehouden, dat heb je me zelf verteld.'

'Blackie zóng, ik zweer het. Hij zong zoals hij doet als er jongen in het nest zijn. Hij zóng. En toen joeg de ekster hem weg.'

Opnieuw wachtte ze af, met haar ene hand over zijn rug wrijvend terwijl de andere de voeten van de Heilige Michaël streelde. Michaël had eigenlijk gladde voeten moeten hebben, bedekt met een laagje bladgoud, warm om aan te raken. Deze voeten waren bobbelig geworden door slijtage en het mos dat erop groeide en ze voelden ruw en koud aan. Ze boog zich naar voren en zag de ekster liggen. Hij was groter dan hij eruitzag als hij over een tak liep, maar kleiner dan hij in de vlucht leek. Een lelijke rotzak, deze lawaaierige tuintiran, in haar ogen had hij niets moois of plezierigs.

'En dus zei ik... zei ik... zei ik dat ik wou dat hij dood was,' snikte Edmund. 'Omdat het een bullebak is. Hij jaagt de andere vogels weg en vreet hun jongen op. Hij was bijna het hele jaar hier en ik dacht dat hij wel weg zou gaan. Herejee, ik heb van alles geprobeerd om hem weg te krijgen. Maar toen de merel aan het zingen was en hij hem wegjoeg, God, wat haatte ik dat beest. Maar hem doodmaken? God vergeve me.'

'De Heilige Michaël zou het je meteen vergeven,' zei ze. 'Die zou het beest gesmoord hebben zodra het uit het ei was.'

Ze draaide zich om en keek omhoog naar het beeld. De voeten van de aartsengel Michaël rustten comfortabel op een dikke stenen slang die hij duidelijk bedwongen had met de lans die in de kronkeling was gestoken; de schacht hield hij nog in zijn handen en zijn blik was naar de hemel gericht. De Heilige Michaël vertoefde in de hemel ter rechterzijde van God. Hij had de goede engelen aangevoerd in de strijd tegen de duivel en híj wist wel dat vijanden uiteindelijk gedood dienden te worden. Edmund was heel anders. Voor Edmund was het leven van een vogel heilig, zelfs dat van een gier. Hij ging weer door met snikken.

'Maar ik zei alleen maar dat ik wóú dat hij dood was. Ik zag hem wegvliegen en wenste het alleen maar. Want als hij zou blijven en doorging met die herrie zou hij de andere vogels wegjagen nog voor het echt koud wordt, en dan komen ze niet terug om hier te nestelen.

Ik wilde dat hij wegging. Maar het was niet mijn bedoeling hem dood te maken.'

Matilda verwonderde zich intussen over de kracht van het gebed en voelde nog geen greintje van de schuld die Edmund voelde. Hij had met ongelooflijk venijn gesproken over de ekster, van februari tot juli aan toe, en met des temeer opgewonden ergernis in de periode dat de andere vogels, de merels en de koolmeesjes, op hun vaste stekkies aan het broeden waren; hij had een berg geld gespendeerd aan kaas en noten om de voedselvoorraad op peil te houden en had ook de ekster gevoerd om hem rustig te houden. En toen was de ekster vertrokken. Zijn terugkeer betekende een forse slag voor hem. Ze had gebeden om het verscheiden van de tuintiran en haar wens was in vervulling gegaan. De schaduwzijde van deze wens was dat hij van Edmund een moordenaar maakte. Ze vroeg zich af hoe hij het beest volgens hemzelf gedood had. Met een katapult, zoals David Goliath had neergelegd? Weinig kans. Ze glimlachte en schudde haar hoofd.

Er bestond geen twijfel over wie de eigenaar was van de tuin en wat de bestemming ervan was. Hij was speciaal ontworpen, beplant en geheel en al ingericht als een vogelreservaat. Matilda verwonderde zich er altijd over dat niemand anders in het klooster dit blijkbaar in de gaten had. Het was een geheim dat ze deelde met Edmund en de Heilige Michaël en dat ze ook dolgraag gedeeld zou hebben met zuster Joseph, ware het niet dat die geheel en al opging in haar misère en zich groen en geel ergerde aan Matilda's intermitterende doofheid. Alle anderen accepteerden simpelweg dat de tuin steeds ondoordringbaarder werd en weten het aan Edmunds kwaaltjes en, in het geval van Barbara, aan haar eigen onverschilligheid tegenover alles wat zich buiten de kloostermuren afspeelde.

De woekerende klimop die de achtermuur ongehinderd overdekte werd zelfs aangemoedigd zich nog verder uit te breiden, omdat sommige vogelsoorten er graag in nestelden. De lage takken van de jongste platanen waren perfect geschikt voor jonge vogels, die gevaar zouden lopen als ze op de grond sliepen. Edmunds nestkastjes, waar de koolmeesjes zo gek op waren, zaten in de klimop verscholen en wilde wingerd camoufleerde de gaten in de muur die Edmund groter had gemaakt in de hoop de huismussen en de roodborstjesfamilie die hier twee jaar geleden ruziënd en wel verbleven hadden, weer aan te trekken. De zwarte-bessenstruiken waren er speciaal voor de merels.

De te grote lelijke tuinschuur, waar Edmund geacht werd zijn tuingereedschap in op te bergen, was leeg op een hark, een schop, een hamer, spijkers, messen en twijndraad na, plus zijn stoel en een zak graan. Matilda wist niet wat hij had verzonnen om de Londense duiven uit de tuin te houden, maar vergif kon het zeker niet geweest zijn. Ze vermoedde dat hij hiervoor doelgericht gebruik had gemaakt van een waterpistool.

Edmund hield het gedeelte van de tuin het dichtst bij het kloostergebouw, aan de achterkant van de kapel, keurig netjes bij; hier bevond zich een enkel bloembed. Eromheen liet hij de struiken opruk-ken en probeerde hij de groei te bevorderen van twee kleine sombere hulstbomen die winterbessen opleverden en een geschikte voedingsbodem vormden voor maretak. De overdadige dwergmispel, die voorbij de bocht bij het beeld van de Heilige Michaël over het pad groeide droeg oranje vruchten waar de vogels wild van waren. Edmund was een tuinman die niet kon snoeien.

Matilda haalde haar hand van zijn rug, ineens onrustig. Ze omklemde haar rozenkrans stevig. De warme houten kralen waren een voortdurende bron van vertroosting. Ze had geleerd hem in haar zak te stoppen als ze naar dit deel van de tuin ging, om te voorkomen dat het geluid van de tegen elkaar tikkende kralen de vogels verschrikte.

'Edmund, lieverd, waaraan is dat arme mispunt gestorven? Hij viel niet zomaar uit de lucht omdat jij hem dood wilde hebben, of wel soms?'

Of omdat ik de Heilige Michaël heb gebeden om juist dat te laten gebeuren, dacht ze, en haar gedachten dwaalden af. Echt waar, die Edmund was al net zo koppig als Joseph: ze waren beiden niet in staat om genegenheid of vergiffenis te accepteren, alsof ze gewoonweg nooit zouden kunnen geloven dat ze zoiets verdienden. Dan de Heilige Michaël, die was heel wat toeschietelijker dan God. Zo'n aardige jonge kerel. Ze had een hele persoonlijkheid voor hem uitgedacht, compleet met garderobe. De Heilige Michaël was een respectvolle, charmante luitenant, perfect gemanierd, en de enige ter rechterzijde van God die God moppen kon vertellen. Ze stelde hierop nu maar haar vertrouwen om een onmiskenbaar gevoel van onbehagen te maskeren. Ze boog zich verder naar Edmund over om zijn antwoord te horen, al beperkte haar doofheid zich tot geluiden uit de verte en was ze dankbaar voor de aldus gevormde cocon. Matilda had geen behoefte aan meer dan menselijke stemmen en vogelzang om tot haar bewustzijn te laten doordringen, en dan alleen nog maar de stemmen van haar favoriete mensen en favoriete gevederde vrienden. Er waren stemmen waarvan ze hield en er waren er ook waarvoor ze terugschrok. Ze hield van Edmunds gebrom; ze hield van het jeugdige stemgeluid van kleine zuster Therese; ze hield van het schrillere, meer uitgesproken stemgeluid van die slechte zus van haar, dat meisje dat waarschijnlijk naar de Heilige Anna was genoemd, een van de saaiste heiligen die er waren. Het was veel beter om naar een engel als Michaël vernoemd te zijn.

'Waaraan is hij doodgegaan?'

'Ik weet het niet,' mummelde Edmund. 'Ik wilde dat hij dood-ging.'

'Ik ook, maar hoe is het gekomen?'

'Hij viel uit de lucht. De ruit van de kapel is gebroken.'

'Ach, hemel.'

Ze wist het opeens. Die jongen had het gedaan. Ze meende hem gehoord te hebben, maar ze kon zich vergissen. Die mooie jongen met zijn blonde haar die de afgelopen twee weken om Edmund heen had lopen draaien met de zorgzaamheid van een kleinzoon die idolaat is van zijn grootvader. Ze had hem eerder langs zien schichten toen ze hier zat, waar ze zo vaak zat, haar behandelend alsof ze behalve gedeeltelijk doof ook blind en stom was. Een jongen interesseerde zich niet voor een oude vrouw, en toen hij zijn mond had opengedaan, beviel zijn stem haar niet.

'Jíj hebt hem niet gedood,' protesteerde ze. 'Dat heeft hij gedaan. De jongen. De jongen die jou om zijn vinger heeft gewonden. Hij heeft het gedaan. Hij heeft een windbuks. Ik heb het gezien.'

'Nee. Francis zou zoiets nooit doen.'

'Hij heeft het net gedaan.'

'Nee, hij is al uren geleden naar huis gegaan. Hij heeft het niet gedaan. Francis niet, hij houdt van de vogels.'

Ze sloot haar ogen en dacht aan Lucifer de Slang, die ze zich voorstelde als een uiterst fraaie bruinharige jongeman met een brutaal ogend lijf, smalle heupen en grote smekende ogen. Francis leek wel een beetje op die Lucifer. Het was een indruk die ze niet helemaal van zich af wist te schudden, ook al wilde ze hem graag aardig vinden, al was het maar vanwege zijn naam. De Heilige Franciscus was de patroonheilige van de vogels en een jongen die zijn naam droeg moest wel goed zijn; het was ongetwijfeld deels de reden waarom Edmund hem verafgoodde, al was het ook zo dat Edmund een oude, vrijgezelle homo was, niet ongevoelig voor de demonen der verleiding die Francis deed ontwaken. Hij had geen flauw idee dat Matilda wist wat hij zichzelf ternauwernood zou bekennen. Hij was opgehouden met huilen.

'Francis zou zoiets nooit doen,' zei hij beslist. 'Zelfs al zou hij denken dat dat was wat ik wilde. Het kwam ofwel door gebed of anders heeft iemand anders het gedaan. En nu moet ik die vogel maar eens gaan begraven.'

Ze knikte en klopte hem op zijn rug, vol hartelijkheid. Als hij het zo wenste te bekijken, dan was dat best. Dan hield ze haar gedachten of verdachtmaking wel voor zich.

'Als je dat gedaan hebt,' vroeg ze, 'zou je de Heilige Michaël dan niet eens een sopje kunnen geven? Het mos van zijn voeten halen?' En de vogelpoep die de ekster had achtergelaten, zijn laatste rotstreek.

Edmund steunde met zijn vuile hand op haar knie om zichzelf te kunnen oprichten. 'Een goed idee.'

Toen hij verdwenen was, was het al bijna donker. Matilda had heel even de gedachte dat de andere jonge eksters die in deze tuin waren grootgebracht misschien zouden terugkeren om hun broertje te zoeken en wraak te nemen, maar verwierp die terstond weer. De vogels gingen al vroeg slapen en er heerste voor het moment een vredige stilte. Terwijl ze zich over het pad in de richting van de berken en het open gedeelte bewoog, bleef ze even staan om te wuiven. Ze had het altijd door als er iemand stond te kijken.

Ja, het was een zonde geweest om voor de dood van een levend wezen te bidden. Misschien was het ook een zonde om God voor andere heiligen in de steek te laten. Ze had een beeld nodig om voor te bidden, anders ging het niet. En ze wou dat zuster Joseph, die ze liefhad – al jaren en jaren –, genoegen zou nemen met haar eigen deugden en de rest gewoon liet zitten.

Op een afstand van meer dan honderd kilometer wierp Kay McQuaid de dode kauw op de composthoop achter in de tuin, veegde haar handen aan haar broek af en liep terug naar het terras. Het was een kort wandelingetje zonder obstakels over een kortgeschoren gazon met in het midden een cirkelvormig bloembed waarin donkerrode dahlia's stonden en verder vrijwel niets. Er stonden keurig bijgehouden struikjes langs de muren en bloempotten op het terras, dat even groot was als het gazon en het belangrijkste onderdeel van de tuin vormde. Een tuin van bescheiden afmetingen, gekortwiekt en volledig in bedwang gehouden door een serre en een terras plus de meedogenloze toepassing van insectenverdelger. Onderhoudsvriendelijk, dat was het uitgangspunt. Gedurende een aantal uren per dag was er een teveel aan schaduw, afkomstig van de lage boom die in de tuin van de buren stond te bloeien. Een boom zo dicht bij zee kon niet beter zijn best doen, maar als het buurgezin hem niet behoed had, zou Kay er allang de zaag in hebben gezet. Alles wat afbreuk deed aan het beetje zonneschijn dat een Engelse zomer te bieden had was taboe. Die rottige kauw was ook uit die rottige boom gekomen.

Het geluid van de zee aan de voorkant van het huis vormde een geruststellend achtergrondgedruis, nu en dan doorbroken door het gekrijs van zeemeeuwen.

'Proost,' zei ze tegen haar metgezel, het glas heffend dat ze op tafel had achtergelaten.

'Als het een fazant was geweest had je hem kunnen braden,' zei hij, verwijzend naar de dode vogel.

Ze schudde haar hoofd. 'Jij misschien. Ik geloof dat ik het wel gehad heb met kokkerellen. Neem wat pinda's.'

'Je zou groenten kunnen verbouwen op de plek van het gazon. Kun je ze vers uit de tuin eten.'

Ze geeuwde. 'O ja? Ik heb het toch al zo druk in deze tijd van het jaar. Als ik de ligstoel heb neergezet en net even lig komt er een wolk aan. Dan sta ik op en haal hem weer naar binnen. Dan zet ik hem weer buiten neer en haal hem weer naar binnen. En dan kan ik weer folders van reisbureaus gaan doorspitten om te kijken waar ik dan wél naartoe kan. Ik heb goddorie helemaal geen tijd om te koken. Bedankt trouwens dat je weer helemaal hiernaartoe bent gekomen. Het is altijd fijn je te zien.'

'De reis hierheen is een makkie. Het is een uitje voor me. Je weet dat ik het heerlijk vind om naar je toe te komen. Hoe komt het dat die vogel dood is?'

'Hij kwam door het raam naar binnen, de smeerlap, op zoek naar mijn ringen. Ik gooide een bord naar hem toe en raakte hem nog ook. Niet dat hij daar dood aan ging, hoor. Hij was al niet goed. Door iets wat hij gegeten had. Misschien was het een hartaanval. Hiernaast voeren ze die beesten en dan komen ze hier het terras onderschijten.'

Pastoor Goodwin keek naar de keurig nette entourage. Er was een waterpartij bestaande uit een stenen vijver die bewaakt werd door een tuinkabouter met een hengel in een felrood met groen tenue. Het terras was belegd met grijze baksteen, speciaal bedoeld, dacht hij in zijn onwetendheid op dit terrein, als fraai contrast met de paar minimalistische potten met monochrome altijd groene heesters van het soort dat hij weleens in tijdschriften zag. Hij nam het designkatern vaak door, met name het culinaire gedeelte, tenminste als hij tijd over had na de sportpagina's. Het viel niet zo moeilijk uit te maken wat Kays toevoegingen aan het geheel waren. Oranje en gele geraniums, roze margrieten en al de zeven dwergen. Hij keek naar de dwerg naast de waterpartij die hem om een andere reden beviel, namelijk om het troostrijke gemurmel.

'Nou, eerwaarde, vertel eens, wat is er mis? Als er iets goeds was op de tv zou je hier niet zijn. Deze dag van de week is er toch nooit iets goeds op de tv, of wel? En kijk niet zo naar Droopy, hij doet je heus niets. Hij ziet er een stuk vriendelijker uit dan die afgrijselijke beelden die jij in de pastorie hebt staan. Vooral dat Heilig Hart vond ik altijd afschuwelijk, dat onder die glazen stolp. Dat beeld van hem in die soepjurk met voorop dat hart? Jezus in het zuur, noemde ik het altijd. Tja, wij katholieken groeiden op tussen dat soort dingen. Misschien ben ik daarom wel zo gek op die dwergen. Ik mis dat soort spullen blijkbaar. Weet je zeker dat je niks wil drinken? Jawel, dat wil je best. Pak zelf maar.'

Hij ging naar binnen, liep door de Pogenpohl-keuken met zijn sfeer van glimmend gepoetste nutteloosheid naar de salon die een bijna onvoorstelbaar contrast vormde met de gastenkamer van de nonnen en die hem zich deed afvragen hoe hij er mogelijk had uitgezien voordat Kay er nog niet zo lang geleden haar onuitwisbare stempel op had gedrukt, als enige die er nog gebruik van maakte. Functioneel en heel gewoon, vermoedde hij, zonder al die bontgekleurde kleedjes, het kolossale televisie- en videomeubel en de verrijdbare bar in de vorm van een kruiwagen getrokken door een pluchen ezel en gevuld met een kleurige verzameling flessen met van alles en nog wat, van tequila en Southern Comfort tot slivovitsj en martini, die ze gekregen had of had meegenomen van buitenlandse vakanties, de meeste ongeopend. Er was bananenlikeur van de Canarische Eilanden, Metaxa uit Griekenland en een onbestemd ogend goedje uit Turkije. Pastoor Goodwin pakte de fles Jameson's en zag dat de enige fles waarop vingerafdrukken zichtbaar waren die met Tanqueray-gin was. Dat was Kays drankje, waar ze zich min of meer gematigd van bediende. Het geheel zag er bewonderenswaardig glimmend uit. Je kunt een werkster wel een andere smaak bijbrengen, dacht hij, maar poetsen kun je haar niet afleren.

In de open haard stond een groot goudkleurig beeld van Boeddha met een glimmend gepoetste buik, die ze er misschien alleen maar had neergezet om hem te pesten. In de keuken vond hij een glas waar hij een flinke plens Ierse whiskey voor zichzelf ingoot. Kay lag op haar ligstoel met haar glas gin met tonic, waarin de ijsblokjes nog niet geheel gesmolten waren en waar een roerstaafje met een parasolletje in stak.

Ze was zo bruin als donker leer. Om bruin te worden had je niet eens een goede zomer nodig, had ze hem verteld: je moest alleen de tijd hebben om in de zon te gaan zitten wanneer die zich maar liet zien. En het hielp ook als je in de lente alvast wat voorbruinde op Tenerife. Haar bruine huid paste bij haar ontstellende kledingvoorkeur. Ze was klein, mollig en begin veertig, behoorlijk wat jaartjes jonger dan hij; haar gezicht was echter zo gerimpeld als een walnoot en haar donkerbruine ogen vloekten bij haar springerige gebleekte haar, dat nog verder oplichtte als de zon even doorbrak. Hij was meteen voor haar gevallen, op zijn ingehouden wijze dan, op het moment dat ze de pastorie was komen binnenzetten, een mager meisje dat alles wat ze zei van vloeken vergezeld liet gaan: dat ze godverdorie niet op een preek zat te wachten, dat ze goddomme een baan moest hebben. Kay had haar goddommese baan gekregen: niemand anders wou eraan beginnen, niet voor dat loon. Nadat ze twee weken op een niet onverdienstelijke manier voor hem had gekookt en schoongemaakt, kwam ze met haar tot dan toe onvermeld gebleven onwettige zoon op de proppen. Hij zat haar nu stiekem op te nemen. Ze was niet heel erg veranderd.

'Zijn we al helemaal bijgepraat?' vroeg ze monter.

Ze had het vijf jaar volgehouden in de pastorie, tot ze haar moordbaan bij de Calverts had gevonden. In de tussentijd hadden ze heel wat ruziegemaakt, en flink ook. Ruzies waarbij er met eten was gegooid, hij wist niet meer waarom. Sindsdien was er heel wat wijwater naar de zee gestroomd, zoals zij het uitdrukte. Haar moordbaan bij de Calverts was echter een hondenbaan gebleken, tot het echtpaar uit elkaar ging en Kay huishoudster werd van meneer Calvert, in zijn eigen huis aan zee. Ditzelfde huis, dat nog enige gelijkenis vertoonde met hoe het geweest was toen hij nog leefde.

Kay was altijd bevriend gebleven met Christopher Goodwin, een vriendschap die voornamelijk onderhouden werd door middel van korte brieven waarvoor hij alle heiligen in de hemel eeuwig dankbaar was. Hij dronk zijn whiskey en bedacht dat God goed was, wat als compensatie mocht gelden voor het verzaken van zijn plicht en het missen van de wedstrijd.

Er waren zelfs verschillende dingen die het missen van de wedstrijd goedmaakten. Mevrouw Kay McQuaid, die tipsy genoeg was van de zon en de gin om vrijuit te babbelen, was een zegen na een ellendige dag. Hij vulde haar glas bij met een heel klein beetje gin. Ja, al het nieuws uit de parochie hadden ze wel gehad, tot en met de laatste begrafenis. Ze wilde altijd alles weten wat er over de twee meisjes Calvert te vertellen viel.

'Och, Christopher, doe er nog maar wat bij, zeg. Anders kan ik niet tot God bidden om beter weer en om een vent die in mijn natje en droogje voorziet.'

'Jij hebt alles wat je nodig hebt, Kay. Je hebt je schaapjes op het droge. Zelfs je zoon valt je niet meer lastig.'

'Nee, hij moet het zelf maar zien te rooien. Maar wat bedoel je met dat ik mijn schaapjes op het droge heb? Dit hier is niet voor altijd, al heb ik het goddorie wel verdiend. Ja hoor, ik ben Assepoester, nou goed? De pompoen kan elk moment komen voorrijden. Ga jij me nou niet vertellen dat ik van mijn luie reet moet komen om goede werken te gaan verrichten.'

'Zou ik dat ooit doen dan? Maar heeft hij je dan niet genoeg nagelaten om het er de rest van je leven mee te doen?'

'Theodore? Nee, dat dacht ik niet, zeg. Ik mag hier wonen, maar zijn advocaat kan het huis weer opeisen wanneer hij maar wil. En ik heb genoeg geld om het nog een jaartje uit te zingen met een paar vakantietjes erbij inbegrepen. Maar hij heeft me niets permanénts gegeven. Hij wilde gewoon dat ik voor het huis bleef zorgen en heeft dat aantrekkelijk voor me gemaakt.'

'Is dat niet een beetje gemeen van hem?'

'Hij kon heel gemeen zijn, dat is zeker waar, maar wat is hier dan zo gemeen aan? Beter een poos lang een fijn leventje dan helemaal niets.'

'Gaf hij zijn vrouw dat niet ook?'

'Hoor eens, Chrístopher, begin jij nou niet ook kwaad te spreken over de doden. Wat er met jou mis is, is dat je een vrouwengek bent. Je bent veel te aardig voor ze, je gelooft nooit iets kwaads van ze.'

Hij wist dat dat niet waar was, maar gedeeltelijk had ze in ieder geval wel gelijk. Hij was aardig tegen vrouwen omdat hij vrouwen simpelweg het aardigst vond.

'Ik spreek geen kwaad van hem, Kay. Maar zegt de keuze van een man voor een bepaalde vrouw dan helemaal niets over hemzelf? Je zei dat hij niet gelukkig was met het meisje dat hij hier had zitten. Dat kan toch niet allemaal hun schuld zijn, toch?'

Ze ging verliggen op haar stoel, een ogenblik van plan om kwaad te worden, maar daarvoor ontbrak haar de energie. Het begon koel te worden op het terras, maar het was ook weer niet kil genoeg om naar de serre te verkassen. Ze trok de plooien van haar heel wijde, dieprode gewaad om haar enkels bijeen. Hij wist niet precies hoe zo'n kledingstuk eigenlijk heette.

'Hoor eens, hij ging bij zijn vrouw weg omdat ze hem bij zijn eigen kinderen uit de buurt hield. Je blijft niet bij een vrouw die niets van je moet hebben en die je behandelt alsof je de duivel in eigen persoon bent. Hij had één andere vriendin, die hij puur van de weeromstuit aan de haak sloeg. Een inhalig klein loeder. Je wist nooit of ze naar zijn pik of naar zijn portemonnee graaide, of naar allebei tegelijk.'

Hij lachte, de gelegenheid om te ruziën was alweer voorbij, wat hij eigenlijk een beetje jammer vond.

'En hij was heel aardig voor Jack.'

'Ja, dat ook, maar over Jack wil ik het niet hebben.'

Tot Kays deugden behoorde haar neiging tot kibbelen, die hem in staat stelde zich daaraan te bezondigen. Verder had hij er nergens de gelegenheid voor en er was niemand anders om ruzie mee te maken: hij was altijd degene die vrede moest stichten en luisteren, dat was nu eenmaal zijn rol. Maar bij Kay kon hij een potje bekvechten uitlokken, gewoon voor de lol: lekker een poosje tegen elkaar schreeuwen om het vervolgens gewoon weer te vergeten, zonder een spoor van wrok. Het feit dat ze het vrijwel nooit over iets eens waren hielp hierbij, en ook dat ze geweldig kon ketteren en zich geen bal aantrok van pastorale vermaningen. Hoe verfrissend. Zelfs de Tantaluskwelling die haar fysieke nabijheid vroeger teweegbracht, was vervaagd tot een bijna aangename herinnering. Maar hoe ongedwongen vriendschappelijk ze ook met elkaar omgingen, er was toch een aantal dingen waarnaar hij haar nooit durfde te vragen. Bijvoorbeeld wat voor soort relatie Kay nu precies had gehad met haar rijke werkgever, die haar status van gewoon werkster tot die van huishoudster had verheven en haar zo buitensporig had bedeeld in zijn testament. Ook had hij haar nooit gevraagd wie de vader van haar kind was. Dat zou impertinent zijn geweest.

'Vertel eens, hoe verdiende Calvert, je sprookjespeetvader, zijn geld ook weer?'

Kay knipoogde. 'Dat heeft niks met sprookjes te maken, Christopher. Met kezen, sorry, met het bankwezen.'

Ze noemde hem pas Christopher als ze twee gins achter de kiezen had. Christopher klonk zo nichterig en trouwens, zo liet ze nooit na hem diets te maken: de bijbehorende heilige was dertig jaar geleden al uit de heiligenkalender gegooid. Christoforus, wiens beeltenis talloze penningen had gesierd, werd niet langer beschouwd als een heilige die er veel toe deed. Je zou kunnen zeggen dat pastoor Goodwin iets soortgelijks was overkomen.

'Leuk, die gouden boeddha,' zei hij, zich steeds behaaglijker nestelend in zijn stoel.

'O, die,' zei ze, een wegwerpend gebaar makend met haar bruine hand met vuurrode nagels. 'Ik dacht ik word boeddhist. Het is zo'n aardige godsdienst.'

Ze worstelde zich overeind om verdere toelichting te geven, en hij verslikte zich bijna in zijn whiskey. Haar jumpsuit hing wijdopen en onthulde een tot barstens toe gevulde bikini met bloempatroon die hem om de een of andere reden aan een schort deed denken.

'Jezus nog aan toe,' zei ze geprikkeld, 'ik plaagde je maar een beetje. Alleen zit ik af en toe zo eens te peinzen. Ik mis mijn gódsdienst. Godsamme.'

'Boeddhisten drinken niet,' zei hij met zachtaardige stem. 'En je zou nog geen vlieg mogen doodmeppen, laat staan een vogel. Kan ik Anna Calvert een keertje meenemen hiernaartoe?'

Ze zat hetzelfde moment rechtop van schrik. 'Waarom verdomme? Wat moet ik met haar?'

'Zuster Jude is gestorven. En afgezien van mij, die nauwelijks iets weet, ben jij de enige die haar ouders nog een beetje goed gekend heeft.'

'Dus moet ik me verplicht voelen om haar te zien? Gelul. Nee, ik doe het niet. Ik heb het helemaal gehad met verplichtingen. Als je wilt mag je wel met me naar bed.'

Hij lachte en schudde zijn hoofd. Het was een oud grapje, zo oud als de zonde. 'Ik wou dat je mij meteen had laten komen toen Theodore verdronken was,' zei hij. 'Dan had ik je kunnen helpen.'

Ze begon hevig te rillen. 'Nee,' zei ze, 'je had me niet kunnen helpen. Ik wilde niet dat iemand anders dat arme opgezwollen lichaam op het strand zag. Zo dicht bij huis ook nog. Het was afgrijselijk. En trouwens, hij zou zich in zijn graf omdraaien bij de gedachte dat je bij zijn lijk zou staan te bidden.'

Het was twee uur in de ochtend en Anna was op weg naar huis. Ze was niet aan het zuipen geweest, en ook niet aan het wippen, maar had gewoon haar dienst gedraaid bij de taxicentrale. Therese zou gelijk hebben gehad als ze zich die avond geen zorgen had gemaakt over haar zielenheil, want ze had niets anders gedaan dan naar stemmen luisteren.

Het was niet goed om helemaal niet bang te zijn in het donker, maar dat was een angst die ze nooit had leren kennen; bij ontstentenis ervan maakte het haar niets uit als ze 's nachts gevolgd werd. Dat achter meisjes aan werd gelopen was iets wat bij het leven hoorde. Ze kon een dief er zo uit rennen en bovendien had ze niets in haar rugzakje dat het stelen waard was, behalve misschien, deze avond, het missaal dat ze er had ingestopt zonder het zich goed bewust te zijn. Op haar werk had ze het op tafel neergelegd naast haar boterham en ze had het zonder erin gekeken te hebben weer in haar tas gestopt toen ze naar huis ging.

De voetstappen stierven weg toen ze bij haar flat in de buurt was. Waarschijnlijk was degene die vanavond achter haar liep een van de daklozen die aan de achterkant van het klooster een plekje zochten, aangetrokken door geruchten over christelijke barmhartigheid. Vorige winter hadden ze vaak midden in de nacht op de tuindeur staan bonken, en ze hadden het volgehouden tot de klimop er zo ver overheen was gegroeid dat deze diende als een scherm dat duidelijk maakte dat de deur niet meer in gebruik was. De tuindeur was een vals signaal voor de paar zwervers die hier neerstreken in de hoop dat hij zou opengaan en dat hun dan goede gaven ten deel zouden vallen.

Ze schaamde zich omdat ze moeder Barbara eigenlijk had moeten vertellen over het pistoolschot waardoor de ruit aan diggelen was gegaan, in plaats van er op een ren vandoor te gaan. Toen de voetstappen achter haar zich in het niets hadden opgelost, nog voordat ze op weg naar haar eigen deur voorbij de tuindeur kwam, zag ze dat er in de klimop was geknipt en dat die nu een keurige omlijsting voor de houten deur vormde. Ze bleef ernaar staan kijken.

In haar eigen gebouw liep ze onmiddellijk door naar boven en begaf zich naar het dak om in de tuin te kijken, waarin echter niets te zien was. Ze keek omhoog naar de sterren, die ze zich voorstelde als zielen aan het firmament. Zuster Jude en haar lieve moeder. Haar vader bevond zich ongetwijfeld in de hel.

Toen ze in bed lag haalde ze het elastiek van het missaal en liet het openvallen. Het bevatte een hele vracht heiligenprentjes, overlijdenskaartjes en decoratieve boekenleggers met vrome taferelen en op de achterkant gekrabbelde aantekeningen. Het was niet zozeer een gebedenboek als wel een verzameling memorabilia. Anna stopte de aantekeningen, brieven, kaarten en prentjes weer terug, bekropen door een gevoel van vervreemding bij de aanblik van de sentimentele plaatjes en ook door de aanraking van het oude leer en de vliesdunne pagina's, die aan haar vingers kleefden. Toch zag het er in de eerste plaats uit als een heilig boekwerkje en dat kon ze wel gebruiken. Misschien zou het Ravi ertoe brengen met haar te praten, want zelf had hij ook altijd zoiets bij zich. Wel een rare manier om aandacht te trekken.

Ze was nog niet aan slapen toe, ze was nog steeds in de ban van de niet te verteren woede die haar de hele dag had geplaagd, en ze pakte het notitieboekje dat ze altijd bij haar bed had liggen; rechtop in de kussens begon ze erin te schrijven, gevolg gevend aan een oude gewoonte waar haar vader haar toe had aangezet en die haar moeder had aangemoedigd in de periode dat zij en Therese aan bed gekluisterd waren en de opdracht hadden hun symptomen te noteren zodat de vreemde ziekte waaraan zij leden beter te diagnosticeren zou zijn. Soms vulde het notitieboekje de akelige momenten dat het van groot belang maar onmogelijk was om te slapen en er verder niets te doen was. Als de tv haar verveelde, muziek geen vertroosting bood en de radio niet meer was dan een stem die haar niets zei.

Mijn naam is Anna Calvert. (Zo begon ze altijd.)

Een weldoener betaalt de huur voor mij. Ik bof maar.

Als ik ergens geen behoefte aan heb is het aan iemand die me zegt wat ik moet doen.

Ik heb stapels boeken gelezen.

Ik wou dat ik niet zo'n gedrocht was. Ik mis zuster Jude.

Ik wou dat ik nooit gedoopt was; nu zit er een diep zwart gat in mijn brein.

Mijn vader was een reus.

Ik ben niet volledig uitgegroeid.

Haar oogleden werden zwaar en de pen hield even op met schrijven.

Vier hele jaren van mijn leven zijn weg.

Vier hele jaren en die krijg ik nooit meer terug.

Toen krabbelde ze: *Therese is veilig! Ravi lachte naar me! De oude man belde weer op! Kan geen slecht iemand zijn!*

En verder is iedereen DOOD.

Toen viel ze in slaap.

3

Ik ben de Heer uw God...

Therese zag ze in een rij voor de deur van de refter staan, als voor een stembureau, met zuster Joseph voorop. Vandaag was het de feestdag van de Heilige Jozef, niet de redelijk befaamde Jozef van Nazareth, de echtgenoot van Maria die de vader van Jezus speelde, maar een heel andere Jozef, een nogal obscure man uit Aragon die een religieuze congregatie voor onderwijs aan armen had opgericht. Zuster Joseph had zijn naam aangenomen toen ze in de orde intrad, en al was hij beter dan haar eigen naam, hij kon toch niet tippen aan die van een martelaar, zoals de naam Agnes. Ze had een zurige smaak in haar mond.

Haar feestdag zou weliswaar niet geheel vergeten worden, maar toch op zijn minst worden overschaduwd door belangrijker dingen, zoals het gebroken raam in de kapel, dat gisteravond door moeder Barbara tijdens haar laatste ronde door het gebouw was ontdekt, de begrafenis van zuster Jude, de vorige dag, en de consequente plundering van de provisiekast. Haar eigen verdriet en haar aandeel in het zingen telden niet mee. Ze keek geïrriteerd naar de anderen. De hulpeloze schapen. Zuster Bernadette had haar enkel verstuikt en verplaatste zich nu met opzichtige heroïek op krukken. Matilda, haar allerliefste, allergoedhartigste vriendin, die ze van zich had afgestoten, stond te wachten om alles wat er maar was op te eten. Joseph probeerde minachting voor haar op te brengen. Margaret stond zoals gewoonlijk aanhoudend te snuiven terwijl zuster Joan, genoemd naar een strijdster maar zelf een bange muis, glom van genoegen bij het vooruitzicht van haar zielige wekelijkse uitstapje naar de markt. Therese, de postulante, legde de laatste hand aan het dekken van de tafel op haar gebruikelijke serene en vaardige wijze en glimlachte alsof zij allemaal nieuwe vriendinnen van haar waren. Onnozel kind. Ze liet haar ogen glijden over de uitgestalde verstandig-gezonde ontbijtgranen, de toast die al was afgekoeld, de jam en de melk, met de minachting die ze anders wellicht over de mensheid had uitgestort. Het enige waar ze behoefte aan had was een borrel.

Ze zouden haar links laten liggen, terwijl ze onderhand toch zeker de hoogste was in de pikorde, ze had recht op respect vanwege haar verdiensten. Ze had het voorbeeld van haar heilige gevolgd, had voor de missie gewerkt, wist wat hitte was en stof en honger, kende de wereld en de duivelse demon van de alcoholverslaving. Goeie God, ze snakte naar een borrel. En naar een klein beetje respect voor haar leeftijd, naar een klein beetje aandacht omdat het vandaag háár dag was. En wat wenste ze vurig dat er een eind kwam aan haar schuldgevoel over het feit dat ze Matilda zo slecht behandelde.

'Een fijne feestdag, zuster,' mompelde Therese, terwijl ze Joseph haar melk hielp inschenken. Die meid met de heldere ogen had natuurlijk meteen in de gaten dat haar handen beefden. Joseph gromde een nietszeggend antwoord en liep naar haar gewone plek aan tafel. Eén enkele roos, bepareld met dauw uit de tuin, lag over haar bord heen en ze was zo fatsoenlijk zich een ogenblik te schamen. Dat had Matilda natuurlijk gedaan. Matilda vergat het nooit. De koffie zag er slap uit. Zoals altijd werd er op zachte toon geconverseerd. Barbara tikte met een lepel tegen haar kopje en stond op aan het hoofdeinde van de tafel. De gesprekken stokten.

Wat een armzalig stelletje, dacht Barbara terwijl ze wachtte tot het helemaal stil was. Een gemeenschap die eens bestond uit dertig personen en nu ingekrompen was tot vijftien, met het onherroepelijke vooruitzicht van een verdere teruggang door ouderdom en sterfte, ook al legden ze volgens een bepaalde norm niet snel genoeg het loodje. Bleven zich maar vastklampen aan het zinkende schip. Alleen de Iersen uit het gezelschap hadden nog verwanten, afgezien van Agnes, al zat die wel elke dag bij de deur te wachten in de hoop dat er een zou aankloppen. De familie van Christus en de Gezegende Maagd vormde geen substituut voor de banden van het bloed, wat voor geloften ze ook hadden afgelegd; en wat ieder van hen feitelijk voor zichzelf geloofde zou Barbara niet kunnen zeggen en het maakte haar niet uit ook. Het was al lastig genoeg om te zorgen dat ze gevoed werden en dat hun onderkomen niet aan verder verval werd blootgesteld.

'Zusters,' begon ze, beseffend dat ze het kort moest houden. Eten was immers van groot belang. 'Zusters, even jullie aandacht. Ik geloof dat jullie allemaal wel weten dat zich een ongelukje heeft voorgedaan met een ruit van de kapel, die gisteravond door de wind naar binnen is geblazen, dus kan het zijn dat er wat extra activiteiten in huis plaatsvinden omdat we uit moeten zien te vinden wat we eraan gaan doen. Het zal wel betekenen dat we een heel clubje waardeloze, dure werklui over de vloer krijgen,' voegde ze er op bittere toon aan toe. 'Dat is alles. Heer, zegen ons en deze gaven, die wij door uw mildheid zullen ontvangen. Door Christus, onze Heer. Amen.'

'Amen.'

Allemaal maakten ze het kruisteken, in meerdere of mindere mate afwezig. Het gepraat ging weer van start, vergezeld van het gekletter van bestek. Therese nam haar plek helemaal aan het eind van de tafel in en at haar taaie geroosterde brood. Vanwaar Barbara naar haar keek, aan de andere kant, zag ze eruit als een prinses, klein, goudblond en blozend, zonder ook maar iets te hebben gedaan om er zo stralend uit te zien. Het kwam simpelweg door haar jeugd, er was nog niets van vaalheid te bespeuren in haar sterke haar en op haar glanzende huid, die zo gezond contrasteerden met die van de anderen. Acht nonnen droegen nog altijd de sluier, de oudsten, die zonder het uniform dat ze hun hele leven gedragen hadden het gevoel zouden hebben er onfatsoenlijk bij te lopen. Bij de anderen, die ofwel de antracietkleurige tot de kuiten reikende tuniek droegen ofwel gewone kleren van hun eigen keuze, viel nauwelijks iets stijlvols te onderkennen, al was er bij deze of gene wel een vleugje ijdelheid waarneembaar. Zo had zuster Joan een knalblauw schuifje in haar haar, gekocht op haar geliefde markt, en droeg zuster Monica, die van een nicht kleren kreeg, een blouse met een grote strik. Verder leken ze allemaal gehuld in diverse grijstinten. Barbara keek neer op haar bord, dacht aan het budget en mijmerde erover dat, als ze een goed prijsje zou kunnen krijgen voor het verkopen van een ziel aan de duivel, ze het misschien wel zou doen. Daardoor viel het haar pas na verloop van tijd op dat er een stilte van nieuwsgierige verwondering was gevallen.

In de deuropening van de refter stond die jongen, Francis. Hij stond er houterig bij, als een ouderwetse bediende die geen aandacht wil trekken maar die toch moet zien te krijgen en net als Therese hoefde hij helemaal niets aan zichzelf te doen om aller ogen naar zich toe te trekken, wat vervolgens gebeurde tot niemand meer at en er een complete stilte heerste. Hij was geen volslagen onbekende; de minderheid van de nonnen die weleens meer dan een paar stappen de tuin in ging wist wie hij was, zoals ze Edmund ook allemaal kenden, maar het duurde hier wel een jaar voor een gezicht echt vertrouwd was. Het besluit hem aan te nemen was alleen door Barbara genomen, omdat hij bereid was voor niets te werken, en zelfs zij kende hem nauwelijks. Ze had het gedaan net na de laatste maandvergadering waarin haar besluiten democratisch ter discussie konden worden gesteld, tenminste als voldoende nonnen de moeite namen die bij te wonen. In werkelijkheid gaf Barbara en gaven de nonnen de voorkeur aan haar alleenheerschappij. De jongen was eenvoudigweg komen opduiken, minstens een paar weken geleden, en tot nu toe had hij zich nooit binnen vertoond. Hij was een schepsel dat in de tuin thuishoorde en de tuin had een apart bestaan. Zo vond bijvoorbeeld Agnes de tuin alleen al vanwege de afmetingen afschrikwekkend; ze zat nu halverwege de tafel met haar open mond geplooid in een glimlach van herkenning. Matilda, die altijd honger had, kauwde methodisch verder en vond dat de jongen er vandaag uitzag als de Heilige Michaël die zich opmaakt voor een gevecht. Joseph, die breder ontwikkeld was, vond dat hij eruitzag als de god Pan.

Er was niets heidens aan blote armen en blote knieën bij een jongen die op een klamme ochtend in een korte broek en hemd liep. Los vallende werkkleding paste goed bij zijn slanke bouw, die op zichzelf een les in anatomie was. Zijn brede schouders en welgevormde armen zagen eruit alsof ze uit eikenhout waren gesneden met de bedoeling het perfect functioneren van de pezen die hen verbonden te illustreren. Een slobberbroek, zo groot zelfs dat hij misschien wel van iemand anders was, liet zijn bruine, groezelige knieën en atletische kuiten vrij. Hij stond verlegen naar het hoofd van de tafel te knikken, de handen langs zijn zijden gingen open en dicht, en zijn knokkels waren net als zijn knieën overtuigend smerig. Hij zag eruit alsof hij zo weer kon wegrennen; een jongen met vuile knieën van het werk, die in het lichaam van een man stak, bijeengehouden door een riem om zijn middel, zijn hoofd gekroond met gouden krullen als was hij uit een middeleeuws schilderij gestapt. Toen Barbara overeind was gekomen om hem mee te trekken naar de keuken, kwam de conversatie weer op gang. Zijn oren werden vuurrood, alsof hij wist dat er over hem gepraat werd.

'Je bent welkom, Francis,' zei Barbara stijfjes, niet van haar stuk gebracht door zijn schoonheid, maar wel verschrikt door de plotselinge stilte die deze teweeg had gebracht, 'maar we eten graag onder elkaar. Wat is er?'

'O, sorry. Ik wist niet wat ik anders moest, want ik wilde u zo snel mogelijk spreken. Edmund zei dat u glazeniers en zo wilt laten komen om het raam te maken. Dat gaat een bom duiten kosten, moeder, echt waar en...'

Hij stopte zijn handen in zijn zakken en boog zijn hoofd. Zijn gouden krullen dansten. In een oor droeg hij een klein gouden ringetje en, zo zag ze tot haar opluchting, om zijn nek een klein kruisje aan een gouden kettinkje.

'En?'

'Ik zou het ook kunnen, moeder. Heus waar, maar hij wil het niet geloven. Het gaat maar om één ruit, God zij geloofd. Als ik het doe kost het alleen het huren van een ladder en het glas en het is een makkie. Echt waar, ik wou u gewoon tegenhouden voordat u uw goeie geld ging uitgeven. Vijftig of honderd pond, het maakt hun niet uit, ze vragen gewoon wat ze willen.'

Ze liet in haar geest alles de revue passeren wat ze het afgelopen uur had gehoord in antwoord op haar verzoek om informatie bij ongeveer alle glaszetterijbedrijven die voor noodgevallen te bereiken waren geweest. Hij had gelijk, al zat hij nog aan de lage kant met zijn schatting van wat een reparatie kostte waaraan ladders en werken in de hoogte te pas kwamen. Van liefdadigheid moest je het tegenwoordig niet meer hebben, dat was wel duidelijk.

'Weet je zeker dat je het kunt?'

'Zo zeker als wat. Ik ben ouder dan ik eruitzie, hoor, moeder, en ik heb m'n hele leven al gewerkt. Ik kan van alles en nog wat.'

Hij stond er heftig bij te knikken. Toen hij zijn hoofd oprichtte kreeg ze de volle lading van zijn stralende turkooizen ogen, waarna hij ze weer liet zakken en naar zijn voeten begon te staren, die zonder sokken in werklaarzen staken. Op zijn kuiten zaten een hoop krassen. Hij zag er van dichtbij uit als een goede werker, inderdaad eerder een man dan een jongen, en hij was in ieder geval uiterst vertederend.

'Wat kun je nog meer dan?'

'O, van alles, moeder, echt waar. Het gewone loodgieterswerk, elektriciteit, wasmachines, timmeren, stekkers repareren, stoppen verwisselen, schilderen, plamuren, tapijt leggen, sjouwen, vocht bestrijden... van alles. Van auto's en gasfornuizen weet ik niet veel, maar verder kan ik van alles. Ik werk eigenlijk het liefst in de tuin, maar als er in de tuin toch niks te doen is en u zit met een kapot raam? Begrijpt u wat ik bedoel?'

Hij was bijna buiten adem, zo snel sprak hij, om maar zo goed mogelijk duidelijk te maken wat hij allemaal wel niet kon, en zijn gretige opschepperij klonk haar vreemd aandoenlijk in de oren. Het was onderhand de droom van haar leven een sterke kerel te vinden die stond te trappelen om te werken.

'Is het echt waar dat je al die dingen kan?'

Hij knikte.

'Waarom heeft Edmund ons daar niets van verteld?'

Hij schudde zijn hoofd en schuifelde met zijn voeten. 'Ik weet het niet. Hij vindt denk ik dat híj mij meer nodig heeft. Maar ik geloof niet dat dat zo is. Het begint kouder te worden, moeder, de tuin kan wel wachten.'

Barbara had een gevoel alsof de zon plotseling was gaan schijnen toen ze hem mee terug nam naar de refter en naar haar plaats aan het hoofdeinde van de tafel, waar ze nogmaals met haar lepeltje tegen haar kopje sloeg. De thee die ze had laten staan klotste over de rand; het vooruitzicht geld te kunnen besparen maakte haar onhandig van opgewonden vrolijkheid.

'Zusters! Even uw aandacht. Francis hier gaat het raam maken, oké? En als er soms iets is dat in jullie kamer gerepareerd moet worden of als iemand van jullie weet of er ergens anders ook nog dingen gemaakt moeten worden, steek dan alsjeblieft je hand op.'

Het duurde heel even, maar toen staken ze vrijwel allemaal als bij wijze van groet hun hand op. Witte handen, roze handen, een bruine hand waaraan een vinger ontbrak.

'Ik doe ook boodschappen,' fluisterde Francis verstaanbaar tegen Barbara.

Zuster Joseph stak nu ook haar hand op, als laatste. Agnes zat naar hem te staren, als gehypnotiseerd. Therese hield haar ogen op het blad van de tafel gevestigd, met haar handen in haar schoot. Ze wilde niet kijken naar de jongen van wie ze eerder een glimp had opgevangen. In plaats van naar hem keek ze nu naar Kim, die hem vanaf de drempel van de keuken stond aan te gapen. Dat was echt iets voor Kim.

Later, terwijl er in de verte getimmer te horen was, vulden zij en Kim samen de afwasmachine, een luxemodel dat supereenvoudig te bedienen was en tot dusverre onverwoestbaar was gebleken. Er was een diepe gootsteen voor de minstens even onverwoestbare pannen en een gasfornuis van grote omvang, dat was neergezet in de tijd dat er meer monden te voeden waren en er meer geld te besteden was, een zeer verstandige investering. Van de kastjes en werkvlakken in de keuken waren hier en daar stukken afgesprongen, maar dat was op zijn hoogst storend voor het oog. Er was niets wat Therese het bereiden van de uitgebalanceerde voeding voor zwakke mensen belette, wat een specialiteit van haar was. Op een dag zou ze met hulp van God, naar Barbara's mening, deze kwaliteiten kunnen omzetten in diploma's om op de arbeidsmarkt terecht te kunnen. Zijzelf had niet de ambitie om iets anders te gaan doen. Kay was het meisje-van-alles die iedere ochtend, van maandag tot vrijdag, kwam helpen om zo geld te verdienen voor het onderhoud van haar twee kinderen. Kim vond het prettig hier, omdat het zo rustig was, maar speciaal en exclusief ten behoeve van Therese sloeg ze opzettelijk zo veel mogelijk vunzige taal uit.

'Tjezus! Wat een lekker dingding, hè?'

'Wie?'

'Die knul, Francis heet-ie toch? Een lekker dingding, zei ik. Daar zou ik wel een wippie mee willen maken. Die kan nog van me leren. Ik wil niet meteen zeggen dat die vent van mij er in bed niks van bakt, maar toch, een wijffie wil af en toe wel 's wat anders. Iemand die het kalmpjes aan doet, bijvoorbeeld, al maakt het mij niet veel uit hoe lang het duurt als ik zin heb om te wippen. Mijn vent heeft niet langer nodig dan een ketel water om te koken.'

'O ja?' vroeg Therese. 'Waarom duurt het zo lang dan?'

'Wippen?' vroeg Kay ongelovig.

'Nee-ee, tot het water kookt.'

Kim begon kakelend te lachen. Die meid was dan wel maagd maar niet achterlijk. Ze was keigemakkelijk te choqueren maar ze gaf je ook keigemakkelijk lik op stuk.

'Nou, zeg eens op, wat weet jij van wippen?'

'Niet meer dan er op een postzegel past.'

Ze was druk in de weer bij de gootsteen en Kim, die keek naar de handige manier waarop ze bezig was en naar haar gezicht dat bloosde, vroeg zich af hoe de twee kanten van haar persoonlijkheid met elkaar te rijmen waren. Therese was sexy, maar er was geen touw aan haar vast te knopen.

'Hoe oud ben je eigenlijk, Therese? Vind je ook niet dat je eerst eens een wippie had moeten proberen voor je beloofde er nooit aan te beginnen?'

'Eenentwintig.'

'Eenentwintig, nooit gewipt, en non. Je bent de natte droom van elke kerel, weet je dat? Het is toch zonde.'

'Dat zeg jij. Maar ik kan niet zeggen dat ik het mis. Alsof jij er trouwens zoveel wijzer van bent geworden. Je zit met twee kinderen en zonder geld.'

'Klopt. Raar dat jij zo anders bent dan je zus. Die vreet vast het nodige uit. Jullie zijn allebei lekkere dingen.'

'Weet ik. Ik zit over haar in en zij over mij. Stom, hè?'

Kim gooide het laatste bord met gekletter in de afwasmachine. 'Iemand zou mij eens moeten uitleggen,' zei ze, 'nee, jíj zou mij eens moeten uitleggen waarom iemand met een knap uiterlijk en een knappe kop en ook nog eens lekkere tieten, dat allemaal wil verstoppen. Met jouw snoetje zou je hartstikke rijk en happy kunnen worden. Je zou er niet eens de koffer voor hoeven induiken. Ik snap er geen hol van. O, Trésa, schei uit. Ik hou het niet.'

Therese paradeerde als een mannequin voor het fornuis heen en weer, haar bekken overdreven naar voren gooiend, haar handen op haar zwaaiende heupen, haar hoofd achterover, met de lippen getuit. Ze wierp zich op een stoel, kromde zich tegen de leuning aan, streek met haar handen door haar haren, kruiste haar benen, liet haar handen langs haar zijden glijden, trok haar rok op om haar knieën te showen en liet toen een ooglid zakken, knipogend als een vamp. Kim gilde van het lachen.

'Ja, zo ja. Gottegot, ik lach me het leplazarus. Jezus Christus, ik zou een moord doen voor benen als de jouwe.'

Het gehamer in de verte klonk weer op. De afwasmachine maakte een rommelend geluid.

'Maar je bent nog niet van me af, zúster. Je geeft nooit antwoord als ik je wat vraag. Kom op, je bent nu al een heel jaar kwezel, het wordt tijd eens antwoord op wat vragen te geven. Begin maar met mij te antwoorden. Waarom doe je dit godverdorie? Waaróm?'

Therese ging rechtop zitten, trok haar rok naar beneden en haar gezicht in de plooi. Ze had een expressief gezicht dat gemaakt was om te lachen, maar af en toe een volstrekt blanco uitdrukking had.

'O, Kim, je bent al net zo erg als Anna. Ik had nooit gedacht dat mensen zo'n moeite zouden hebben het te begrijpen of alleen maar te respecteren. Er is geen andere keus, althans niet voor mij. Ik heb gedroomd van een leven als dit, ik droomde ervan zoals andere meisjes dromen van een man of geld of weet ik wat. Ik geef er niets voor op. Althans geen dingen waar ik behoefte aan heb.' Ze trommelde met haar vingers op tafel, op zoek naar de juiste woorden, maar in het besef dat die er niet waren. 'Snap je het dan helemaal niet? Als je je leven aan God opdraagt, betekent dat dat alles wat je doet van waarde is.'

'Ja, hoor, dat zal best.'

'Dan is alles zinvol. Misschien hou ik wel helemaal niet van het schoonmaken van pannen, maar als ik dit werk aan God opdraag, wordt het zinvol. Dan heeft het waarde. En op die manier heb ik ook een doel. Ik hoef alleen maar een rechte lijn te volgen. Alles wat ik doe is ter meerdere eer en glorie van God en dat maakt me blij. Het is zo simpel, Kim. Het betekent dat ik alles kan verdragen en dat ik niemands goedkeuring nodig heb, ook al ben ik maar een mens en wil ik graag aardig gevonden worden. Het betekent dat ik niemands liefde nodig heb...'

'Goedkeuring zei je. Waar haal je die hoogdravende woorden toch vandaan? En maak mij nou maar niet wijs dat je niemands liefde nodig hebt. Iedereen heeft daar behoefte aan. Behalve die halfgare zus van je.'

'Maar ik krijg ook liefde, Kim. Ik heb een vader en een broer die van me houden en op wier leiding ik blindelings kan vertrouwen, en dat is meer dan de meeste andere mensen kunnen zeggen. En mijn geloof en mijn roeping heb ik van mijn moeder meegekregen.'

De deur van de koelkast viel met een slag dicht. 'Gommenikkie, die van mij gaf me twee keer in de week een pak rammel. Heeft ze je ook leren koken?'

'Ze gaf les in voeding en contemplatie. En zingen.'
'Maar niet in wippen?'
'Hou eens op, Kim, welke moeder leert dat haar kinderen nu? Ze gaf ons boeken, ze liet ons lezen, ze liet ons leren en ze leerde ons bidden... Zelfs Anna raakt dat nooit meer kwijt.'
'Die twee van mij willen nooit stilzitten.'
Therese lachte en krabde op haar hoofd. Drie goudblonde haren vielen op tafel en ze veegde ze op de grond. Het was Kim een raadsel hoe ze haar haar zo glanzend kreeg met die rottige goedkope shampoo die ze allemaal gebruikten in hun miezerige badkamertje. Het was een nog groter mysterie dan het religieuze leven in zijn totaliteit.
'Ik weet niet hoe zij dat wel voor elkaar kreeg. Maar wij waren heel ziek, moet je weten, Anna en ik. We zijn vier jaar lang het huis niet uit geweest. In die tijd hebben we leren bidden.'
Ze sprong van haar stoel op, licht als een ballerina, haalde een stofdoek uit haar zak en bond die om Kims hoofd. Kim giechelde en trok hem eraf.
'Ga dat lekkere dingding maar eens opzoeken, Kim,' zei Therese, 'en zorg dat hij ophoudt zuster Agnes tot een doodzonde te verleiden. En zeg hem dat hij aardig moet zijn tegen Joseph. Het is vandaag haar feestdag en ze begint last te krijgen van de oude dag.'
'Het is een chagrijnige ouwe taart.'
'Nee, dat is ze niet. Ze is vijfenzeventig, ze is zo vergeetachtig als wat en volgens mij heeft ze een drankprobleem. Heb jij als gewone vrouw van de wereld dan helemaal niets in de gaten?'

Die morgen leek de wereld weidser, en veel te licht. Als het erop aankwam had Anna het liefst de late avonddienst (ze werkte in ploegendienst, of zwoegendienst zoals zij het noemde). Om acht uur 's ochtends op het dak was het zicht op de kloostertuin mistig, alsof iemand er een vuur had aangestoken. Er hing nevel, een vroege, misplaatste, eenzame herfstachtige sfeer, alsof het mist was die boven een weiland hoorde te hangen maar op de verkeerde plaats was gedumpt, midden in een verkeerde stad, en daar ongemakkelijk bleef dralen. Het was alsof hij wel wist dat hij niet op zijn plaats was, maar geen andere plek kon vinden om naartoe te gaan. Edmund was zichtbaar tussen de zich oplossende flarden, zonder het zich bewust te zijn, al kon Anna zo hoog als ze stond zien dat hij in verwarring was terwijl hij wegliep van zijn buitenformaat schuur, die ook al niet op zijn plek leek. Hij liep iets te zoeken wat onvindbaar was. Zijn gedreutel had een hypnotiserend effect op haar vermoeide ogen; hij leek op een trage hommel. De zon beloofde te gaan schijnen en ze had geen zin om in beweging te komen. Ze zag hoe hij zich op zijn knieën liet zakken om iets van onder de struiken te pakken en keek opnieuw toen hij zonder brokken overeind wist te komen. Met zijn handen tot een kom uitgespreid droeg hij iets naar het beeld van de Heilige Michaël waarnaast zuster Matilda in de zomer zo vaak op de bank zat; zo vroeg in de ochtend was ze er echter nooit. Edmunds gebogen houding was een voorbode van de naderende herfst. In mei had ze hem meerdere keren bij het ochtendkrieken onbeweeglijk en rechtop als een soldaat zien staan, volledig in beslag genomen door de klanken van het ochtendkoor en zij kende zijn geheim; hij had nooit vragen gesteld over haar aanwezigheid en om die reden mocht ze hem graag. Anna keek of ze Goudlokje zag, maar hij was nergens te bekennen. Het was tijd om naar haar werk te gaan.

De taxicentrale, Compucab, bevond zich op anderhalve kilometer van haar huis. Soms liep of rende ze erheen, soms nam ze de bus, soms deed ze beide. Ze draaide vijf diensten per week, drie late diensten en twee overdag, elk van acht uur, te midden van collega's die aanvankelijk net als zij met achterdocht waren bekeken tot ze maanden achtereen keurig bleken op te draven om hun onregelmatige diensten te draaien. Ze werden per dienst uitbetaald en wie niet kwam opdagen kreeg ook geen geld. Allemaal waren ze een sprekend uiteinde van telefoonlijnen en ze verbonden iemand die een taxi wenste met iemand die een taxi bestuurde. Zo simpel was het. Anna betrad de grote open werkruimte waar vijftig mensen als auto's in een parkeergarage op hun eigen beperkte plekje zaten, voorzien van een koptelefoon, een microfoontje en een scherm. De stoel op haar plek was nog warm van degene die er voor haar gezeten had en de telefoon begon meteen te zoemen. Op de een of andere manier was het missaal opnieuw in haar rugzakje terechtgekomen. Ze legde hem op haar tafel, in de hoop dat iemand het zou opmerken, niet in staat af te rekenen met de onredelijke verwachting dat het eerste telefoontje van elke dienst persoonlijk zou zijn. Dat iemand, waar dan ook, zou weten dat zij hier zat en haar gedag wilde zeggen.

'Goedemorgen, Compucab, waarmee kan ik u van dienst zijn?'

Wat eigenlijk een idiote manier van opnemen was, vond ze. Er was maar één iets waarmee ze mensen van dienst konden zijn en dat was een taxi. Mensen belden alleen om te vragen om een taxi óf om te klagen dat de taxi waar ze om gevraagd hadden niet was komen opdagen, en alleen in het tweede geval was het zaak haar charmes in de strijd te gooien. Verder volstond doodgewone beleefdheid, zelfs in noodsituaties.

'Kunt u mij uw rekeningnummer geven? En de naam? Is dat ook de naam van de passagier? Wilt u dat de chauffeur aanbelt?'

Anna vond het repeterende karakter van haar werk plezierig. Ze was aangenomen om een stem te zijn die eerst met een klant sprak, en dan met een chauffeur terwijl haar vingers als een razende over het toetsenbord bewogen om de gegevens in te typen op het scherm, sneller dan ze kon lezen.

'Paddington Station zei u? Zal ik u het ritnummer geven?'

Haar gesprekjes met de chauffeurs waren al even kort en ze had zich erop getraind nooit een spoor van ergernis te laten blijken, zodat ze na achttien maanden een zeer gewaardeerde veterane was geworden. Ze voelde zich verder helemaal nergens geschikt voor. Slechts weinigen hielden dit werk zo lang vol, al leek het alsof sommigen er al hun hele leven zaten. Het was een tussendoorbaantje dat goed betaalde en waarvoor nauwelijks iets gevraagd werd. In deze ruimte met het geroezemoes van steeds dezelfde woorden om zich heen, had ze het gevoel door iedereen geaccepteerd te worden, en hoe simpel haar taak ook was, ze beheerste die volledig en daardoor had ze ook respect verworven. Het geheel deed haar denken aan een gedisciplineerde schoolklas, waarin geen pestkoppen zaten.

Ze waren hier allemaal vrienden onder elkaar. Ze kletsten tijdens de theepauze in een smerige, van rook vergeven kantine aan de achterkant, waarin de geur van wiet de muur van nicotinewalm soms doorsneed als Jon er was; die dacht dat niemand het merkte, maar al merkten ze het allemaal, het zou ze worst wezen. Je kon een seriemoordenaar zijn, een sjeik met een tulband, een afgeleefde hoer of een herder uit Buiten-Mongolië, ook dat zou iedereen worst wezen. Ravi las in zijn beduimelde religieuze geschrift en dronk alleen maar water, hij zei maar weinig, behalve in zijn microfoontje, maar naar haar glimlachte hij altijd, alleen naar haar. Anna zou heel graag willen praten met Ravi en ze voelde dat hij misschien ook wel met haar zou willen praten, maar tot dusver was het bij wat uitgewisselde beleefdheden gebleven en een schuchter bewustzijn van elkaar. In plaats van met hem praatte ze met Jon de wietroker en met Sylla, het Chinese meisje dat altijd een breiwerkje bij zich had en tussen de telefoontjes door een massa petieterige witte kleertjes voor baby's vervaardigde waarover zij altijd bereid was iets te vertellen en Anna om er haar bewondering over uit te spreken. Zij en Ravi waren de enigen die altijd een boek bij zich hadden. Misschien hadden ze daardoor wel iets met elkaar gemeen. Misschien zou zuster Judes missaal, ook een gebedenboek, het ijs eindelijk kunnen breken. Ondanks de jachtige activiteit in de open ruimte met het gedempte gegons van stemmen heerste er een vredige, intieme sfeer zonder aanleiding tot rivaliteit of conflicten. Ze konden allemaal slechts even goed zijn als de anderen, ze kregen allemaal hetzelfde loon en vooral 's avonds voerde kameraadschappelijkheid de boventoon.

Dat was een van de redenen waarom zij de voorkeur gaf aan de late dienst, vooral 's zomers wanneer ze overdag in de zon op het dak kon liggen slapen. Overdag slapen ging haar gemakkelijker af; 's nachts drongen zich allerlei beelden aan haar op, terwijl ze 's middags in een heel diepe, gezonde slaap kon verzinken. Anna had niet zoveel op met slapen, omdat het zo'n verschrikkelijke verspilling van tijd was, ze had zelfs een hekel aan haar bed en ze wist ook dat het kwam doordat Therese en zij zoveel tijd op bed hadden doorgebracht, lang geleden, in een heel ander op zichzelf staand leven: een groot gapend gat waaruit ze incompleet, onnozel en ongrijpbaar tevoorschijn waren gekomen, niet sporend met de rest van de wereld, vreemden voor hun leeftijdgenoten en alleen op hun gemak in het gezelschap van vreemden. Op een bepaalde manier verwrongen. Zij althans wel.

De dag vloog voorbij.

'Goedemiddag, Compucab, waarmee kan ik u van dienst zijn?'

'Ik wil een taxi.' Hij was het, alweer.

Ze glimlachte. 'Dan bent u aan het goede adres, meneer. Wat is uw rekeningnummer?

U hebt geen rekening? Dan duurt het misschien ietsje langer. Hebt u er weleens over gedacht om u bij ons in te schrijven, meneer?'

Mensen met een rekening werden met voorrang behandeld. De

prijs van de rit werd meteen van hun rekening afgeschreven als de rit geboekt was, of ze zich daarna nog bedachten of niet. De chauffeurs hadden het liefst deelnemers aan het systeem: de betaling was verzekerd en ze hadden minder kans een dronken lor in hun wagen te krijgen met een onguur achterafstraatje als bestemming.

'Ik wil geen rekening. Ik wil een taxi. Ik gelóóf dat ik een taxi wil.'

'Goed, hoor. Waarvandaan?'

Ze kon aan stemmen horen of het gebruik van 'meneer' of 'mevrouw' een sussende uitwerking zou hebben. Ze kon de nuances teweeggebracht door angst, dronkenschap, arrogantie en eenzaamheid eruit pikken. Ze wist dat een nummer dat vierentwintig uur per dag bereikbaar was en dat groot in de Londense telefoongids stond afgedrukt eenzame, onstabiele mensen aantrok en ze kregen ook training hoe ze ermee om moesten gaan, meteen vanaf dag een. Maak je snel van ze af; mensen die eenzaam waren, waren *losers* zonder geld. Zorg dat ze van de lijn af gaan; tijd is geld. Maar Anna kon geen weerstand bieden aan de stemmen. Ze was verknocht aan stemmen.

'Heb ik een taxi nodig?' vroeg de stem. Het was een oude stem, een en al vermoeidheid en besluiteloosheid. Een stem zo oud als die van zuster Jude en die zo aan haar deed denken dat ze ineens ontroerd was. Waarschijnlijk was het een oude man die naar een bladzijde in de telefoongids zat te turen en zich afvroeg waarom hij de telefoon eigenlijk in zijn hand had. Volslagen anders dan de brutale, zelfverzekerde stemmen die in mobieltjes blaften dat ze vervoer nodig hadden, en pronto.

'Gaat u ergens naartoe waar het leuk is?' vroeg Anna vriendelijk. 'Om te lunchen bent u misschien een beetje aan de late kant.'

Het was de rustigste tijd van de dag, kwart voor twee; de helft van de bevolking was aan het eten of dacht erover te gaan eten. Ze verlangde er ineens naar een van die mensen in een restaurant te zijn, te bestellen waar ze zin in had, als enige van een hele groep in staat om alles wat er op de kaart stond te vertalen. De telefoon knetterde van stilte. Een zucht.

'Ik ga nooit ergens naartoe.'

'Waarom niet? Het is heerlijk buiten. Althans, vanmorgen was dat zo. Regent het soms al? Er was regen voorspeld, toch?'

'Nee, het regent nog niet. Ja, dat ga ik doen. Ik ga naar buiten.'

'Hebt u dan een taxi nodig, meneer?'

'Waarvoor? Nee, nee, ik ga gewoon lopen.'

'Een prettige dag nog dan. Dag.'

Een variatie op zijn laatste telefoontje, die arme ouwe vent. Anna had telefoontjes gehad van mensen die ervan droomden om hun huis uit te gaan en het bellen van een taxi gebruikten om een niet te vervullen wens in vervulling te doen gaan. Ze belden op en belden even later weer af, omdat ze wisten dat ze toch niet van hun plek zouden komen. Zakenmensen belden ook weleens midden in een vergadering om een taxi te bestellen, in de hoop het einde ervan te kunnen bespoedigen, snakkend om eruit te breken. Deze oude meneer, die ze zich voorstelde met grijze haren, passend bij zijn nogal kunstmatig klinkende deftige stem, was alleen maar in de war en ze hoopte dat hij in comfortabele omstandigheden woonde, met iemand in de buurt om zijn schoenveters dicht te knopen voordat hij de deur uit ging. De griezeligste bellers waren degenen die halverwege de laatste dienst belden, rond een, twee of drie uur in de ochtend, lui die eenzaam waren of dronken of onder invloed van drugs, die soms niet wisten waar ze waren, en geen ontmoetingsplaats of bestemming wisten op te geven. Ook al irriteerden deze mensen haar, soms kon ze hun angst voelen en dan probeerde ze met eindeloos geduld informatie uit hen los te krijgen en vond ze het vreselijk als ze hen aan hun lot moest overlaten, ergens aan de kant van de weg. De gedachte aan hen bleef haar de rest van de dienst achtervolgen. De eenzamen die alleen maar wilden praten, belden tenminste nog vanuit hun huis.

Ravi zette op weg naar zijn plek een papieren bekertje met water voor haar neer en hield alleen even in om naar haar te glimlachen. Een glimlach verried zoveel. Ze vroeg zich ineens af of zij tweeën als enigen in de hele ruimte weleens aan God dachten; ze moest wel aannemen dat hij dat deed aangezien hij zijn gebedenboek altijd bij zich had en er niet van wilde scheiden behalve wanneer hij naar de wc ging, dan liet hij het naast zijn telefoon achter. Misschien moest ze eens in zijn gebedenboek kijken, kon ze daarin iets vinden waardoor ze zich in het dagelijkse bestaan beter zou kunnen gedragen dan ze deed. Misschien waren de heilige geschriften van andere mensen wel beter dan die die zij kende en verafschuwde. Ze wist wanneer iemand bedroefd, vermoeid of hongerig was, maar verder was ze zo onwetend als wat. Het besef vloog haar naar de keel. Ze was tweeëntwintig maar ze voelde zich als een klein kind zo onnozel.

Tot twee weken geleden had Anna de gewoonte gehad om zuster Jude in de uren dat het rustig was op te bellen. Zuster Jude had dispensatie voor een telefoon naast haar bed, maar alleen om gebeld te kunnen worden, niet om onkosten te maken door zelf te bellen. Anna vermaakte zuster Jude, die aan slapeloosheid leed, met moppen en kinderlijke kletsverhalen, in plaats van haar om de informatie te vragen waaraan ze zo dringend behoefte had. In plaats van haar te vragen 'Hoe was mijn moeder nu eigenlijk echt? Weet jij waar mijn geld vandaan komt? Als je in God gelooft, waarom ben je dan zo bang om dood te gaan?' zei ze bijvoorbeeld: 'Hai, Jude, met mij. Ken je die van die pastoor in een vliegtuig vlak voor een noodlanding? Nee? Nou, de stewardess vraagt hem om iets godsdienstigs te doen om de passagiers te vertroosten. Goed, zegt hij, ik organiseer wel een collecte...' Maar het beslissende gesprek hadden ze nooit gevoerd. En Anna was plotseling onbeschrijfelijk boos op haar omdat ze was doodgegaan en die laatste verbinding met wie ze was en wat er van haar moest worden had verbroken. En omdat ze de hemelhond op haar had losgelaten. Ze schoof haar bureaustoel achteruit en verliet de grote ruimte.

Buiten motregende het. Schuilend in het portiek rookte ze een sigaret. Wat had ze opeens? Kwam het door de stem van een eenzame oude man aan de telefoon? Door de herinnering aan de vorige dag? Door het pistoolschot dat het raam van de kapel had verbrijzeld? Ze veegde met haar mouw haar neus af. Lááł dat! zou ze vroeger te horen hebben gekregen. Zodra ze in de buitenlucht kwam, had haar behoefte aan huilen haar een loopneus bezorgd. Er stonden druipende bomen in deze rustige straat. Niemand zou zomaar kunnen gissen waar het gebouw toe diende; het zag eruit als een vergadercentrum zonder ramen, dat nogal in het niet viel bij de grotere gebouwen eromheen, niet direct lelijk, maar weinig opvallend.

Op zijn hoogst tien minuten, langer kon je niet nemen of er volgde een reprimande, in overeenstemming met het strikte, aan slavernij grenzende regime dat binnen heerste; Anna vond in haar onervarenheid alle restricties overigens volkomen terecht. Ofwel je doet je werk en je krijgt betaald, ofwel je doet je werk niet en je krijgt de zak. Daar was niks ingewikkelds aan. Ze had maar één ander baantje gehad waarmee ze het kon vergelijken, een baantje in een winkel. Daar waren ze aanvankelijk ook erg met haar ingenomen omdat ze in een mum van tijd alles wat er bij kassawerk kwam kijken onder de knie had, maar in de omgang met de klanten bleek ze minder succesvol. Tegen mensen zeggen dat als artikelen hun niet bevielen, ze ze toch niet hoefden te kopen en dat ze beter konden oplazeren: zoiets dééd je niet. Gezichten joegen haar schrik aan, maar voor stemmen gold dat niet. Met stemmen kon ze wel overweg, daar kon ze wel geduld mee hebben. Vijf minuten voorbij. Anna zuchtte. Tijd om weer naar binnen te gaan.

Maar toen stond Ravi opeens naast haar in de regen, met zijn verfomfaaide boekwerkje in het borstzakje van zijn overhemd gestoken, en keek haar met zijn bruine ogen half dichtgeknepen vol bezorgdheid aan. Hij leek buiten adem, alsof hij gerend had, en hij stond met zijn handen op zijn heupen, alsof dat misschien zou helpen om weer op adem te komen.

'Wattisser? Gaat het?' Het klonk kortaf en agressief, eerder uitdagend dan troostend. Nu hij zo dichtbij stond meende ze iets kruidnagelachtigs aan hem te ruiken. In zijn haar zat olie, waardoor het glansde. Zijn plotselinge verschijnen en de barse toon van zijn verrassend lage stem maakten een afwerende reactie bij haar los.

'Natuurlijk. Je liet me schrikken. Ga weg.'

Hij verroerde zich niet, maar keek haar zo intens aan dat ze hem niet in de ogen kon kijken. Ze keek mensen vrijwel nooit in de ogen, behalve, de afgelopen weken, in de uitgebluste ogen van zuster Jude en, heel af en toe, in de groene ogen van pastoor Goodwin, ernaar hunkerend om iets duidelijk te maken. Kruidnagelolie: ze herinnerde zich dat het een ondoelmatig middeltje tegen tandpijn was, maar als je deze associatie wegdacht was het best een aangenaam en pittig luchtje.

'Er is wel iets met je aan de hand.'

Er zijn maar heel weinig mensen die echt verdienen dat je onbeschoft tegen ze bent. Deze zin flitste door haar gedachten als een neonlicht, een van de vele gezegden van zuster Jude, die haar op die gedenkwaardig milde manier van haar in algemene bewoordingen kon vermanen, door dingen te zeggen als: *behandel anderen zoals je zelf graag behandeld zou worden.* Eigenaardig dat die vermaningen van een oude vrouw zo bleven hangen, zelfs al werden ze genegeerd. Anna glimlachte verontschuldigend, zinnend op een beknopte verklaring die voor iedereen te begrijpen zou zijn.

'Nee, uh, sorry. Mijn tante is pas gestorven, weet je. Ik ben een beetje van slag, dat is alles.'

Hij knikte ernstig en kwam naast haar zitten op de trap van het portiek. 'Mag ik straks met je meelopen naar huis?'

Opnieuw was ze verrast door de diepte van zijn stem, terwijl de woorden haar in de oren klonken als het soort uitnodiging dat een tienjarige op school misschien zou kunnen wagen, voor hij had kennisgemaakt met het akelige fenomeen pesten; en zo zouden ze er ook uitzien als hij inderdaad met haar meeliep naar huis: twee kindertjes die hand in hand door een met bomen omzoomde straat naar huis liepen, iets uit een reclame voor schoenen die ze zich nog vaag herinnerde. Maar toen bekroop haar een gedachte die onbehaaglijker was: hoe wist hij dat ze lopend naar huis ging of dat haar huis zich op loopafstand bevond? Was hij helderziend, gokte hij maar of was hij degene die haar achternaliep? In een fractie van een seconde kwam ze tot de slotsom dat dat laatste eigenlijk niet zo erg was, of misschien zelfs wel leuk, maar ze reageerde niettemin pinnig.

'Nee, bedankt.' Dat 'bedankt' klonk ongeloofwaardig en de afwijzing onomwonden. Hij haalde zijn schouders op, alsof hij wilde zeggen: 'Geeft niks, hoor,' op de manier waarvan een tiener zou kunnen menen dat zijn gewonde trots er volmaakt door gecamoufleerd werd, maar dat leek misschien maar zo. Hij was bijna net zo klein als zij, althans wanneer ze zaten.

'Mag ik je iets zeggen?' zei hij, zonder acht te slaan op haar kribbigheid. 'Er is iets wat je altijd kunt doen als je bedroefd bent, namelijk bidden. Ik vind dat dat het beste helpt. Voor mij wel in ieder geval.'

Zijn raad leek waanzinnig grappig te zijn. Anna gooide haar hoofd achterover en schaterde het uit.

'Werkt dat echt?'

'Hoe bedoel je, of het werkt? Jij hebt gisteren en vandaag je gebedenboek mee naar je werk genomen. Het is me opgevallen.'

Ze haalde diep adem. 'Ik bedoel of het wérkt. Of je bijvoorbeeld krijgt wat je wilt als je erom bidt. Krijg jij waar je om vraagt als je erom gebeden hebt?'

Hij schudde verwonderd zijn hoofd. 'Wij bidden niet om om díngen te vragen. Wij bidden om leiding.'

'Ja,' zei ze scherp, 'zeker als die moslims die in New York de Twin

Towers in vlogen. Leid dit vliegtuig voor me, God. Laten we er een paar duizend te grazen nemen. Dat was nog eens een machtig gebed.'

Ze hoorde hoe hij naar adem hapte en de lucht weer liet ontsnappen in een lijdzame zucht.

'Waarom zou een moslim meer begrip hebben voor een terroristische moordenaar dan een christen voor een lid van de IRA dat bomaanslagen pleegt? Ik ben trouwens hindoe. Jij en ik zijn die twee achterlijken die met gebedenboeken rondsjouwen. Ik was bezorgd om je.'

Wat een surrealistisch gesprek op de stoep van taxicentrale Compucab.

'Ja, nou, goed. We moeten maar weer eens aan het werk.'

'Zal ik straks nog met je meelopen?'

'Goed,' antwoordde ze. 'Dat zou leuk zijn.'

4

Dit was niet zo leuk. Helemaal niet leuk zelfs.

'Eerwaarde! Daar bent u! Ze hebben me gestuurd om u op te halen voor de vergadering. Opdat u niet te laat komt. Ik moet u een lift geven.'

Op dat ogenblik zou Christopher Goodwin nog liever door de vallei des doods wandelen. Het hart zonk hem in de schoenen terwijl hij vanaf de drempel neerkeek op het verfrommelde gezicht van zuster Margaret, die haar sluier als een helm tot over haar voorhoofd droeg en haar wenkbrauwen in een frons had getrokken die eigenaardig afstak bij haar glimlach. De manier waarop ze de rode Volkswagen bestuurde maakte er een rijdende doodskist van. Achter hem klonk gedempt het geluid van de tv, het geruststellend zachte commentaar bij een cricketwedstrijd. Hij was erg opgeknapt van zijn dagje uit, al had hij er ook weer zorgen door bij gekregen, en Barbara had volkomen gelijk, hij was de vergadering van de nonnen en zijn saaie rol als voorzitter inderdaad glad vergeten. Alles wat hij wist, was dat hij de lift die hem voor het kippeneindje van nog geen kilometer werd aangeboden niet kon weigeren, net zoals hij de televisie niet zou kunnen uitzetten vlak voordat Beckham ging scoren. Wonderbaarlijk toch dat fatsoenlijke manieren en de wens te voorkomen dat een ander zich ook maar een klein beetje beledigd zou kunnen voelen, een man ertoe konden brengen zonder een woord van protest zijn leven op het spel te zetten. Zo zat het priesterschap in elkaar.

Ze knipoogde naar hem. 'Kom op nou, eerwaarde, het is uw laatste kans om in dit vehikel te kruipen. Barbara zegt dat we de auto moeten verkopen en dat is een van de vergaderonderwerpen voor straks. Zonde is het.'

Hij ging in de auto zitten en begon met een starre glimlach op zijn gezicht naar de autogordel te tasten. Zuster Margaret nam nooit de moeite haar gordel om te doen en ze deed de auto ook nooit op slot als ze ergens parkeerde, en dus mocht het een twijfelachtig blijk van hemelse goedertierenheid heten dat die rotkar nooit gestolen was. Ze bekruiste zich en hief een hymne aan terwijl ze de motor startte en met gierende koppeling de auto de weg op stuurde. Bij het naderen van de eerste kruising sloot hij zijn ogen in afwachting of ze gas zou terugnemen en richting aangeven, luisterend naar haar luide geneurie dat als enige geluid boven de protesterende versnellingsbak uit te horen was. Ze gaf zich voor elke rit aan Jezus over en vertrouwde volledig op Zijn bescherming, een vertrouwen dat tot dusverre beloond was, afgezien van de keer dat ze Edmund, toen die door een lichte beroerte getroffen was, naar het ziekenhuis had gereden en hij op de achterbank was flauwgevallen. Zuster Margaret wist dat Jezus en Maria haar veilig voorbij verkeerslichten van wat voor kleur dan ook en voorbij scherpe bochten zouden loodsen als ze maar aanving met een gebed en onder het rijden stug doorging met bidden. Ze arriveerden binnen vijf afschuwelijke minuten. Hij opende zijn ogen toen de auto met een bonk tegen de stoep tot stilstand kwam en wilde eruit ontsnappen als een dier uit gevangenschap, maar vergat daarbij dat hij zijn riem nog om had. Weg waardigheid! Hij had haar en zichzelf wel kunnen vermoorden. Het onverwoestbaar goede humeur en het zorgeloze optimisme dat types als Margaret uitstraalden waren vandaag zo ongelooflijk irritant dat hij het liefst zou schreeuwen of tegen haar tekeergaan, terwijl ze op andere momenten juist een brede grijns op zijn gezicht konden toveren en hem de afschuwelijke neiging tot het uiten van allerlei platitudes bezorgden: *Een fijne dag nog, hoor! Het komt allemaal wel goed! Geen zorgen voor de dag van morgen!* – van die zinnetjes waar iemand die het moeilijk had niets mee opschoot. Hij had nauwelijks aandacht voor de zwarte en witte tegels van de gang terwijl Margaret hem opgewekt voorging, liep alleen maar te hopen dat iemand die verdomde auto aan gort zou rijden voordat iemand nog een kans kreeg hem, zeker als het donker was, erin te praten. Het was de tijd van het jaar dat de duisternis steeds vroeger inviel, dat praatjes voor de vaak gingen over een mooie nazomer om nog een beetje goed te maken dat de echte zomer alwéér zo slecht was geweest, dat er voortdurend regen in de lucht hing.

Hij kon wel bedenken wie er bij de vergadering zouden zijn en hoopte dat Anna er ook was om het normaal zo saaie verloop wat op te fleuren en meer inhoud te geven. De slecht bezochte vergaderingen waren een pseudo-democratische uitvinding van Barbara; degenen die er het vaakst bij aanwezig waren, waren over het algemeen te bedeesd om met suggesties te komen of sliepen half. Hij wist niet waarom Barbara eraan vasthield of waarom hij er als geestelijke bij zou moeten zijn, samen met het gebruikelijke groepje vrijwilligsters die niet slim genoeg waren om iets anders te doen te vinden. Verdorie, verdorie en nog eens verdorie.

Toen hij de gastenkamer binnenkwam, laat en boos, moest hij constateren dat het er bomvol was, Here God nog aan toe. Anna zat, verdacht zedig en petieterig, aan een tafel in de hoek voor een laptop, klaar om te notuleren. Ze zag er echt uit als iemand die van nut was en het ontroerde hem dat Barbara een klusje voor haar had weten te bedenken.

'Mooi, daar bent u dan, eerwaarde,' zei Barbara stralend. 'En wij zijn er ook allemaal,' voegde ze er nogal overbodig aan toe. 'Met inbegrip van Anna, die erop stáát ons bij te staan. Zij kan overweg met dat apparaat dat Monica's nicht ons heeft gegeven, iets wat ik niet kan zeggen. Goed, we hopen er snel doorheen te zijn zodat we op tijd klaar zijn voor het avondeten. Ik wil twee moties in stemming brengen. De eerste betreft de verkoop van de auto...'

'Maar we hebben de auto nodig, moeder.' De stem van Agnes ging bibberend de hoogte in. 'Voor de boodschappen en voor noodgevallen en...'

'Die auto kost ons zo'n drieduizend pond per jaar,' zei Barbara beslist. 'Meer zelfs, als je alle reparaties in aanmerking neemt.' Ze keek naar Margaret, met een vriendelijk gezicht. De goddelijke bescherming had levens in die auto gespaard, maar de carrosserie niet behoed voor haar rijstijl en de zijspiegels en ramen niet voor vandalen. 'En Margaret is onze enige chauffeuse tot Therese de kans heeft gekregen het ook te leren, maar ook dat gaat ons geld kosten.'

'Mag ik misschien een suggestie doen?' vroeg Anna, haar hand in de lucht stekend. Ze keken haar verschrikt aan, alleen bereid haar te tolereren zolang ze haar mond hield. Vandaag verleende de laptop haar een rol en de vergadering een officiëlere status dan anders het geval was. Voor één keertje was Barbara wel over haar te spreken, al kostte het haar altijd moeite om toe te geven dat ze hulp konden gebruiken.

'Ja?'

'U zou het grootste deel van de boodschappen on line kunnen bestellen' – ze tikte tegen het scherm van de computer – 'en ze kunnen laten bezorgen, in ieder geval de zware spullen. Dat zou een hoop gesleep schelen. En u zou ook een rekening kunnen openen bij de taxicentrale, dan hoeft u alleen maar even te bellen als er een taxi nodig is. Je moet wel idioot vaak een taxi nemen om er drieduizend pond per jaar doorheen te jagen, dat haal je gewoon niet, zelfs niet als jullie er allemaal gebruik van zouden maken.'

'Een uitstekend idee,' zei pastoor Goodwin. 'Het bespaart geld en jullie houden het geld dat de auto opbrengt over om iets leuks mee te doen.'

'Zo werkt het niet,' zei Barbara. 'Geld om iets léúks mee te doen, is er niet.'

Hij maakte zichzelf een verwijt.

'En wie zou het bestellen van de boodschappen via de computer dan op zich moeten nemen, ik neem tenminste aan dat je dat met "online" bedoelt?' vroeg Barbara. 'Het is natuurlijk prachtig als je zo'n ding krijgt, maar niemand weet ermee om te gaan.'

'Ik wel,' zei Anna welwillend. 'Therese ook, en er is vast nog wel iemand die het kan leren.'

'Ik durf te wedden dat Francis er wel weg mee weet,' zei een stem van de zijkant. Pastoor Goodwin draaide zich om om naar 'arme' zuster Joseph te kijken. Voor hem was ze altijd 'arme' zuster Joseph, want zij was de enige van de nonnen die naar zijn idee diep ongelukkig was, vergeleken bij de anderen die ook zo hun stemmingen hadden maar die met gelijkmoedigheid wisten te dragen, terwijl er voor haar misère, die permanent was, geen troost bestond; hij had meer dan eens gepoogd uit te vinden wat er precies met haar aan de hand was maar had nul op het rekest gekregen. Naar zijn gevoel was Joseph iemand die niet zonder slag of stoot voor het celibaat had gekozen en misschien zelfs niet gelovig was, iemand die, net als hij, moest vechten voor haar staat van genade.

'Francis kan het doen,' herhaalde ze. 'Francis kan van alles.'

Het drong met een schok van verrassing tot hem door dat ze dronken was. Ze was niet zo straalbezopen dat ze van haar stoel zou vallen, maar ze was flink aangeschoten, ze praatte met dubbele tong en haar gezicht was vlekkerig. Niemand anders leek er erg in te hebben en terwijl hij naar haar zat te kijken, klemde Joseph haar kaken weer strak op elkaar, vouwde haar armen voor haar borst en ging iets rechter zitten, zich bewust dat het niet zonder risico was als ze nog meer zei. Het geroezemoes dat volgde op haar inbreng leidde de aandacht van haar af en bracht hen op een aangename manier bij het punt waarover ze allemaal dolgraag wilden discussiëren. Francis. Pastoor Goodwin was even de draad kwijt, maar dat gebeurde hem wel vaker en gewoonlijk was het niet erg. Francis, o ja, hij wist het weer, de tuinjongen.

'Kunnen we de auto en de rest niet verkopen en Francis houden?' vroeg Agnes ademloos. 'Die jongen is wonderbaarlijk. Hij heeft mijn gordijnroe gemaakt en het scharnier van de deur...'

'Hij heeft het raam van de kapel gerepareerd... in een mum van tijd...'

'Hij heeft het leertje vervangen en nu lekt de kraan niet meer...'

'Hij heeft een nieuw raamkoord opgehangen...'

'Hij heeft de planken in mijn kast recht gekregen...'

'En hij kan zíngen, mijnheer pastoor, hij zingt als een engel.'

'Wat zingt hij dan?' vroeg pastoor Goodwin, die er nog steeds weinig van begreep en geheel verbijsterd was door de eenstemmige lofzang. Het leek wel of hij en Anna als enigen van niets wisten. De anderen wedijverden om het hardst met hun loftuitingen.

'Hij zingt hymnen, eerwaarde. Werkelijk schitterend. "Prijs de Heer, de Almachtige God, Koning van alle naties" en "Ik weet dat mijn Verlosser leeft..."'

'En hij werkt zo hard. Als een slaaf gewoon.'

Hij bekeek de gezichten die straalden van opwinding en traag drong zich het besef aan hem op dat deze Francis in één dag tijd een soort heilige was geworden en was opgeklommen tot de zweverige hemel van verheerlijkte onmisbaarheid die hij zelf nooit had weten te bereiken. Een jongen die handig was met de schroevendraaier en een zak spijkers. Het irriteerde hem. Alleen Matilda zat er zwijgend bij, de kralen van haar rozenkrans tellend, niet zo grif geneigd in wonderen te geloven.

'Zusters,' zei Barbara. 'Francis werkt hier maar tijdelijk, Edmund heeft hem meegebracht. We kunnen hen onmogelijk allebei aanhouden. En we kunnen Edmund niet ontslaan.'

Ze keek naar de priester, op zoek naar ondersteuning. Hij knikte.

'Bovendien,' voegde ze eraan toe, 'is het een jonge knul en dus zou hij toch niet lang blijven. Dat doen ze nooit.'

'Hij heeft gezegd dat hij zou blijven zolang we hem nodig hadden,' zei Agnes.

Er viel een stilte, waarin de priester eerder teleurstelling dan tegenstand bespeurde, en hij wenste dat ze van nature meer geneigd zouden zijn tot enthousiasme dan tot gelatenheid. Hij wierp een blik in de richting van Joseph en vroeg zich af hoe ze in hemelsnaam aan de alcohol had weten te komen of wie haar die gegeven had. Matilda keek treurig dezelfde kant uit. Joseph hield haar ogen naar de grond gericht.

'Maar hij blijft toch nog wel een paar dagen?' vroeg er een hoopvol.

'Jawel. Alleen morgen is hij er niet, dan gaat hij naar zijn moeder. Het is een beste jongen.'

Weer die eenstemmige bijval.

'Jullie zouden iets van vijfduizend pond voor die auto moeten kunnen krijgen,' zei Anna plompverloren. 'Ik heb de prijzen nagekeken en pastoor Goodwin zou de auto tijdens de mis te koop kunnen aanbieden. Dan is hij dezelfde dag nog weg, contant betaald.'

Er was iets bereikt. Er klonk een bevredigend geroezemoes.

Over de hoofden heen keek Anna glimlachend naar pastoor Goodwin. Haar glimlach was oprecht, niet plichtmatig zoals je zo vaak zag, warm genoeg om tijdelijk af te rekenen met het verschrikkelijk onbehaaglijke gevoel dat hem plotseling had bekropen en waarvan hij al bezig was de bron op te sporen in de herrie van het opbreken van de vergadering. Hij had zichzelf een gewoonte aangeleerd die minder met godsdienstige discipline dan met noodzaak te maken had, namelijk de gewoonte zijn wispelturige stemmingen beheersbaar te houden door zich af te vragen waarom hij zich op een bepaald moment zus of zo voelde. Kwetst het mij als ik hoor hoe een ander de hemel in geprezen wordt terwijl aan mij geen aandacht wordt geschonken? Ben ik nog zo van slag door dat afgrijselijke ritje in de auto? Is mijn bloedsuikerspiegel te laag? Ben ik een ouwe vent die veranderingen haat, zelfs als het om verbeteringen gaat, of zit ik erover in dat ik binnenkort toch echt dat serieuze gesprek met Anna zal moeten voeren maar er als een berg tegen opzie? Of is het zojuist bij me opgekomen dat de enige die de arme Joseph haar eigen gif heeft kunnen voeren deze zelfde tuinjongen geweest moet zijn, aangezien Barbara haar vrijwel nooit naar buiten laat gaan?

De vergadering was ten einde, zoals altijd zonder dat er precieze besluiten genomen waren. De zusters begaven zich richting het avondeten. Hij werd uitgenodigd mee te eten maar weigerde; ze hadden feitelijk geen tijd voor hem. Hij liep door en ging de tuin in, om Anna te zoeken, zij het in de hoop dat ze al weg was. Of misschien wel om een spoor van de miraculeuze tuinjongen, Francis, aan te treffen. De tuin had een vertroostende uitwerking. Hij was precies zoals een tuin hoorde te zijn, een klein gedeelte spaarzaam getemd terrein dat uitkwam in een labyrint, volledig contrasterend met de tuin van Kay. Het was, zo dacht hij, een tuin ter meerdere eer en glorie van God, want net als in de Hof van Eden zou zich hier wel een slang of wat kunnen verschuilen, en tegelijk herinnerde hij de mens aan zijn eigen onmacht ten overstaan van de natuur. Althans zolang Edmund degene was die er de baas over speelde.

De kus van de zon die vergeeft
De vreugde om al wat leeft,
Men is dichter bij God in een gaarde
Dan waar dan ook op aarde.

Er was vast wel een wijsje dat hierbij hoorde. Hij begon te neuriën. Toen hij halverwege het verwilderde gedeelte van de tuin was, dat begon bij het afgrijselijke beeld van de Heilige Michaël, dat in zijn ogen slechts waarde bezat vanwege de hoeveelheid mos die de detaillering aan het gezicht onttrok, drong tot hem door dat iemand die op zoek was naar een zindelijk stukje natuur midden in een grote stad misschien beter af was in het park. De meeste zusters waren ook eerder geneigd daar naartoe te gaan, en aangezien het park zo dichtbij was, was de tuin misschien inderdaad wel overbodig. Hij koesterde al heel lang het vermoeden dat Edmund de tuin zo verwaarloosde om indringers op afstand te houden, om het hun zo lastig mogelijk te maken; het was immers nogal een eigenaardige kerel en het zou hem niet verbazen als de man bijvoorbeeld zeldzame spinnen kweekte. Er was hier toch wel sprake van een soort verzorging, al viel dit niet zo gemakkelijk te constateren. Het pad werd geveegd, het woekeren van winde werd tegengegaan en de struiken stonden er gezond bij. Er groeide een interessante verzameling planten die pastoor Goodwin als oerwoudvegetatie zou aanduiden, alleen maar op grond van wat hij gezien had in de designkaterns van tijdschriften, waar hij vaak bewonderend in bladerde om enigszins beslagen ten ijs te kunnen komen op huisbezoek bij de rijken in zijn parochie, die steeds meer de overhand kregen. Hij zuchtte terwijl hij het loof van een varen opzij duwde, dat niet prettig aanvoelde, maar, zo moest hij toegeven, op een ruige manier fraai was. Wat was er mis met gazons en rozen? Zijn zuchten kwam voort uit zijn onvermogen te voorkomen dat zijn gedachten alle kanten op sprongen, als jonge kikkertjes – of nee, eerder als boze padden, hield hij zichzelf voor, want hier in deze wildernis herinnerde hij zich ineens hoe geschokt hij was geweest door de ontdekking dat hij het liefst de huizen en appartementen van de rijken bezocht, niet alleen vanwege het genoegen te kunnen kijken hoe ze woonden, maar ook omdat het geestelijk minder van hem vergde. Als rijken behoefte hadden aan geestelijke bijstand, was hij zelden de enige bron die zij hiervoor aanboorden. Ze zochten hun toevlucht eerder nog bij artsen, psychiaters en new-agegoeroes, of kwamen op eigen kracht uit hun sores, terwijl arme parochianen zich soms als drenkelingen aan hem vastklampten alsof hij de enige op aarde was die hen van de hel kon redden. En de enige die een formulier voor hen in kon vullen, een familielid inschakelen, huursubsidie aanvragen, vertellen waar ze rechtsbijstand konden krijgen, wat ze moesten doen om uitzetting te voorkomen of een gewelddadige echtgenoot de deur uit te krijgen, terwijl hij zich vaker wel dan niet gedwongen zag zijn hoofd te schudden en te zeggen: dat kan ik allemaal niet. Het is het lot van een priester in een seculiere maatschappij om allerlei verantwoordelijkheden te hebben zonder in staat te zijn invloed uit te oefenen op de gebeurtenissen, en al helemaal niet op de sociale dienst of instanties in de gezondheidszorg. Of op de belastingdienst, politie of justitie. Hij bleef even staan om in zijn zakken te rommelen.

Het was lastig om een moeder te vertellen dat hij haar kind niet van straat kon houden en naar school sturen en dat hij haar alleen maar kon aanraden te bidden, goede moed te houden en zich aan het lot over te geven, want het lot was de wil van God en het hielp als je geloofde, heus waar. Hij kon haar alleen in contact brengen met anderen die in hetzelfde schuitje zaten om haar enigszins uit haar isolement te halen. Noch kon hij een man vertellen dat hij níet in het ziekenhuis dood zou gaan zonder al zijn kinderen om zich heen, al was hij speciaal bij hem geroepen om hiertegenin te gaan. Met kerkgangers die elk cliché dat van zijn lippen rolde geloofden had hij liefst niet te maken maar was het, als het erop aankwam, nou zo erg om liever met de rijkere mensen om te gaan? Hij was al heel lang priester en was onderhand bang om als onmisbaar gezien te worden; zijn onvermogen om daadwerkelijk iets te betekenen wanneer mensen in een ellendige situatie verkeerden, maakte hem zenuwachtig. Het was simpelweg verfrissend als mensen die genoeg andere opties hadden hem om raad vroegen in plaats van dat hem gevraagd werd een drenkeling een touw toe te werpen, terwijl hij wist dat dat touw niet sterk genoeg was en bovendien te kort. Steeds minder hulpbehoevenden deden een beroep op hem en hij schaamde zich dat hij daar dankbaar voor was.

Hij bleef staan bij de varen, voorbij de Michaëlsbocht zoals hij hem noemde, en stak een sigaret op. Hij rookte er vijf per dag, die hij gewoonlijk opspaarde voor de verrukkelijke momenten dat hij voor de televisie zat en de massa op de tribune hoorde juichen en jouwen. Als voetbal de godsdienst als opium van het volk had verdrongen, wie was hij dan om daar kritiek op te hebben? Op hem had het die uitwerking in ieder geval wel. God vergaf toch zeker alles; Hij zou ook een priester vergeven die liever de mooie huizen van rijke mensen van binnen zag en daarover roddelde dan het interieur van armoedige flats, een priester voor wie sport op de televisie het mooiste was wat er bestond. Hij kon in ieder geval niet beticht worden van afgunst. Hij hield gewoon van kijken naar dit soort dingen, dat was alles, zoals hij ook graag keek naar mooie vrouwen. De emotionele rek was eruit, veronderstelde hij; hij wilde zich graag nuttig maken, maar wat hij niet meer wilde was zich helemaal laten meeslepen door medelijden. Mededogen vrat aan je. Iemand riep hem.

'Eerwaarde, bent u daar?'

Het irriteerde hem onderhand al mateloos als mensen hem met 'eerwaarde' aanspraken. Hij had toch zeker ook een naam, verdorie. Hoezo 'eerwaarde', dat sloeg toch nergens op. Hij vond het vooral erg als hij zo genoemd werd door mensen die ouder waren dan hij.

Zoals Edmund, die een beetje op hem leek en hem deed denken aan wat hijzelf allemaal had fout gedaan. Op zich was het trouwens niet zo erg om door Edmund te worden aangesproken, want die vroeg hem, godzijdank, nooit om spirituele bemoediging, althans tot dusver niet, en die kampte kennelijk niet met laag-bij-de-grondse problemen, behalve dan met zijn gezondheid. Edmund wilde waarschijnlijk een sigaret van hem en die kon hij krijgen, al zou hij hem eigenlijk niet moeten geven, want de man had nog maar pas geleden een beroerte gehad. Geen zware weliswaar, niet zwaar genoeg om hem ervan te weerhouden meteen daarna weer naar zijn tuin terug te keren, maar het was toch een waarschuwing. Christopher herinnerde het zich allemaal weer, maar als hij er nu op terugkeek begreep hij eigenlijk niet waarom de man zichzelf blijkbaar zo onmisbaar vond. Edmund was een geweldig trage persoon. Zijn beroerte was zeer zeker niet het gevolg van een vurig temperament, maar waarschijnlijk een combinatie van een ongelukkige genetische aanleg, zijn allengs toegenomen afhankelijkheid van drank en sigaretten, zijn neiging tot snotteren, plus alle foute keuzes die een vrijgezel gewoonlijk maakt.

Hij was nu ook in tranen. Een grote, treurige, onhandige kerel die op zijn smerige bank zat die ook op de stralendste zomerdag in schaduw gehuld bleef; na een wisselvallige zomer met toch behoorlijk wat zonneschijn zag hij nog altijd bleek en hij had een lubberende buik die pastoor Goodwin om de een of andere reden met het celibaat associeerde. Hij had zelf net zo'n buikje, waar hij altijd met afgrijzen naar keek. Terwijl hij naar Edmund toe liep stelde hij zich in op een meelevende houding en tastte opnieuw in zijn zakken naar zijn sigaretten. Hij zou er eigenlijk meer bij zich moeten hebben dan zijn dagelijkse rantsoen: ze boden mensen die er behoefte aan hadden veel meer vertroosting dan hij zelf in staat was te geven en hij kon iemand moeilijk geen sigaret aanbieden als hij er zelf net een had opgestoken. Zonder die sigaret had Edmund zijn aanwezigheid misschien niet opgemerkt. Hemel, wat was het toch lastig dat je je medelijden bijeen moest zien te schrapen en er geen onuitputtelijke, vrijelijk stromende hoeveelheid van tot je beschikking had. En ook dat zijn gedachten van hot naar her vlogen en zich er niet toe bepaalden dat Edmund een goeie vent was, maar hem tegelijk voorhielden dat het een erge lelijkerd was die zichzelf niet bijster goed verzorgde.

Het was veel eenvoudiger om goed gewassen, gezonde mensen bij te staan. Een heilige zou het verschil niet zien, maar Christopher was geen heilige en zag het dus wel.

'Wat scheelt er, Edmund?' vroeg hij hartelijk, terwijl hij naast hem kwam zitten en hem met zijn linkerhand op zijn dij klopte, vastbesloten zijn sigaret niet voortijdig uit te maken. Vervolgens keek hij naar Edmunds grote voeten, als aanloopje om hem in de ogen te kijken, en zag meteen waarom de man huilde. Op nog geen meter afstand lagen vier vogellijkjes, merels vermoedde hij, zonder er enig verstand van te hebben, al bleek toen hij beter keek dat hun formaat verschilde en het dus verschillende soorten moesten zijn. De sigaret viel uit zijn vingers en hij veegde hem met zijn schoen weg.

'Wilt u ze zegenen, eerwaarde?' vroeg Edmund beheerst. 'Voordat ik ze... begraaf?'

'Ik zal ze uitgebreid zegenen.'

Hij improviseerde. 'Genadige God, verdrijf de duisternis waarin zij verkeren. Laat hen en de hunnen slapen in vrede opdat bij het aanbreken van een nieuwe dag zij met vreugde mogen ontwaken in uw naam. Door Christus onze Heer, amen.' Dit leek niet voldoende. De priester begaf zich naar de lijkjes, maakte over elk ervan een kruis, zacht prevelend: 'U zal geen kwaad geschieden en geen plaag zal u bezoeken daar waar u vertoeft. Voor u heeft Hij het koor zijner engelen bevolen u voor eeuwig te behoeden. Amen.'

Edmund snoot zijn neus. 'Dank u wel, eerwaarde.'

Christopher Goodwin ging weer zitten en haalde zijn sigaretten tevoorschijn. Misschien getuigde het niet van respect om in aanwezigheid van de dood te roken, maar dat oordeel liet hij aan Edmund over. Die trok een sigaret uit het armoedige pakje van tien waarop zich aan de eerwaarde vader Goodwin de weinig passende herinnering opdrong aan een treurende zoon die toen hij een kluit aarde op de kist moest werpen in zijn verstrooidheid een sigarettenpeuk in de kuil had gegooid. Zijn verdriet was er niet minder om.

'Heeft een kat ze te pakken gehad?' vroeg hij. Edmund begon te beven. Het zag ernaar uit dat hij weer zou gaan huilen. Hij keek naar de brandende sigaret tussen zijn vingers en nam een bibberig trekje.

'Ze zijn... ze zijn... vermoord.'

'Nee toch zeker?'

'Ze had gelijk,' mummelde hij. 'Matilda had gelijk... Vanochtend zei ze nog tegen me dat het een slechte jongen was. Hij heeft de ekster doodgeschoten en deze hier heeft hij vergiftigd. Wat moet ik er toch van denken, eerwaarde? Ik hield van hem.'

'Van wie, Edmund?'

De sigaret was uitgegaan terwijl hij hakkelend aan het woord was; de pauzes tussen de woorden duurden langer dan de woorden zelf. Voor Edmund was het een maximum aan woorden. Hij leek de onbeholpenheid van de priester eindelijk te beseffen en had medelijden.

'Het doet er niet toe, eerwaarde. De bozen worden toch wel gestraft, hè?'

'Hier op aarde niet altijd, Edmund, maar vaak wel. Gaat het weer een beetje? Zal ik je helpen met begraven?'

'Hij is heel geniepig. Hij heeft de vrouwtjes vermoord zodat de mannetjes niet terugkomen om nesten te bouwen,' zei Edmund.

'Wie?'

'Het doet er niet toe,' zei Edmund weer. 'Ik moest maar weer eens verdergaan. En u ook, denk ik zo.'

'Zal ik iemand naar je toe sturen?'

'Nee, dat hoeft niet. Na het eten komt Matilda. Die zegt haar gebeden altijd in de tuin, wist u dat?'

'O ja?'

'Bedankt voor de sigaret, eerwaarde. Volgende keer krijgt u er een van mij.'

Het gevoel van onbehagen had hem weer in alle hevigheid overvallen, samen met het overbekende gevoel tekort te schieten. Christopher Goodwin ging weg met de gedachte dat hij een ongevoelig en onaardig persoon was.

Het was half zeven, het belachelijk vroege uur waarop de zusters zich zetten aan een maaltijd die hij als een vieruurtje zou aanduiden maar zij, in hun almachtige wijsheid, als het avondeten. Koud vlees met een salade in deze tijd van het jaar, in de tijd dat het guurder werd, aangevuld met soep en geroosterd brood met wat erop. Sommige nonnen aten als dragonders, andere als vogeltjes, en de groep die min of meer aan bed gekluisterd was, waartoe zuster Jude had behoord, at in afzondering een soort babyvoedsel. Hij werd geacht de nonnen van de laatste categorie ten minste een keer in de week te bezoeken, afhankelijk van hun gezondheidstoestand, wat in de praktijk betekende dat hij, tot nu toe, steeds vijf minuutjes had doorgebracht bij Pauline en Dymphna (zuster Dymphna was kierewiet, zoals het iemand met de naam van de patroonheilige van geesteszieken betaamde) en zo veel mogelijk uren bij zuster Jude, die nooit sliep en altijd heel goed bij was. Hij miste haar en het herinnerde hem eraan dat hij zich eigenlijk te slap voelde om vanavond nog iets te doen, dat hij zelfs al te veel aan zijn hoofd had gehad voordat Edmund met zijn dode vogels kwam aanzetten. Hij maakte een omweg naar de kapel. In zijn herinnering waren enkele brokstukken van de vergadering achtergebleven, iets over het kapelraam dat gebroken was en op wonderbaarlijke wijze hersteld, zodat er blijkbaar toch een restje nieuwsgierigheid bestond, de enige emotie waar hij, zo moe als hij vandaag was, nog iets mee kon.

Het raam zag er net zo uit als anders, precies hetzelfde als toen hij hier afgelopen zondag de mis had opgedragen, maar minder decoratief dan toen zuster Judes lichaam hier opgebaard had gelegen te midden van de bloemen, blijken van hulde waar ze meer van zou hebben genoten als ze ze bij leven en welzijn had ontvangen. Er was niets van te zien dat het raam gebroken was geweest: de ruimte ademde nog steeds een serene rust en was God zij dank vrij van het uitbundige, lugubere beeldhouwwerk dat zo menige rooms-katholieke kerk ontsierde. Wat was hij toch onverdraagzaam aan het worden, hij had een fase in zijn leven bereikt waarin simpele meningen uithardden tot vooroordelen. Misschien had de vrolijke anarchiste Kay wel gelijk en werd het tijd om naar een andere godsdienst om te zien. Eentje zonder schuld en boete, dreiging met hel en verdoemenis en de belofte van de hemel; een die volledig verstoken was van vergulde versierselen. Een geloof dat door de meerderheid van de bevolking gedeeld werd. Een leven zonder plichten en de last van geheimhouding.

Vóór hem, dicht bij het altaar, zat Anna; ze zát, ze knielde niet, maar haar houding verried dat ze in overpeinzing was ondergedompeld. Het zien van haar bracht een vage teleurstelling bij hem teweeg. Het had hem moeten opmonteren, maar het tegenovergestelde was het geval. Hij sloop weg door de zwart en wit betegelde gang, zich voor de tweede keer in nog geen tien minuten een schurk voelend, voorbij de refter en het geluid van conversatie, de voordeur uit, die nu eens niet door Agnes werd bewaakt. Hij voelde zich Judas de verrader.

Christopher: hij was genoemd naar een beroemde heilige, maar vandaag straalde hij niets van welwillendheid uit, aan niets was de zegening door deze heilige af te lezen toen hij de straat uit liep, zo opgelucht dat hij niet met de auto hoefde dat hij bijna zo hard liep als een trainende atleet, onderwijl denkend aan de legendarische persoon met zijn naam en hoe hij diens verhaal zou vertellen. Die heilige was een grote kerel, een reus die alleen de sterkste en machtigste heersers wilde dienen. Een grote koning en de duivel met zijn beloften hadden hem ertoe verlokt die twee te dienen, maar zij stelden zulke kinderachtige eisen dat hij teleurgesteld was en wegliep om het leven van een kluizenaar te gaan leiden; hij vestigde zich in de buurt van een woeste rivier en legde zichzelf de taak op reizigers naar de overkant te dragen, een nederige doch nuttige manier om zijn fysieke kracht te gebruiken. Op een pikdonkere, stormachtige avond droeg hij een klein kind door de stroming, maar dit kind werd zwaarder en zwaarder, zodat hij liep te strompelen en te zweten en bijna viel, plotseling twijfelend aan zijn eigen kracht. Ja, zei het kind, ik ben Jezus, de koning die je altijd gezocht hebt, en je draagt het gewicht van de wereld op je schouders.

Mijn beste Anna, zei pastoor Goodwin, geboren Christopher, in gedachten een gesprek met haar voerend tot hij bij het park aankwam, zo zit dat met het geloof. Het is behalve een zegen een tirannie. Geef er alsjeblieft niet aan toe, nog niet in ieder geval. Laat de hemelhond maar flink lang naar je kuiten bijten voordat je je naar hem omdraait en hem te eten geeft.

Het park was van een bijzondere schoonheid en diende hem vaak tot troost. Een extra lokmiddel dat hem verder deed wandelen was een voetbalveld waarop kinderen trainden. Hij vond het heerlijk om naar hen te kijken. Kleine schooljongetjes die – weer of geen weer – als gekken tegen de bal liepen te trappen, soms niet meer herkenbaar door de modder, zonder publiek, zonder juichende massa's op de tribunes, slechts aangespoord door trainers en ouders en met de fanatieke wil te winnen in een georkestreerde chaos van tomeloze energie. Hij bleef nooit lang staan kijken, omdat hij bang was dat men een man in een goedkoop pak en met een boordje om zijn nek zou aanzien voor ofwel een halve gare ofwel een pedofiel, al had nog nooit iemand die gedachte gekoesterd, voorzover hij dat kon beoordelen. Pedofielen kletsten niet met ouders en stonden zich ook niet hees te schreeuwen langs de kant, zoals hij vaak deed, maar toch ging hij altijd weg voor het einde. Er was altijd een bepaald punt in de wedstrijd waarop hij wist wie er zou gaan winnen, maar toch was het jammer de individuele dappere daad, de bezieling van degene die zowel met het team als zonder het team kon spelen, te moeten missen.

Hij kon haar een brief schrijven, stelde die in gedachten op. *Beste Anna. Zorg alsjeblieft dat je heidin blijft. Verstop je niet onder de mantel van een bepaald geloof. Bepaal je eigen regels. Je hebt met de allerafgrijselijkste voorbeelden te maken gehad, al heb je daar nu nog geen weet van. Je moeder, die heilige... Ach, laat ook maar. Laat ons maar voor wat we zijn, richt je eigen leven in zonder regels. Bepaal je eigen koers. Buig voor niets of niemand. Buig nooit ofte nimmer.*

En toen dacht hij: maar al die andere brieven dan die Anna ontvangen moet hebben, waar zuster Jude het over had. Brieven over de dood van haar vader en moeder. Wat moest ze met nóg een brief van een ouwe dwaas?

In de kapel knielde ze niet. Ze knielde niet, ze voerde eenvoudigweg een gesprek, op de manier die zuster Jude haar had aangeraden, zonder dat er ooit van enige dwang sprake was geweest. Het raam was zo goed gerepareerd dat er van de vernieling geen spoor meer te zien was, alsof ze die nooit had gezien, alsof die niet had bestaan, echt een mirakel.

'Hij bracht me naar huis, Heer, maar ik heb hem alleen maar tot de hoek laten meelopen. Ik wil niet dat hij weet waar ik woon, al weet hij dat misschien al lang. Jezus nog aan toe, wat bezielt hem eigenlijk? Is hij serieus? Hoe dan ook, als ik niet gerend had was ik misschien te laat geweest voor de vergadering. Ik weet zeker dat U dat wel goed vindt.'

Ze deed haar schoenen uit. Ze zaten allemaal nog te eten, opgewondener dan anders en dus zouden ze ook wel later klaar zijn en haar met rust laten. Haar voeten stonken een beetje, doordat ze de hele dag op gympen had gelopen, maar de Heer moest er maar tegen kunnen. Het weer was hier nu eenmaal niet zo dat je op je blote voeten kon rondlopen of je net als een discipel in een lange soepjurk van katoen kon hullen.

'En natuurlijk loop ik tegen nog zo'n Godfreak aan,' vervolgde ze, terwijl ze haar tenen op en neer zat te bewegen. 'Ook zo'n maf met een gaatje in zijn kop, maar dat zal ook wel je bedoeling zijn geweest. Maar goed, je zal 't wel fijn vinden te horen dat ik al die suffe tantes heb overgehaald om een taxirekening te openen. Ik heb tegen die stomme Barbara gezegd dat ze korting kon krijgen en zoals je weet doet dat 't altijd goed. Dat is iets wat al die katholieken gemeen hebben, ze zijn altijd op een voordeeltje uit. Arme dikke doos. Ik kan helemaal geen korting voor haar regelen, maar wat maakt het uit? Wat vind jij van liegen?'

Zwarte en witte tegels in de gang. Echte leugens zijn zwart, leugentjes om bestwil wit.

'Weet je wat het probleem is met jou?' zei Anna. 'Dat je er zo achterlijk uitziet. Je moet nodig eens andere kleren aan en je imago opvijzelen. Laat ze Latijn spreken of zoiets, zorg weer voor wat van dat mystieke gedoe waar ze allemaal mee kunnen meezingen. *Credo in Unum Deum.* Als je dat nou eens in één toon laat zingen door een stelletje sukkels in roze kazuifels, dan heb je er zo weer een hele zwik achter je aan. Verzorg avondcursussen koorzang. Daar komen al die zielenpoten op af die verder nergens terecht kunnen. Daar zijn er zat van.'

Ze zette haar blote voeten op de rugleuning van de stoel die voor haar stond en trok hem iets naar achteren zodat ze haar tenen beter kon bekijken. Slanke, kleine voeten, waar wat haar betrof op dat moment niets aan te bewonderen viel. Ze waren te klein om echt wat aan te hebben en volmaakt in hun nutteloosheid, afgezien van het vuil tussen haar tenen.

'Weet je, Heer, ik zal je eens wat vertellen. Toen ik nog klein was, was jij mijn allerbeste maatje, maar toen ging je ervandoor en liet mij gewoon zitten. En ik snapte ook wel waarom, want je was er gewoon nooit geweest. Wat een belazerderij! Waarom zorgde je niet dat we beter werden, hè? Waarom zit die priester me op mijn dak? Steeds wil hij me uitleggen waarom wij al die tijd opgesloten hebben gezeten en mijn vader ervandoor is gegaan. Dacht hij soms dat ik dat niet wist? Ik weet best waarom. Het is doodsimpel. Hij was te slecht en zij was te goed.'

Ze wrong haar voeten weer in haar schoenen. Het begon frisjes te worden en ze wilde haar staat van vervoering niet kwijtraken. Ze leunde naar voren in de richting van het raam, staarde naar het gerepareerde gedeelte, wensend dat het weer zou gebeuren, dat ze het geluid van het brekende glas zou horen; leunde weer achterover, haar voeten weer lekker warm, wensend dat ze thuis was, in de wetenschap dat haar huis dichtbij was.

'Weet je wat hij zei, Herejeempie? Hij zei: wat ben je toch klein, hoe komt het dat je zo klein bent? En toen zei ik: zo groot ben jij anders ook niet, je bent maar half zo groot als mijn vader en wat gaat jou het aan dat ik niet verder gegroeid ben? Hij heet Ravi. Hij is een hindoe en weet je wat hij tegen me zei? Hij zei dat alle goden goden zijn en dat alle religies harmonie nastreven. Waarom heeft niemand me dat verteld toen ik tien was? Nou goed, ik heb hem erom uitgelachen. Zijn wij geen zielig stel? zei ik tegen hem. Moet je ons nou zien, twee mensen van onze leeftijd die op een mooie dag op straat over God lopen te praten. Is dat stumperig of niet?'

Ze bestudeerde haar voeten weer enige tijd en draaide haar gezicht toen naar het raam.

'Nou goed, ik dacht, ik vertel je maar even dat ik meer houd van hoe Allah klinkt dan van jou, al zeggen ze nog zo vaak dat hij tot allerlei kwade dingen inspireert. En als ik Mohammed zou volgen, kon ik Jezus en de aartsengel Michaël toch nog houden. Maar het lijkt erop dat ik maar beter eerst naar de hindoes kan kijken.'

Ze trok haar schoenen goed aan en knoopte haar veters.

'En nu we het er toch over hebben,' richtte ze zich tot het raam achter het kruisbeeld, 'ik zou wel eens willen weten wat je eigenlijk met mijn beschermengel hebt uitgevoerd. We worden toch allemaal geacht er eentje te hebben? Moslims hebben er twee, moet je weten. Een hindoe zou niks aan mij hebben. Het heeft geen nut daarover te denken, ik ben gewoon niet rein genoeg. En mijn vader en moeder kan ik moeilijk eren, toch? Hij heeft ons in de steek gelaten en zij is dood. Ravi was geschokt toen ik dat zei. Hij zei dat hindoes zoiets nooit zouden doen. Wat niet, zei ik, doodgaan? Hij is echt een geweldige stumper. Bij mij of bij jou? Dat had hij moeten zeggen, als hij zou weten met wie hij te maken had. En dan had ik gewoon kunnen zeggen: niet bij mij, ik neuk nooit bij mij thuis.'

Stilte.

Ze geeuwde en stond op.

'Terusten, Heer. Zorg voor Therese, al maak je er ook een zooitje van.' Toen ging ze weer zitten. 'Nou goed, luister. Ik begin een beetje te snappen hoe het zit met mijn zus. Als ze echt vindt dat ze hier thuis is, dan moet ze hier maar blijven. Als ze hier gelukkig van wordt, dan is het goed. En dan zal ik alles doen, alles, hoor je, om te zorgen dat de zaak hier draaiende blijft. Snap je wel?'

Ze liep langzaam door de zwart en wit betegelde gang. Agnes zat bij de deur. Agnes vond het heerlijk om aangeraakt en geknuffeld te worden en impulsief, dankbaar bij de herinnering aan de ongeveinsde oprechtheid waarmee Agnes bij zuster Judes graf had staan zingen, klopte Anna haar op haar lompe schouder, waarop haar hand meteen stevig werd vastgegrepen en gekneed.

'Goedenavond, Aggie. Je zou vaker moeten zingen.'

'Goedenacht, lieverd. Vandaag ben ik een heel gelukkige vrouw. Weet je waarom?' Ze duwde Anna's hoofd schuin om in haar oor te fluisteren. 'Mijn zoon kwam vandaag hier om mij te zoeken.'

Ach ja, ze praatten af en toe allemaal in raadsels. Ze waren allemaal een beetje van lotje getikt, zo had God ze gemaakt, maar daarom waren ze zo kwaad nog niet.

Terug in haar eigen flat ging Anna meteen het dak op. De hemel was helder en het was een van die heerlijke avonden dat ze spijt had van een verspilde dag, maar toen dacht ze weer aan de regen, en aan Ravi. De bomen voor het raam van de kapel glinsterden terwijl de schaduwen langer werden. Achter in de tuin ontwaarde ze de zittende gestalte van Edmund. Het was te koud voor een oude man om zo buiten te zitten, als was hij dakloos; het was een laat tijdstip voor hem om daar zo te zitten, maar hij moest het zelf weten en Matilda zou daar ook wel ergens zijn tot het volledig donker was. Ze kende de gewoonten van die twee in de tuin tot in de puntjes, maar wat ze nu precies dachten of geloofden en wat hun behoeften waren, daar wist ze niets van, en eensklaps voelde ze zich heel kleintjes. Als Ravi de hindoe respect kon opbrengen voor geloofsovertuigingen die vreemd voor hem waren, dan behoorde zij dat ook te doen.

Beneden, tussen de stille struiken, meende ze iets goudkleurigs te zien opflitsen. Een hoofd dat bewoog, en zich naast Edmund bevond, en even plotseling ook weer aan het zicht onttrokken werd. Vannacht zou het vollemaan zijn, maar Anna was te moe om ernaar te kijken; ze zou wachten op de nieuwe maan en daar haar wens bij doen. Haar hele kleine lijf sidderde, zo geweldig en verrukkelijk moest ze geeuwen. Het was hierbuiten zo vredig en vandaag had ze iets met zichzelf gedaan, ze had zich uitgesproken en iemand had naar haar geluisterd. Eindelijk wist ze hoe het was om even niet kwaad te zijn. Misschien woonde God wel op de maan en was dat zijn gezicht.

'Matilda? Ben jij het? Help me, alsjeblieft...'

'Matilda is er niet.'

'In godsnaam, help me. Rotjong dat je bent. Smeerlap, jij hebt ze vermoord.'

'En alle andere gaan er ook aan. De lijsters en de mussen. Ik maak alle nesten kapot. Je kunt zo gauw als je maar wilt doodgaan, ouwe.'

'Help me...'

De duisternis viel vroeg in.

De herfst begon met een frons op het gezicht van de maan.

5

Gij zult niet stelen

Misschien was het wel de laatste warme ochtend van het jaar.

Beste mevrouw McQuaid

Re: de nalatenschap van Theodore Calvert

Dank u voor uw brief van de achtste.

Hierbij bevestig ik dat u met ingang van vandaag nog ten minste de volgende zes maanden het vruchtgebruik van het huis zult hebben. Zoals u naar ik aanneem zult begrijpen. De heer Calvert heeft zeer gespreid belegd en het zal behoorlijk wat tijd vergen om alles in contanten om te zetten en belastingtechnisch op orde te krijgen... Mocht u geld nodig hebben voor het onderhoud van het huis, neemt u dan alstublieft contact op met ondergetekende...

Dus dat was voor elkaar.

Alleen in het heidense licht van een futloze ochtend droeg Kay de zee gevoelens toe die aan oprechte genegenheid grensden. Ze was er dol op als hij zo kalm was dat hij deed denken aan reisgidsen waarin geadverteerd werd met lange dagen van zonneschijn, heel ergens anders, op een plek waar de taal, het eten en het klimaat zo anders waren dat het een wonder mocht heten dat de mensen er als mensen uitzagen. Het huis lag een straat verwijderd van de kust, beschut tegen stormen. Ze kon er de zee horen, maar niet zien.

Vandaag zag de zee er warm, uitnodigend en vreedzaam uit, zonder een spoor van dat mysterieuze waar ze niet van hield, en zelfs nog minder een spoor van macht, waar ze een nog grotere hekel aan had. Op een ochtend als vandaag zag de zee eruit als een kolossaal bad, met een eigenaardig jacuzzi-achtig gewoel onder de oppervlakte. Gehuld in haar tot de enkels reikende ochtendjas van zachtlila badstof, met een douchemuts op en plastic schoenen aan haar voeten, liep Kay voetje voor voetje over het zachtglooiende kiezelstrand naar het water, deed haar ochtendjas uit en waadde erin. Na drie stappen reikte het tot haar borst, ze maakte vier slagen naar links en vier naar rechts zonder haar zonnebril te hebben afgezet; dat was genoeg, en in triomf kwam ze er weer uit. De tijd dat ze er misschien langer in zou zijn gebleven en dit lijden als boetedoening voor haar zonden zou hebben gezien, lag ver achter haar. Het water was eerder aangenaam fris dan koud, maar waarom zou je jezelf kippenvel bezorgen? Het was niet fijn om het koud te hebben.

Theodore Calvert, haar werkgever, ging tot ver in de winter door met zwemmen, maar ja, die had altijd wel iets te bewijzen. Zijn mannelijkheid moest hij bewijzen, of anders was hij stiekem toch een katholiek. Hoe zeiden de jezuïeten het ook alweer? Geef ons een jongen voor hij acht jaar oud is en hij is voor altijd van ons. Hij mocht dan zolang ze hem kende tegen die godsdienst tekeer zijn gegaan, maar volgens Kays theorie hadden ze hem als jongetje misschien flink te grazen gehad en had hij daar die verschrikkelijke kronkel aan overgehouden, die ze er bij zichzelf nog altijd verwoed probeerde uit te krijgen, namelijk het rare geloof dat ongemak gelijkstond aan deugd en dat luxe dus aan zonde grensde.

Het probleem met zo'n heldere hemel, weerspiegeld in de onafzienbare vlakte van verfrissend water, was dat ze erdoor werd aangetrokken en aan het denken werd gezet, terwijl ze er eigenlijk over dacht te gaan ontbijten. Het rustgevende geluid van de kabbelende golven, die zo heerlijk waren aan haar voeten, was de stem van het geweten. De zee was zo kalm dat een profeet er heel goed overheen kon lopen. Ze keek naar haar tenen door het doorschijnende plastic van haar schoenen heen en probeerde zich te concentreren op het feit dat het tijd was voor een pedicure; ze liet de badstof jas het zilte vocht op haar huid opnemen terwijl ze heerlijk op de warme kiezels zat en zichzelf voorhield dat ze beter af zou zijn in de tuin, waar het uitzicht minder ontzagwekkend was, maar ze kon er niet toe komen op te staan. Theo Calvert had van de zee gehouden en die als één grote speeltuin gezien, terwijl zij de zee meestentijds als koud, nat en onaangenaam ervoer. Toen hij bij zijn vrouw was weggegaan, was hij naar de kust verhuisd, omdat hij daar altijd al had willen wonen. Hij had een huis gekocht dat groot genoeg was om er met zijn dochters te kunnen wonen, maar uiteraard waren ze nooit gekomen, zelfs niet voor een bezoekje. Het was dwaas geweest van Theo om zoiets te verwachten. Zoals het ook dwaas van hem was geweest om te vechten voor de voogdij over zijn kinderen, die niet alleen ziek waren, maar onderhand meer dan oud genoeg om zelf te weten wat ze wilden. Zijn advocaten hadden hem voorgehouden dat hij gek was. Hij was degene die de echtelijke woonstee verlaten had, qua leeftijd was hij eerder opa dan pa en hij had lopen schreeuwen dat zijn dochters alleen maar frisse lucht nodig hadden en dat het hoog tijd was voor hun eerste kennismaking met seks. Zijn dochters hadden de rechter verteld dat ze hem haatten en Theo had lopen vloeken en de duivel aangeroepen en wierp zich iedere ochtend in zee om in het bitter koude water te gaan zwemmen. Als ze hem toen had verteld dat hij zijn vlees aan het tuchtigen was om zijn gedachten af te leiden zou hij haar niet geloofd hebben.

Theodore Calvert beweerde dat hij van dat soort dingen totaal niets begreep. De godsdienst van zijn vrouw, die haar tot haar moederlijke zelfopoffering inspireerde, was voor hem een vloek en de zee zou zijn ondergang worden. Hij deed niets dan tobben. Kay bepaalde haar aandacht weer tot de wereld van het moment door in haar zak naar haar sigaretten te vissen. Te veel zuurstof was niet goed voor je lijf. Ze moest er wel gek uitzien, zoals ze in deze kleren van het grote huis naar de zijweg was gelopen en nu hier op het strand zat, maar wie zou zich eraan storen? Er liepen hier heel wat excentriekelingen rond, en zij behoorde tot de jongste van hen. De badplaats had altijd al veel bejaarden aangetrokken, omdat hij vanuit Londen gemakkelijk per trein te bereiken was, maar er toch ver genoeg vandaan was om afgelegen te zijn. Waarom hij deze stek in godsnaam had uitgekozen mocht de hemel weten. Hij had gezegd dat hij behoefte had aan een weidse hemel, aan ruimte om te ademen. Ze ging achterover op de kiezels liggen om de zee niet te hoeven zien. Echt de stem van het geweten.

Waarom was ze al die jaren geleden in godsnaam met hem meegegaan? Ze had in Londen kunnen blijven en een andere baan nemen, al zou ze dan niet zo'n goed salaris hebben gehad. Calvert was belachelijk royaal, het was een van de redenen waarom ze zo lang bij dat rottige gezin gebleven was. Ze was gebleven, en onmisbaar geweest, tot lang nadat ze had uitgevonden wat voor iemand mevrouw Calvert eigenlijk was. Zij zelf was weliswaar al lang geen goede katholiek meer, maar ze was rooms genoeg geweest om de symptomen van een afgrijselijk soort heiligheid bij een ander te onderkennen. Het was maar een klein vrouwtje, die mevrouw Calvert, met enorm grote ogen, en alles wat ze deed, deed ze even elegant en aardig. Haar manieren waren onberispelijk, ze praatte met een zachte, bezorgde stem, ze bewoog zich met de bedaardheid van een door nonnen opgevoed meisje dat nooit haar kont tegen de krib had gegooid, al had ze haar verfijnde smaak voor kleding onmogelijk in een klooster kunnen opdoen. Ze gaf je het gevoel dat jij een karrenpaard was, maar zij was dan ook een dame en wel een dame zoals Theodore die zich gewenst had. Kay stopte de sigaretten weer in haar zak, ineens misselijk bij de gedachte er een op te steken, en schoof haar zonnebril omhoog en weer terug. Het zonlicht op het water was zo hel dat het pijn deed aan haar ogen.

Hoor eens, hield ze zichzelf voor, het is heel simpel. Ze was Theodore Calvert naar zijn rijke wijkplaats gevolgd, omdat ze voor het relatief gemakkelijke werk dat ze deed bij een ander nooit meer zou kunnen verdienen, en vanwege haar zoon. Ook, om eerlijk te zijn, omdat ze er niet tegen kon dat die twee meisjes zo ziek waren en ze niet kon aanzien wat mevrouw Calvert allemaal deed, omdat ze er niets mee te maken wilde hebben, maar vooral vanwege Jack, niet dan? Ze wilde een beter leven voor de rebelse Jack. Dat was het. Neem Jack maar mee, had Theodore gezegd, als je het niet doet komt hij ongetwijfeld in de problemen. Kay stond op en keerde het water de rug toe. Nee, ze had het gedaan om die vreselijke vrouw, die haar smeekte te blijven, te treiteren, ze had het gedaan uit solidariteit met hem en om zichzelf te plezieren, zoals ze zo vaak deed. Ach, schiet toch op, trut, je deed het omdat je dacht dat dat het beste was en dat is nog steeds zo.

Alleen was voor iemand die katholiek was opgevoed 'het beste' nog niet goed genoeg. Wat was er toch mis met die lui, tierde ze in zichzelf – steeds sneller lopend op weg naar huis, zich ineens heel scherp bewust van haar douchemuts – dat het van die ellendige zielenpoten waren. Nee, niet die lui, JIJ. Had ze soms niet afgerekend met haar hele roomse, door nonnen geplaagde Ierse meisjesjeugd voordat ze zelfs maar naar een jongen had gekeken? Stak ze er soms niet de draak mee? Had ze de angst voor de hel niet volledig weggevaagd? Ze had het allemaal van zich afgeworpen, ze had het uitgekotst en kotste er nog steeds van. Wat Christopher Goodwin tijdens zijn bezoek van eergisteren had wakker geschud was een volkomen onreligieus, natuurlijk geweten, een geweten van het soort dat zich in de zee verschool en licht in haar ogen liet schijnen, als een fakkel, met een vertraagd effect. Hij met zijn smeekbede of ze Anna Calvert niet wilde ontmoeten om haar te vertellen hoe haar vader was geweest, zodat het kind in de gelegenheid werd gesteld zich een waarachtig beeld van haar verleden te vormen. Om een toekomst te kunnen opbouwen, had Christopher gezegd. Neem me niet kwalijk, hoor, maar ik ben met vakantie, had ze geantwoord. Ik hoef helemaal niks, ik doe alleen maar wat me is opgedragen.

Met zuigende stappen bereikte ze de achterdeur zonder ook maar iemand gezien te hebben. Het was hier rustig, soms zelfs al te rustig. Wat had ze feitelijk nou zo verkeerd gedaan? Ze had de ouwe Theodore heus niet aangemoedigd zijn gevecht voor zijn dochters op te geven om in hun plaats van haar eigen Jack te houden. Nee, zo was het níet gegaan. Dat was niet wat haar bedoeling was geweest, maar het was wel wat er gebeurd was. Ze had het allemaal zoveel beter gewenst voor haar ongenietbare Jack. Het was nooit haar bedoeling geweest dat Theo hem als zijn eigen zoon zou behandelen. Ze ademde zwaar, haar schoenen schuurden. Het was echt de laatste keer dit jaar dat ze gezwommen had. Haar lijf tintelde en ze had een licht gevoel in haar hoofd. Ze greep naar de sleutel van het huis die ze aan een koordje om haar nek had hangen.

En het was ook niet haar bedoeling geweest om Isabel Calvert via via te laten weten dat Theodore samenwoonde met zijn huishoudster – handig, zo'n del in huis – en haar zoon boven zijn eigen vlees en bloed verkoos. Dat zou nog eens een forse bijdrage aan het heilige martelaarschap van mevrouw Calvert hebben betekend. En het was niet waar. Theo verafgoodde zijn dochters. Hij liet hun bewegingen nagaan, al viel er maar weinig te rapporteren omdat ze nooit het huis uit kwamen. Hij stuurde zijn vrouw ook alle mogelijke instanties op haar dak en Kay veronderstelde dat hij daarmee uiteindelijk toch succes had gehad. Mevrouw Calvert werd gedwongen haar greep op haar zieke kinderen los te laten. De kinderen werden in zekere zin bevrijd, en waren daardoor in de gelegenheid hem nog erger te haten om wat hij had gedaan, maar het was zeer zeker waar dat hij heel gek op Jack was geweest.

Kay maakte de achterdeur open en draafde door naar de grote slaapkamer boven die uitkeek op de weg voor het huis. Het was Theo's kamer en ze gebruikte hem als kleedkamer en om op het balkon de laatste zonnestralen op te vangen en te kijken naar wat zich buiten afspeelde, voorzover er al iets gebeurde. Het was de hoofdweg naar het centrum, er een prettig eindje vandaan. Ze herinnerde zich dat aan het begin van de avond de jaarlijkse parade langs zou komen en die gedachte vrolijkte haar op. Toen haar bad zo vol was dat het schuim boven de rand uit kwam, liet ze zich er met een dankbare zucht in zakken en wiegelde heen en weer; alleen haar bruine gezicht stak nog boven de witte bubbels uit. Toen ze er eenmaal stil in lag, bedacht ze dat haar bad niet zo'n goed idee was. Het was niet de zee die haar geweten overhoophaalde; het was de onderdompeling in wat voor water dan ook. Het greep op een akelige manier terug op de doop. Ze liet zich helemaal onder het schuim zakken. Ze besefte niet voor de eerste keer dat ze een aartsleugenaarster was, en het was zelfs niet iets waarvoor ze zich schaamde. Het was simpelweg een gevolg van het feit dat ze haar hele leven al niets anders deed dan mensen vertellen wat ze wilden horen.

Anna Calvert vond het als klein kind heerlijk om buiten in de zon te zijn. Toen Kay een keer als invalster met de op dat moment negenjarige Anna naar het park was gegaan, hadden ze zich geen van tweeën iets aangetrokken van de opdracht een stevige, gezonde wandeling te maken, maar waren op het gras gaan zitten, met hun trui uit en hun rok aan de onderkant in hun onderbroek gestopt. Therese die toen nog heel klein was en verschrikkelijk moest giechelen om woorden als onderbroek, liep om hen heen te hupsen als een mollige duif. Wat een lieve, makkelijke kleine meiden waren het toen nog. Ze zag het tafereel nog zo voor zich. Toen herinnerde ze zich de dag dat ze geprobeerd had hen met haar zoon te laten kennismaken door hem mee te smokkelen om gedag te zeggen. Hij was achttien maanden ouder dan Anna en ze hadden hem misschien wel heel mieters gevonden, maar smerige kleine jongetjes kwamen er bij mevrouw Calvert niet in. Kay blies water uit haar neus en greep naar de stop van het bad. Ze hadden toch best samen kunnen spelen? Misschien hadden die meiden hem wat fatsoen kunnen bijbrengen. Flauwekul. Dat zou nooit gelukt zijn. Jack was ze mijlenver vooruit. Hij was elf maar was al kind af en hij zag ze nooit meer behalve op de foto's die Theo in alle kamers van zijn huis had staan. Kay was klaar met afdrogen (ze had Theo overreed om grote, zachte, onverwoestbare handdoeken te kopen) en merkte dat haar geweten een stapje terug deed. Het was oplosbaar in water met zeep, en werd weggeveegd met vocht inbrengende crème. Gek eigenlijk dat ze zich zo bezighield met het huis en haar uiterlijk terwijl ze toch zo'n geïsoleerd bestaan leidde. Eigenliefde, dat was het, in overeenstemming met de reclames die je opriepen jezelf te verwennen omdat je het waard was, en het had eerder te maken met het pure plezier zich met onnutte dingen bezig te houden en niet zozeer met zich aantrekkelijk maken voor mannen, al fladderden er altijd wel een stel kerels om haar heen, als zeemeeuwen, kerels die net zulke onnozele geluiden maakten. De pot op. Ze zat niet echt te wachten op de troep of de moeite die aan een man kleefde en al plaagde ze Christopher nog zo erg als hij haar zijn maandelijkse bezoekje kwam brengen, dat deed ze alleen maar omdat hij priester was. Als ze ooit zou mogen kiezen tussen een nacht vol passie en een fles drambuie wist ze wel wat ze zou kiezen. Nou goed, ze was een leugenaarster en ze was lui en soms flirtte ze, maar dat deed er allemaal niet toe. De enige kwestie die nu van belang was, was wat ze aan moest trekken.

Beneden sloeg een deur. Kay hoorde het, ondanks dat haar oren bedekt waren door de handdoek die ze om haar hoofd had gedraaid, en verstijfde. Had ze de achterdeur opengelaten, stommerd die ze was, terwijl ze doodleuk in haar bad lag te wachten om kopje-onder geduwd te worden? Ze rende de slaapkamer in, poedelnaakt, en zocht steun tegen de deurpost. De terrasdeur was waarschijnlijk met een klap dichtgewaaid, dat zou het wel zijn. Ze was niet voor niets huishoudster; ze was paranoïde wat veiligheid betrof. Ze wist dat ze geen deur had laten openstaan en er stond geen zuchtje wind. Kay luisterde, wachtend op het geluid van voetstappen, van ademen, gekuch. Ze wachtte twee volle minuten en kreeg het koud. Niets. Tot ze het geruststellende geluid van een passerende auto hoorde. Ze trok haar kamerjas aan en liep op haar tenen tot boven aan de trap en snoof. Het enige wat ze rook was de vertrouwde leegheid van het huis, met alleen nog zwakjes de geur van haar schuimbad. Ze moest eens ophouden zich zo te gedragen, zo overdreven te reageren op plotselinge geluiden. Het was een oud huis en oude huizen hadden hun eigen taal. Laat het maar aan andere domme wijven over om neurotisch te worden van alleen wonen; zij vond het heerlijk en ze zou niet net zo worden. Kay liep met dreunende stappen over de overloop naar haar eigen slaapkamer aan de achterkant, weer bedenkend dat vandaag de parade langskwam en dat ze zich dus maar moest aansluiten bij de sfeer van het jaarlijkse plaatselijke evenement en iets aantrekken dat een heel klein beetje feestelijk was. Seks was onuitsprekelijk lastig, maar ze hield wel van bewonderende blikken en het balkon van Theo's kamer was een echte logeplaats voor het bekijken van de carnavalsoptocht.

Haar eigen kamer was een plaatje, zo had ze er haar best op gedaan. Behang in een pasteltint met een rand van bloemetjes, brede om haar bed afhangende stroken in harmoniërende tinten, hagelwitte vitrage met ruches achter het zacht getinte fluweel van de zwaardere gordijnen, die ze 's avonds dichttrok. Een reeks prenten van bloemen aan de muren en een kaptafel waarvan de poten schuilgingen achter kant. 's Ochtends maakte ze haar bed op zodra ze eruit kwam en schikte ze de sierkussens opdat, op welk moment ze haar kamer ook binnenkwam, alles eruit zou zien zoals ze dat het liefste had, snoezig en keurig tegelijk. Nu was het anders.

De verschillen waren gering, maar onmiskenbaar. Een van de prenten hing scheef, alsof iemand erlangs heen gestreken was. Op haar bed was een kuil te zien die een zitvlak had achtergelaten. De bovenste lade van de kast stond halfopen. Ze voelde zich onpasselijk worden, dwong zichzelf langzaam in en uit te ademen. Iemand was hier geweest en ze dacht dat ze wel wist wie het was. Hij was hier geweest, hij was weer weggegaan, en hij zou weer terugkomen.

Gewoon een jonge knul die op zoek was naar geld.

Naar brieven, papieren, wat dan ook.

Naar haar.

Zoals eerder.

Vandaag had ze de middagdienst. Anna had veel langer kunnen slapen als het rolgordijn voor het raam in haar zolderkamer het licht volledig zou tegenhouden. Ze bleef liggen zoals ze lag, heen en weer geslingerd tussen de wens zich weer op te rollen en verder te slapen en de dwingende neiging de bron van het licht op te zoeken en zich erin te koesteren. De zomer liep ten einde, de warmte van de zon was op rantsoen en die verspillen stond gelijk aan een zonde; het was bijna haar plicht om op te staan, een korte broek en een T-shirt aan te trekken en het dak op te klimmen. Ze sleepte een slaapzak en een kop koffie mee naar boven. In de zon kon ze verder slapen. Het was geen onverdeeld genoegen. Eerst wijdde ze zich aan het uitzicht. Haar geritualiseerde rondgang over de smalle ruimte op het dak, als was ze een schildwacht die wachtliep op de borstwering van een kasteel.

De straat aan de voorkant was al vol leven. De tijdschriftenwinkel was al open, over de stoep voor het café werden emmers water uitgestort en twee mensen stonden bij de bushalte te wachten. Het geluid van auto's klonk van deze afstand aangenaam. Toen ze zich naar voren boog zag ze iemand uit de ingang van haar flatgebouw komen en met doelgerichte tred weglopen. Wat andere mensen de hele dag deden was een bron van intense nieuwsgierigheid voor haar. Ze waren allemaal toegerust voor het leven op een manier die haar vreemd was en het was dus maar beter om geen vergelijkingen te trekken, maar slechts weinigen waren net zo vrij als zij. Terwijl ze neerkeek op het gedoe beneden vroeg ze zich af hoe ze Ravi ooit zou kunnen uitleggen hoe of waarom haar huur tot aan het einde van het jaar was betaald via een soort bloedgeldregeling die haar vader had getroffen voordat hij verdronk, en hoe ze wel gedwongen was het te accepteren omdat ze onmogelijk ergens anders zou kunnen wonen. Ze moest dicht bij Therese in de buurt zijn. Het was een prachtige dag en feitelijk was dat op dat moment het enige wat ertoe deed. Anna gaapte, vouwde haar handen boven haar hoofd ineen, rekte zich zo ver mogelijk uit, draaiend met haar heupen, en maakte zo haar slaperige gewrichten los, genietend van het gevoel. Ze zou haar oefeningen later wel doen. Het handdoekrekje diende als barre en haar slaapkamer als oefenruimte. Het enige wat ze nodig had was een vloer. Ze moest sterk zien te worden voor als Therese haar weer nodig zou hebben.

Met lossere ledematen begaf ze zich naar de andere kant van het dak en keek de kloostertuin in. De bomen begonnen herfstkleuren te krijgen; weldra zouden de kale takken tegen de kapelramen tikkend hun eigen muziek maken en er zou een bladerentapijt onder komen te liggen zoals ze het vorig jaar ook had gezien en dat Edmund pas na lang dralen zou weghalen. Als hij er klaar mee was en de bladeren droog waren, zou hij een grauwe dag uitkiezen, waarop hij het stoken van een heerlijk vuurtje zou riskeren; dat was verboden in een rookvrije zone, maar dat maakte het alleen maar spannender. Ze herinnerde zich van het afgelopen jaar, de eerste herfst dat ze hier woonde, hoe verrukt ze was geweest van de zuivere rook die opsteeg en over haar dak wegdreef. Wat was er nou zo erg aan als je bladeren in brand stak in plaats van ze in zakken te stoppen en het aan anderen over te laten? Ze zou dit jaar aanbieden om mee te helpen, althans als hij niet al genoeg had aan de hulp van Francis, die zij de bijnaam Goudlokje had gegeven. Ze moest die jongen, op wie de nonnen ineens zo dol waren, een keer zien. Ze zouden geld kunnen verdienen aan hun tuin; er waren ontelbare dingen die ze konden doen om het hoofd boven water te houden. Edmund zou wel moeten helpen. Ze keek over de muur. Hé, daar zat hij, op zijn bank, vanaf hier leek hij heel ver en op zijn gemak. Even bekroop haar de verleiding hem te roepen, maar hij zou haar toch niet horen en trouwens, niemand binnen de muren van het klooster wist dat zij naar hen keek en dat mocht ook niemand weten. Ze tolereerden haar, maar het was toch alsof ze nog altijd op proef was. Barbara begon haar onderhand nuttig te vinden, maar als een van hen zou weten dat ze hen als een amateur-spion observeerde, zou haar de deur gewezen worden, met Thereses zegen, en dat zou onverdraaglijk zijn. Anna ging wat achteruit voor het geval Edmund opkeek, alsof hij dat ooit zou doen, hij die zijn ogen kennelijk nooit ophief om boven de muren uit te kunnen kijken. Toen keek ze opnieuw.

Hij zat daar zo stil, op dezelfde plek waar hij in de lente altijd zat om naar de ochtendzang van zijn vogelkoor te luisteren. Hij zat net zo onbeweeglijk als ze hem de vorige avond had zien zitten, alleen was zijn houding ietsje anders, zijn lichaam was ongemakkelijk opzij gedraaid, als bij iemand die praat met iemand die achter hem staat. Met zijn ene hand leek hij zich aan de bank vast te houden. Het was niet natuurlijk om zo te zitten als je in je eentje was, vooral niet voor een gezette man als hij, die vaak van houding veranderde om het zijn zware lijf zo gemakkelijk mogelijk te maken. Langzaam kwam het verontrustende besef bij haar op dat hij daar de hele nacht had gezeten. Geheel tegen de regels in. Iedereen behalve de nonnen ging vóór het avondeten via de voordeur naar huis.

Ze klauterde de ladder af, nam alleen even de tijd om schoenen aan te trekken, rende de trappen af, de straat uit en maakte het rondje om bij de kloosterdeur uit te komen. Linksaf, weer linksaf en nog een keer linksaf, tegen twee voetgangers aan botsend zonder genoeg adem te hebben voor een verontschuldiging. Ze drukte verwoed op de bel naast de deur, wachtte even en drukte toen nog een keer. Ze keek op haar horloge. Jezus, het was nog niet eens tijd voor het ontbijt daarbinnen, misschien waren ze allemaal in de kapel of lagen ze nog te slapen. Ondanks de toenemende paniek die haar hart als een wilde tekeer deed gaan, bedacht ze dat ze niet eens wíst wat ze daarbinnen allemaal uitvoerden gedurende het grootste deel van de tijd dat zij er niet was; ze wist niet eens wat haar teerbeminde zus allemaal deed in de uren dat ze wakker was, ze wist alleen dat ze er fel tegen was, zo fel als een dolle hond. Waar hing Agnes uit? Waar was iedereen? Waarom zaten ze godverdorie te bidden als ze godverdorie de deur moesten opendoen? Wat dachten ze wel?

De deur ging met een zwaai open, niet met de zwijgend glimlachende traagheid van Agnes, die altijd de indruk gaf dat ze eerst drie of vier grendels had moeten wegschuiven en een ketting eraf had moeten halen om het zo ver te krijgen, en dat ze, hoe vriendelijk ze je ook verwelkomde, dit hele arsenaal weer in de vorige toestand zou brengen zodra je weg was. Tot Anna's teleurstelling was het Barbara die daar stond, een en al bazigheid en doortastendheid, met twinkelende, onderzoekende ogen achter haar brillenglazen; ze zag eruit alsof ze zo goed had geslapen dat ze al het onzingedoe van een hele dag zonder probleem zou aankunnen. Wezens als Anna lustte ze rauw, nog voor het ontbijt. Wat Anna nog meer afschrikte was dat ze glimlachte. Misschien was dit voor haar het beste gedeelte van de dag.

'Hallo, Anna, lief kind. Wat fijn om te constateren dat een jong ding als jij op zo'n redelijke tijd uit de veren is. Al ben je maar nauwelijks aangekleed, zie ik. Laat ik nu net even met je willen praten. Kom binnen.'

Anna liep gedwee achter haar aan. Op elk ander moment zou de truttige verwijzing naar haar korte broek en T-shirt haar woest hebben gemaakt, maar ze werd zich plotseling bewust van het dilemma waarin ze zich bevond. Ze wilde schreeuwen: *Er is iets met Edmund aan de hand*, maar als ze dat deed zou ze zich verraden aan Moeder Haviksoog, die meteen zou vragen: *Hoe weet jij dat?* En dan zou ze moeten bekennen: *Ik kan hem vanaf mijn dak zien.* Waarop Barbara zou zeggen: *Wát zeg je?* Ze was met stomheid geslagen en volgde in de tochtstroom van Barbara's volumineuze tuniek, die van haar volle boezem afhing als door ballonnen gedragen, tot ze beiden in de gang met zwarte en witte tegels waren.

'Kom maar mee naar de gastenkamer, lief kind. We hebben het een en ander te bepraten. Ik ben tot de conclusie gekomen dat ik je niet helemaal eerlijk beoordeeld heb. Je had gisteren tijdens de vergadering ook van die góéie ideeën, ze pasten gewoon helemaal in mijn manier van denken. Natuurlijk moeten we de auto zien kwijt te raken. Dat idee om een taxirekening te openen is briljant. Weet je het wel zeker van die korting? Maar wat ik je vooral graag zou willen uitleggen, lief kind, is wat Therese hier doet, want ik heb het akelige idee dat je dat misschien niet weet.

Om te beginnen is dit een liberale, seculiere orde. Ze hoeft geen harig kleed te dragen, ze hoeft geen metten, lauden, priemen, sexten of zelfs vespers te bidden, al wordt ze formeel wel aangespoord tot bidden; alleen het angelus hebben we behouden, omdat we er zo aan gehecht zijn. Een prachtig gebed, vind ik. Ik wou jou, als haar naaste en dierbaarste, even geruststellen met de mededeling dat haar hier geen leven gevuld met geseling te wachten staat en dat ze kan vertrekken wanneer ze maar wil, maar ik weet wel zeker dat zuster Jude je dat ook allemaal wel verteld zal hebben. Sinds je moeders jeugd is er heel veel veranderd. Niet altijd ten goede, maar ja. Ikzelf geef bijvoorbeeld nog altijd de voorkeur aan het Latijn. Dat is zoveel poëtischer.'

Het was een geweldige woordenwaterval van iemand die kennelijk inderdaad 's ochtends op haar best was, na een rusteloze nacht waarin ze feiten en adviezen had verwerkt om ze er vervolgens als prioriteiten uit te gooien. Anna merkte opeens dat ze dacht: het is eigenlijk wel een lieve ouwe troela, die me allerlei nuttige dingen vertelt; lieve Heer, waarom is dat niet eerder tot me doorgedrongen, dan had ik niet zo bang voor haar hoeven zijn. Intussen was ze nog steeds als de dood.

'Pastoor Goodwin heeft me erop geattendeerd dat je een heel verstandig meisje bent, en ik moet bekennen dat ik dat niet meteen in de gaten had. Maar dat ben je wel, lief kind, je bent heel bijzonder. Je zit vol goede initiatíeven. Is er soms iets wat ik voor je kan doen? Over een minuutje gaan we ontbijten. Eet toch met ons mee.'

Net op tijd dacht ze eraan hoe popi ze konden doen met hun stug volgehouden beleefdheden, iets waar ze vroeger de kriebels van had gekregen.

'Dat is heel vriendelijk van u, moeder, maar... maar... Eigenlijk kwam ik alleen maar even omdat ik net op het nieuws weer iets over een bom hoorde, geen echte, hoor, gewoon weer een bommelding. Ik wilde even weten of u er al van wist. Ik weet namelijk niet wat jullie weten of niet, snapt u? Wat is het warm, hè, moeder? Kunnen we misschien niet even de tuin ingaan?'

'Een schitterend idee. We gebruiken de tuin veel te weinig.'

In de gastenkamer waren openslaande deuren die uitkwamen op het terrasgedeelte van de tuin. Barbara begon ze open te maken met hetzelfde potentieel verwoestende aplomb waarmee ze de voordeur geopend had, ongeduldig maar efficiënt afrekenend met alle onhandige sloten die eraan te pas kwamen.

'Dit is toch zo lastig,' zei ze, terwijl ze worstelde met het traliehek. 'Maar we moeten bepaald volk buiten zien te houden, weet je, vooral tegenwoordig. Zodra sommige mensen er lucht van krijgen dat hier een klooster is, staan ze voor de deur te bedelen om eten en wat al niet meer. Dat willen we natuurlijk best geven, voorzover het in ons vermogen ligt, maar niet als ze misbruik van ons maken. De ene bedelaar is de andere niet.'

De deur was open. Zo zat een klooster ook in elkaar, dacht Anna, deuren en nog eens deuren. Het bereiken van de tuin leek wel een ontsnapping naar een andere planeet. Barbara bleef intussen doorpraten.

'We moeten de ruimte die we hebben benutten. Ja, lief kind, dat is nu al jaren een loze kreet. Dus, mocht je ideeën hebben voor dit hier, dan wil ik ze graag van je horen. Dan ben ik een en al oor.'

Ze had grote oren, viel Anna nu op, oren die als een soort hoorns van haar dikke kortgeknipte grijze haren af stonden. Ze pasten goed bij haar boezem.

'Misschien kunnen we er even helemaal doorheen lopen,' stelde Anna voor, 'om een idee te krijgen hoe groot het is.'

'Een goed plan. We trekken ons niks van insecten aan en inspecteren de boel zoals die erbij ligt, goed? Ja!'

Ze troffen Edmund aan op zijn bank, bij zijn schuur, na een korte wandeling waarbij ze alleen last hadden van takken die ze moesten wegduwen.

Barbara zag hem het eerst en riep hem vrolijk toe: 'Edmund, beste man, zo vroeg al! Wat een prachtige dag, hè?'

Anna wilde haar mouw vastgrijpen en haar tegenhouden, maar Barbara ploegde voort, verrukt vanwege het feit dat Edmund, die ouwe luilak, al zo vroeg op z'n werk was, zich nog niet afvragend wie hem had binnengelaten. Er liep een vlieg over zijn voorhoofd; een andere vloog in de buurt van zijn open mond, waarvandaan een spoor van opgedroogd speeksel naar zijn kin liep. Het feit dat hij zich niets aantrok van de vliegen maakte ineens duidelijk dat hij dood was. Barbara verjoeg ze en raakte zonder een woord te zeggen zijn koude hand aan. Ze trok haar eigen hand snel weer terug, alsof ze gestoken was, schermde het lijk voor Anna's blikken af, sloot met een behendig gebaar Edmunds afgrijselijk starende ogen en maakte een kruisteken. Ze bewaarde haar kalmte volledig; ze had al heel vaak de ogen van doden gesloten, vaker dan ze kon bijhouden, maar nooit in dit soort omstandigheden. Ze wist niet goed wat ze zou aanvangen.

'Ik vrees dat hij dood is. Hij zal wel een beroerte hebben gehad.' Het was niet zo'n geweldige opmerking, maar meer wist ze niet te zeggen, al zou ze de woorden het liefst weer inslikken zodra ze van haar lippen waren gekomen. Ze verwachtte kreten, maar ze kon Anna geen bescherming bieden. Die was naar de achterkant van de bank gelopen en keek op hem neer. Dit was toch schunnig, dacht Barbara, plotseling kwader op Edmund dan ze ooit was geweest. Dat mocht toch niet, dat een meisje van haar leeftijd met de dood werd geconfronteerd. Maar Anna deed haar versteld staan.

'U moet maar gauw de dokter en pastoor Goodwin bellen. Ik blijf wel bij hem, goed?'

'Weet je het zeker?'

'Ja. We kunnen hem hier toch niet alleen achterlaten?'

'Nee. Ik zal Therese naar je toe sturen.'

'Doet u dat maar niet...'

'Jawel, ze is als enige al aangekleed.'

Weg was ze, ze rende de tuin door, zoveel lawaai makend dat de vogels opvlogen uit de bomen. Anna hoorde het geluid van hun onmelodieuze schrik terwijl ze naast Edmund op de bank ging zitten. Ze kon hem niet aanraken, bepaalde zich ertoe de vliegen bij zijn gezicht weg te wuiven en de wacht te houden, als bescherming tegen de naamloze vijand die al had toegeslagen. En te bidden. *Kyrie eleison*, Heer, ontferm U. In de stilte die volgde op het gekwetter van de vogels wenste ze dat ze Barbara gevraagd had Matilda te halen, omdat Matilda met Edmund bevriend was, maar ook dat zou tot een lastige vraag hebben geleid, ook al zou die pas gesteld worden als Barbara tijd had gehad om erover na te denken. Haar schuldgevoel was acuut, als pijn; zij had Edmund hier gisteren zien zitten; ze had iets kunnen ondernemen, ze had op de deur kunnen bonken. Ze probeerde zich te concentreren op Edmund zelf, om zijn ziel misschien versneld in een pijnloze hemel te doen belanden en haar eigen afkeer van deze gestorven bundel eigenaardig zoetgeurend vlees te ontkennen. Ze had het lijk van haar moeder niet gezien, dat van zuster Jude ook niet; ze was teruggedeinsd voor de impact van de dood, maar van lijken had ze totaal geen weet. Haar nieuwsgierigheid won het nu van de schrik.

Op de bank, naast Edmunds gebalde vuist, lag een klein gouden kruisje aan een gebroken kettinkje. Ze pakte het op om het te bekijken. Het was een goedkoop, maar stevig ding en het zou gemakkelijk te maken zijn. Op het moment dat ze het in haar schoen verstopte, verkeerde ze in de veronderstelling dat het van hem was. Haar gedachte was dat als er iets was wat aan Edmund herinnerde, dit naar Matilda zou moeten gaan, en ze kon er niet van op aan dat Barbara daarvoor zou zorgen.

Er klonken lichte voetstappen die door de tuin haar richting uit kwamen. Het was Therese, die een deken bij zich had.

‘Ga weg!’ schreeuwde Anna.

Therese bleef even staan, en kwam toen met de deken dichterbij.

‘Doe niet zo gek!’

Sussende geluiden makend, legde ze de deken over Edmund heen. Anna stond op om ruimte te maken. Ze omhelsden elkaar, heel innig.

‘Kom mee, Anna, vooruit. Je hebt het koud. Hij was een goed mens en nu is hij in de hemel.’

Het vrome cliché maakte haar razend.

‘Jééézus nog aan toe... Weet je nou echt niks beters?’

‘Sst, Anna.’

Ze bleven met hun armen om elkaar heen geslagen staan, terwijl Therese zachtjes aan haar haar stond te trekken alsof ze het daar warm van zou krijgen, waardoor Anna zich ineens afvroeg, met de onverwachte objectiviteit die op grote schrik volgt, wie van hen tweeën nu eigenlijk degene was die de ander zou moeten beschermen, het volgende moment uiterst verwonderd omdat ze altijd had gedacht dat dat haar rol was.

Kay was heel zuinig op het huis. Behalve in haar kamer was er niets aangeraakt, Theo's bureau niet, niets. Kay wist zeker dat het haar anders meteen zou opvallen, maar besefte op hetzelfde moment dat dit ook wel eens niet waar zou kunnen zijn. Het was ijdelheid van een overijverige huishoudster om te denken dat ze de vingerafdrukken van iemand anders dan zijzelf meteen zou ontdekken, terwijl een inbreker in werkelijkheid al zijn sporen kon uitwissen als hij maar voorzichtig was en niet iets deed dat meteen opviel, zoals dingen opeten. Er viel niets te zien aan de schone flessen in het drankkarretje, maar ja, zelfs inbrekers zouden voor het ontbijt nog wel geen trek hebben in sterkedrank.

Aan het eind van de ochtend, na nog een bad te hebben genomen, probeerde ze zichzelf belachelijk te maken en hield zichzelf bovendien voor dat de inbreker, die maar zo weinig had overhoopgehaald, een volstrekte vreemde was. Een groot oud huis waar geen man in woonde was natuurlijk heel aanlokkelijk. Jaloezie, dat zat er waarschijnlijk achter. Met de buren had ze een band gebaseerd op beleefdheid en welwillendheid, een band die was ontstaan toen de buurman van het huis links Theo een keer thuis had afgeleverd toen hij ladderzat was. En haar relatie met het gezin rechts was alleszins redelijk, want ze was nooit te beroerd om een voetbal terug te geven en klaagde nooit dat de kinderen herrie maakten, al deed ze wel pogingen hun boom bij te snoeien. Ze hadden haar sleutels voor het geval zich een keer een noodsituatie zou voordoen en zij had die van hen. Kinderen... dat verklaarde alles. Zoals die allereerste keer dat ze een ongenode gast in huis had gehad, niet lang nadat Theo het leven vaarwel had gezegd.

Ze wilde eigenlijk geen andere sloten. Ze had dezelfde sleutels al sinds ze hier was komen wonen. Halverwege de middag hield ze zichzelf voor dat er niets ernstigs aan de hand was en dat alles wel goed zou komen. Kleine, onbetekenende, zielige pogingen tot stelen deden er niet toe, een feit dat bevestigd werd toen ze terugliep naar haar slaapkamer en plotseling een visioen had van de kleine Anna Calvert, die ze op stelen betrapt had. Ze was als verstijfd blijven staan, de kleiner dan kleine tienjarige die op het punt stond haar moeders oorbellen te gappen toen Kay met de Hoover binnen kwam denderen; de dreumes was zo druk bezig ze uit te zoeken, in te doen en de favoriete oorbellen in haar zakken te stoppen, dat ze een olifant nog niet had horen binnenkomen, laat staan de anonieme werkster die een stofzuiger achter zich aan trok en niet wist hoe gauw ze haar klus moest klaren om een sigaret te kunnen roken. Met de Hoover tegen de deur botsend betrapte ze Anna voor de spiegel, haar gezicht als een geest zo bleek, haar mond ondergekalkt met de lippenstift van haar moeder, als een diepe wond, en schuld druipend uit al haar poriën, alsof zij op haar leeftijd al tot zweten in staat was. Het geweten van een kind was zo veranderlijk en zo moedig. Het was tot dezelfde dingen in staat als een door lust bevangen volwassene, door en door bereid zichzelf te misleiden en de aangeboren kennis van datgene wat verkeerd was en datgene wat je een hoop last kon bezorgen te onderdrukken, tot die twee dingen op het moment dat de beschamende waarheid aan het licht kwam ineenvloeiden. Kay had Anna op juist zo'n moment betrapt en wist ook meteen dat de daden van het kind als ernstige zonden beschouwd zouden worden. En dus, in de wetenschap dat mevrouw Calvert in de keuken was, was ze simpelweg naar het toilet gelopen en had Anna een stuk wc-papier gegeven om haar lippen af te vegen en vervolgens had ze boven de loeiende Hoover met haar lippen de woorden 'Leg ze terug' gevormd. Het kind had haar zakken leeggehaald, de sieraden weer teruggestopt waar ze thuishoorden, Kay een smekende blik toegeworpen en was de kamer uit gerend, na met een wanhopig knikken te hebben aangegeven dat ze Kays 'en was je gezicht' begrepen had. Dit tafereeltje dat haar te binnen schoot monterde Kay geweldig op. Als ze de kleine klerelijer had betrapt, die vanochtend Theo's huis was binnengedrongen, zou ze waarschijnlijk op een vergelijkbare manier gehandeld hebben, dat wist ze zeker. Poging tot diefstal was per slot geen halsmisdrijf. Bovendien scheen de zon en kon ze nog een uurtje op het beschutte terras liggen, wat alles zomaar ineens draaglijk en geloofwaardig maakte. De dag vorderde.

Nee, ze was dat kind niets verschuldigd.

Om half acht zou het gaan schemeren. Wat een raar oud plaatsje was dit toch, dacht ze vol genegenheid. Overal elders hielden ze hun achterlijke parades altijd veel vroeger. Ze haalde een drankje, deed alle lichten in huis aan voor het geval het donker zou zijn als ze weer naar binnen ging, zette het belachelijk gezonde stoofpotje dat ze vandaag had gemaakt – weer een uurtje stukgeslagen – in de oven en maakte het zich gemakkelijk op het balkon in de stoel waarin Theo altijd naar de sterren had zitten kijken. Hij was door zout aan het roesten, maar het kussen was net zo schoon als haar haar en het was heerlijk warm buiten. In de verte hoorde ze trommels roffelen. De carnavalsoptocht zou een doodgewone, amateuristische aangelegenheid zijn, een beetje een flutparade, een stervende maar desondanks levendige traditie, die heel plezierig was om naar te kijken. Toen ze aan haar tweede gin met tonic zat, bepeinsde Kay dat ze eigenlijk best met weinig tevreden was. Je kon een meisje uit een dorp halen, maar het dorp uit het meisje halen zou je niet lukken.

Niettemin voelde ze zich dood- en doodeenzaam toen ze de parade eindelijk vanuit de verte met aanzwellend lawaai zag naderen, bezig aan het laatste stukje van de lus door de badplaats, waar ze inmiddels al een uur over had gedaan. Nou en? Het was gewoon zo'n dag waarop vrolijke dingen haar deprimeerden en ze geweldig zou opknappen van een verhaal over iemand die borstkanker had. Ze woonde in dit huis, dat niet haar thuis was, zonder de zekerheid dat ze er kon blijven en met een verleden dat ze het liefst negeerde, met verplichtingen en loyaliteiten en een toekomst die afhankelijk waren van beloften. De eerste carnavalswagen kwam eraan en haar treurige stemming loste zich op.

Wat een moeite getroostten ze zich toch, en wat zetten ze zichzelf te kijk. De parade werd aangevoerd door een Schotse band, die met veel aplomb langsmarcheerde. Een van de mannen droeg een luipaardvel dat als kussentje diende voor de band waarmee de grote trom voor zijn buik op zijn plaats werd gehouden; hij had benen als boomstammen, sokken als van een voetballer en zijn hoge muts kwam tot vlak boven zijn ogen. Een andere man, al net zo'n beer, liep met een rood hoofd te blazen op zijn doedelzak, waarvan het jankende geluid weldra verloren ging in het dreunende stereolawaai van de wagen erachter dat met 'Yeah, yeah!' en nog wat de komst aankondigde van drie carnavalskoninginnen die als bruidsmeisjes waren uitgedost; hun tienergezicht was ondergepleisterd met make-up voor veertigjarigen en hun boezem in hun van een korset voorziene jurk werd opgeduwd, al viel er niets op te duwen. Kay trok een afkeurend gezicht. Ze wuifden lusteloos naar de lieden die met de stoet meeliepen; ze waren moe. Maar niet zo moe als de jongens op de wagen van de verkenners die achter hen aankwam. Vijf welpen zaten ineengedoken bijeen rond een hoog oprijzende akela, die ze herkende als mevrouw Smith, een kolossale in pluimen gehulde vrouw die in het dagelijks leven bij de visboer werkte. Er volgde nog een band, dit keer bestaande uit meisjes die er een stuk wakkerder uitzagen, gevolgd door de carnavalswagen van Kitty's Tea Room, waarop vier leutige dames rond een enorme theepot van papier-maché wijn uit porseleinen kopjes zaten te drinken en net deden alsof ze taart aten. Niemand kon een uur achter elkaar taart eten. Ze waren aanstekelijk vrolijk en Kay hief haar glas naar hen. Nog meer carnavalskoninginnen, arme kleine schapen in avondjurken die hun kippenvel aan de blikken van de toeschouwers prijsgaven. Er volgden nog een lawaaierige praalwagen van een disco, een kleine wagen van de vereniging van nierpatiënten waar ze geld naartoe wierp, een fraaie wagen van een dansschool waarop onvermoeibare dreumesen vol overgave met de muziek stonden mee te deinen, met daarachter de wagen van de rugbyvereniging gevuld met als aap verklede mannen die, lichtelijk aangeschoten, meelopers met waterpistolen besproeiden en op hun beurt door hen werden ondergespoten, en dan nog een wagen met zielige carnavalskoninginnen. Elke wagen had zijn eigen clubje meelopers. Al met al was het een ietwat verlopen aandoend spektakel, met veel te veel gedreun naar haar zin. Zingen was toch veel beter. De laatste drie wagens in de stoet waren van de Kerken.

Het plaatsje had er tegenwoordig nog drie. Een episcopale, een methodistische en een katholieke, waar zij Jack naartoe had gestuurd, tegen al haar andere instincten in, met het kettinkje om zijn hals als talisman; het leek wel of de drie genootschappen bij deze jaarlijkse presentatie elkaar bevochten in een ijdele poging volgelingen aan te trekken. De eerste twee wagens hadden de beste zang: de koorleden brulden 'When the saints come marching in' en beloofden waarachtige vreugde door de verlossing, ook al waren hun stemmen onderhand hees. Niemand liep achter de dieplader waarop ze stonden aan en bij hen was er niemand die met een emmer om geld bedelde, zoals bij de andere wagens het geval was. Op de derde kerkwagen, met de Heilige Romeinen van Sint Augustinus, die sneller dan anders 'Blijf bij mij' zongen, bijna in ragtime, danste ook een duivelfiguur rond, als een derwisj wervelend en kronkelend in zijn kostuum met schubben en een staart, terwijl de hoorntjes op zijn hoofd het al hadden begeven doordat hij zich om de paar minuten liet vallen om zijn overgave uit te beelden, waarop een van de zangers, verkleed als engel, hem met een vork met lange steel, uiteraard van plastic, begon te prikken, waarna hij weer opsprong en opnieuw begon. Toen ze langs haar balkon kwamen, stond de duivel op en boog. En toen spuugde hij. Het was een indrukwekkende fluim die niet werd opgemerkt in de fractie van een seconde voordat hij de rand van het balkon bereikte en op haar voet terechtkwam. Een groepje bestaande uit drie dikke politieagenten liep er achteraan, de staart van de parade manend de hoek om te slaan.

Het was Jack.

Haar bastaardzoon Jack, of hoe hij zich tegenwoordig ook noemde.

Een politieman op een motorfiets keek naar haar op en glimlachte haar vol bewondering toe.

Ze glimlachte terug, verstijfd van angst.

Ze wou dat ze kon bidden.

6

Heiligt de dag des Heren

Het was tijdens de zondagsmis, zes dagen later, toen de kloosterkapel voor gelovigen van buiten geopend was, dat Anna Goudlokje voor het eerst van dichtbij zag. Hij had iets heel speciaals, wat niet direct verband hield met zijn opvallend knappe uiterlijk. Ze kon het niet meteen thuisbrengen, pas tegen het einde van de geloofsbelijdenis, terwijl de rest van de congregatie eensgezind murmelde – *...Ik belijd één doopsel tot vergeving van de zonden. En ik verwacht de verrijzenis van de doden. En het toekomstig eeuwig leven...* – en zij haar kaken gedecideerd op elkaar hield, intussen stiekem kijkend naar het kruisbeeld en de bomen achter de ramen om niet te hoeven friemelen en zo te verraden wat een kwelling het voor haar was om hier te zitten. En dat allemaal om Therese een plezier te doen en als gebaar van respect voor Edmund, die in de gebeden herdacht zou worden, misschien ook als gelegenheid om Matilda zijn kettinkje met het crucifix toe te stoppen, iets waarvoor ze de afgelopen dagen geen kans had gehad, en ten slotte omdat het handig was gezien de afspraak die ze meteen na de mis met pastoor Goodwin had. Een afspraak om haar met goede raad te kunnen bestoken uiteraard, die hij haar op een onhandige en omslachtige wijze had gepresenteerd als een uitnodiging voor de lunch. Sinds de dood van zuster Jude had hij vele malen om haar heen gehangen.

De priester oogde luisterrijk in een erg fraaie kazuifel, die niet paste bij een ouwe vent die er in spijkerbroek veel beter uit zou zien, terwijl hij de verzamelde gemeente voorging in de prozaïsch vertaalde geloofsbelijdenis die hij in het Latijn waarschijnlijk oneindig veel beter vond. Ze concentreerde haar aandacht op het achterhoofd van Goudlokje en probeerde te bedenken wat ze nu precies zo bijzonder aan hem vond.

Hij had model kunnen staan voor een schilderij van de Heilige Sebastiaan, de militante martelaar die aan een boom vastgebonden met pijlen werd doodgeschoten, alleen had Sebastiaan donker haar. Hij had een heilige of een engel kunnen zijn, dat was het, Michaël de aartsengel met een lijdende uitdrukking op zijn gezicht. Hetgeen betekende dat hij er simpelweg uitzag als iemand die hier volledig thuishoorde, hij zou bij wijze van spreken zo uit een fresco op een kerkmuur in Florence gestapt kunnen zijn. Zelfs in zijn sleetse pak, dat te groot voor hem was, zou hij niet detoneren tussen de figuren op de kruiswegstatie, die een even hautain gezicht en een even weelderige haardos bezaten. Anna keek naar de vloer. Ze had voor deze gelegenheid concessies gedaan, en ook voor de rest van de dag. Keurige schoenen – kleine rode pumps – en een lange rok die bijna tot haar enkels reikte. Pastoor Goodwin draaide zich naar de gelovigen om. Cynisch bedacht ze dat de volle kerk tijdens deze speciale zondagsmis misschien wel te danken was aan zijn uiterst korte preken.

In dit geval zou zijn preek vriendelijke woorden over Edmund bevatten plus een korte uitweiding over de vergankelijkheid onder verwijzing naar de man die twee dagen eerder begraven was en om wie, de waarheid moest gezegd worden, niet uitbundig werd gerouwd. Anna had het gevoel dat zij de enige was wie dat opviel, niet omdat ze hem echt gekend had, maar omdat zij zijn dood had ontdekt en die zo kort op die van een ander was gevolgd. Voor de parochie als geheel leek het een beetje een opluchting, maar ja, als zij de dood zagen als niets meer dan een overgang naar de hemel dan konden ze het ook inderdaad zien als een speldenprikje in de oneindigheid. Ze probeerde zich voor te stellen hoe Edmunds plompe gestalte plotseling getransformeerd werd tot een vederlicht lichaam, rondfladderend met vleugels, zoals de vogels in de tuin, en onderdrukte een glimlach. Het was een grappig idee en het hielp haar afleiden van de gedachte dat Edmunds dood een zegen was voor de brave zusters, omdat ze nu Francis konden aannemen. Ze hoopte dat pastoor Goodwin tijdens de vroege ochtendmis in zijn eigen parochiekerk niet vergeten had te melden dat de auto van de nonnen te koop was.

Ergens aan het begin van de mis was er de schuldbekentenis. *Ik belijd voor de Almachtige God, voor u, mijn broeders en zusters, dat ik zeer gezondigd heb met gedachten, woorden en werken, door mijn schuld, door mijn schuld, door mijn allergrootste schuld...* Ook dat zou ze met geen mogelijkheid over haar lippen kunnen krijgen. Zonde was een onbegrijpelijk begrip volgens haar opvatting van de catechismus, omdat het maar zo weinig te maken leek te hebben met het toebrengen van schade, en een zonde waarvoor boetedoening en vergiffenis vereist waren zou dat toch op z'n minst gedaan moeten hebben. Toen ze als twintigjarige, bevrijd van de ketenen van haar jeugd, een tijd lang achter enkele mannen per week had aangezeten tot ze systematisch met haar maagdelijkheid had afgerekend, alleen maar om erachter te komen hoe het was en om te bewijzen dat ze het kon, leek het niet dat wie dan ook hier schade van had ondervonden. Het was een eigenaardig onpersoonlijk gedoe geweest en ze kon zich niet indenken waarom het als zonde opgevat zou moeten worden. Alles wat ze had gedaan was er een paar boeken over lezen en er vervolgens op uitgaan om het geleerde in praktijk te brengen, want het was iets wat iedereen deed en het was heel goed te doen als je niet te kieskeurig was en je je eerst liet vollopen. Heer, zo richtte ze zich tot het raam, Je bent een repressieve ouwe zak. Laat me gewoon eens weten wat zonde is, voordat ik ergere dingen bega om erachter te komen. Dat was het verschil tussen haar en Therese. Ze waren op dezelfde manier grootgebracht, in dezelfde boeien geslagen wat liefde en geloof betrof, maar bij haar kwam het neer op een soort inenting die mislukt was en haar had laten zitten met een krakkemikkig, minachtend ongeloof. Misschien kwam het wel simpelweg neer op het verschil tussen goed en kwaad.

Haar blik dwaalde weer naar Goudlokje, ze bekeek aandachtig zijn profiel op het moment tijdens de mis dat iedereen zich naar links en rechts draaide om anderen de hand te schudden, een van die kleine pokkenrituelen waaraan ze al helemaal een afgrijselijke hekel had. Een engelachtig gezicht, op een ietwat treurige manier knap en sensueel, dat haar deed huiveren terwijl ze dacht aan de neukpartijen uit haar experimenteerperiode, zonder schaamte weliswaar, maar met een gevoel dat ze tijd had verspild. Geen van die mannen was zo knap geweest als hij. Hij was hier volledig op zijn plek, maar desondanks exotisch.

Ite missa est... De mis was ten einde. Het onoplosbare mysterie van de Zoon van God die mens werd, op een gruwelijke manier doodging, op nobele wijze herrees en zijn vlees ter beschikking stelde bij elke consecratie van de hostie. Barbaars idee. Hoe kon Therese hier nu in geloven? Ze bleef treuzelen in de hoop nog even een woordje met God te kunnen spreken, maar de kapel liep slechts langzaam leeg en als het druk was was de Heer nooit beschikbaar. Moeder Barbara stond bij de uitgang om met argusogen in de gaten te houden of niemand de houten collectebus aan de muur voorbijliep zonder er iets in te doen. Vandaag waren er geen kinderen.

Ze kwam pastoor Goodwin bij de voordeur tegen, geflankeerd door Agnes die er stralend uitzag, helemaal klaar voor de lunch die als volgend punt op het programma stond en op zondagen beter was dan op andere dagen, omdat er weleens gasten konden zijn. Anna vond het vreselijk, de manier waarop ze het beste altijd voor anderen bewaarden en het slechtste voor zichzelf. Christopher Goodwin, ontdaan van zijn priesterkleren, zag eruit als een uitgeblust paard aan de start van een race, dat best wilde rennen maar heel moe werd bij de gedachte aan de inspanning. Het had haar heel wat tijd gekost om erachter te komen dat ze hem vrees inboezemde en nu besefte ze dat hij er net zo naar snakte van alle glimlachende goedheid verlost te worden als zij. Ze stak haar arm door de zijne en nam hem mee naar buiten. Op een drafje liepen ze eensgezind de straat uit, zich bevrijd en bijna op hun gemak voelend.

'Ik heb gisteren m'n geld gekregen,' zei ze, 'dus ik betaal, oké?'

'O, nee, dat moet je niet doen... Ik dacht... ik dacht aan de McDonald's,' zei hij, verheugd door het contact, haar arm tegen zich aan klemmend en zich schamend omdat hij zo weinig geld had voor dit soort dingen.

'Is dat alles wat u met uw zakgeld kunt doen?' vroeg ze. 'Ik dacht meer aan curry met bier.'

Het woord 'zakgeld' maakte hem nijdig, maar slechts voor even, tot ze de hoek omsloegen. Het was een van zijn bronnen van schaamte dat hij moest leven van een toelage waar hij eigenlijk niet mee toekon, zodat hij in te ruime mate afhankelijk was van de goedgunstigheid van anderen, niet voor de eerste levensbehoeften, maar voor luxe zaken zeer zeker wel. Nooit ofte nimmer zou hij in staat zijn iets terug te doen voor de gastvrijheid die men hem betoonde, en dat zat hem dwars, vooral nu, in het gezelschap van een jonge vrouw die naar zijn idee behoefte had aan een vaderfiguur, bij voorkeur een die niet hoefde te zeggen dat de prijs voor een maaltijd een probleem was tenzij hij die maakte in zijn eigen keuken, waar hij voor zichzelf eindeloos sneetjes geroosterd brood met iets erop bereidde. Om eerlijk te zijn was dat 'iets erop' wel lekker, oneindig veel beter in ieder geval dan de genadeloze kloostermaaltijden waarvoor hij altijd automatisch werd genood. Op de dingen die hij op zijn toost deed kon hij af en toe wel beknibbelen om een biertje te kopen voor bij een belangrijke wedstrijd op de televisie. Twee blikjes voor een finalewedstrijd, al stond dat gelijk aan het noodlot tarten. Hij kon ervan op aan door iemand van de wedstrijd gehaald te worden. De gedachte aan curry met bier deed hem duizelen van een genot dat hij niet wilde tonen. Dit was een ernstige gelegenheid, al gedroeg zij zich erg uitgelaten en leek ze geen idee te hebben.

'Wijs jij de weg maar!' zei hij, en voelde zich een sul. Hij had een ongelofelijke honger; dat was op zondag alijd hetzelfde.

'Ik zou haast vergeten hoe jong je bent,' zei hij, haar arm loslatend omdat ze sneller ging lopen. 'Jij hebt geen idee van de regels waarmee ik ben opgegroeid. Als je op zondag naar de mis ging, moest je vasten vanaf zaterdagavond twaalf uur. Dat was heel goed vol te houden als je 's ochtends vroeg ter communie ging, maar anders niet. Het is wel een goede regel vind ik. Ik heb me er altijd aan gehouden. Maar nu heb ik honger als een paard.'

'Ik ook,' zei ze enthousiast. 'We vragen of ze haver hebben.'

God zij dank, zei hij in zichzelf. Tot dusver is er niets aan de hand. Laat zij het voortouw maar nemen.

'Hoeveel verdien je dan bij die taxicentrale dat je een ouwe vent mee uit eten neemt, terwijl het eigenlijk andersom zou moeten zijn?'

'Genoeg,' antwoordde ze.

Restaurant Standard Tandoori was precies zoals het hoorde te zijn: donker, troosteloos en bijna verlaten, met schotten tussen de tafels waardoor hij aan oude biechtstoelen moest denken. Ze stak een sigaret op en bood hem er een aan; het leek hem raadzaam die te weigeren, maar meteen daarop veranderde hij van gedachten, wat kon het schelen? Op wie wilde hij nu eigenlijk indruk maken? Hij kende dit meisje al ruim tien jaar en had haar zo nu en dan gesproken, maar in werkelijkheid kende hij haar totaal niet. Het was moeilijk uit te maken hoe hij het beste met haar kon omgaan, vooral omdat hij uit andere bronnen zoveel over haar gehoord had. Van zuster Jude en van Kay om precies te zijn, informatie aangevuld met zijn herinneringen aan Anna toen ze nog maar pas een tiener was, een aardig, strijdlustig, lief kind.

'Ik bestel wel voor ons, goed?' vroeg ze.

Het ontroerde hem dat er nog zoveel van dit kind was overgebleven dat ze het heerlijk vond om zich even superieur te voelen. Hij wist zich met het menu geen raad en dat gaf haar een voorsprong. Zij bevond zich op bekend terrein; hij niet.

'Natuurlijk,' zei hij nederig. 'Als je maar niet van plan bent me te vergiftigen.'

Ze lachte en somde een hele ris gerechten op voor de ober die in de buurt was blijven rondhangen; hij schreef niets op en verdween.

'Vertel nu maar eens hoe het met je gaat.'

'Best. Hier eten leek me wel een goed idee. Misschien dat ik een beetje in de juiste stemming kom door Indiaas eten. Vanmiddag ga ik een tempel bezoeken.'

'Een tempel?'

'Van hindoes, ja,' zei ze, terwijl ze keek hoe de ober bier in zijn glas schonk.

'Aha,' zei hij, begrijpend dat hij op de een of andere manier werd uitgedaagd. 'Die in Neasden of die in Watford? Daar zit namelijk behoorlijk wat verschil tussen, weet je. Ze hebben allemaal een ander karakter. Ik vind het verbluffend zo goed als hindoes met diversiteit kunnen omgaan. Ik wou dat wij dat ook deden.'

Hij wist niet of ze van hem verwachtte dat hij haar zou vragen wat ze in hemelsnaam in een gebouw van een heidens geloof moest en dat hij het idee vol minachting van de hand zou wijzen, maar ze knikte alleen maar, tevreden met zijn antwoord. Het eten werd ongehoord snel gebracht en ze begonnen te eten, met bedaard maar intens genoegen. Het was een plezier te kijken naar hoe ze at. Ze at als een elegante poes, erop bedacht geen brokje verloren te laten gaan.

'Jemig, ik snap niet waar je het laat,' zei hij, weer helemaal het baasje nu zijn bloedsuikerspiegel op orde was. 'Wil je me nu dan vertellen hoe het werkelijk met je is? Gewoon om een oude vriend tegemoet te komen? Ik wil verder helemaal niets van je, maar ik moet het weten. Als je me gaat vertellen dat je op het punt staat een ander geloof aan te nemen en er met een hindoe vandoor te gaan, laat mij dan de eerste zijn om je hartelijk te feliciteren. Ik heb nauwelijks de kans gehad om je te zeggen hoe het me spijt van zuster Jude.'

Ze leunde naar achteren, ontspannen, van agressie was geen spoor. Wat was het toch moeilijk om de generatiekloof te overbruggen en iemand die drie decennia jonger was dan jij ervan te doordringen dat je best het een en ander gemeen had, zoals heel normale menselijke emoties. Toen herinnerde hij zich dat Anna anders was, zich altijd al op haar gemak had gevoeld in het gezelschap van volwassenen en zich nooit door haar leeftijd van tegenspraak had laten weerhouden; bovendien beschikte ze voor iemand van haar leeftijd over bijzonder veel inlevingsvermogen, zoals zuster Jude hem had verteld. Hij moest niet neerbuigend tegen haar doen.

'Ja,' zei ze langzaam. 'Ik heb spijt van de gesprekken die we hadden kunnen hebben, maar niet gehad hebben, en van alle dingen die ze me had kunnen vertellen. Ik was zo egoïstisch. We konden heel goed met elkaar praten, maar heel vaak raasde ik alleen maar tegen haar over Therese. Ik beschuldigde haar ervan dat Therese door haar invloed was ingetreden. Ze vertelde me dat ze geprobeerd had haar tegen te houden en toen zei ik dat ze een leugenaarster was. Ik had beter moeten weten. Therese is zo koppig als een ezel en doet wat ze wil, dat is altijd al zo geweest, en Jude kon niet eens liegen. Maar ze was niet scheutig met de waarheid, dat was ook wel zo. Ze hield dingen voor me achter, altijd. We hadden veel lol samen, maar toch, sommige dingen vertelde ze me niet. Dus nu moet ik steeds denken over wat ze wel vertelde. Proberen te achterhalen wat ze insinueerde.' Ze lachte. 'Ik geloof dat het meeste ervan zich in mijn slaap afspeelt. Het denken, bedoel ik. Als ik me er te erg van bewust ben, lukt het niet, het gaat alleen als ik het me niet bewust ben. Is dat geen contradictio in terminis?'

'Zoals kinderen die groeien terwijl ze slapen.'

'In mijn geval is dat niet zo goed gelukt.' Ze boog zich naar voren met haar ogen op het laatste dikke stuk naanbrood gevestigd; ze trok er een hoekje van af.

Hij aarzelde. 'Weet je, een paar fundamentele dingen over jou en Therese zijn mij niet bekend,' zei hij. 'Er zijn dingen die ik niet helder op een rijtje heb. Ik was jullie parochiepriester toen jullie nog in het grote huis aan Somertown Road woonden en jullie voor de eerste keer ziek werden. Het is verdorie maar een kilometer of zo hiervandaan, maar het lijkt een heel eind. Jullie moeder was vroom en ze hielp vaak mee in de parochie, maar... eh, ik werd niet aangemoedigd om op bezoek te komen.'

'Daar zal mijn vader wel achter hebben gezeten. De zak.'

Hij corrigeerde haar niet. 'Ik geloof dat ik niet genoeg aandacht aan jullie heb besteed. Het is namelijk maar al te gemakkelijk om te denken dat een gezin zo rijk als dat van jullie zijn eigen boontjes wel kan doppen, ook spiritueel. En ik ben er twee jaar tussenuit geweest. Ik had een... eh, zenuwinstorting.'

'O ja? Daar wist ik niets van.'

'Ach, wij katholieken praten niet over dat soort beschamende dingen. Vooral niet over geestelijke aandoeningen, die zijn namelijk een vreselijk teken van zwakte.'

'Waardoor was u ingestort?'

Niet neerbuigend tegen haar doen. 'Ach, dat is niet een-twee-drie uit te leggen, maar ik geloof dat het kwam doordat voortdurend het besef aan me knaagde dat ik eigenlijk geen priester zou moeten zijn, dat ik iets anders zou moeten gaan doen, en ik werd weer beter toen ik erachter kwam dat ik geen keuze had, dat ik was waar ik voor gemaakt was en dat er voor mij geen betere manier bestond om God te dienen, zelfs al was ik een vierkante stop in een rond gat. Maar laten we het niet over mij hebben.'

'Maar dat wil ik graag.'

'Een andere keer zou ik dat ook wel willen. Heel graag zelfs, maar nu niet. Wanneer werden jij en Therese ziek? Jij was nog maar een kleine meid.'

'Dat ben ik nog steeds,' zei ze bitter. 'Maar ik was toen al te oud om zo genoemd te worden.'

Er werden, schijnbaar ongevraagd, twee grote glazen zoete *lassi* voor hen neergezet. Hij keek vol achterdocht naar het zijne, dronk er voorzichtig van en constateerde tot zijn verrassing dat hij het heel erg lekker vond, ondanks zijn aversie tegen alles wat maar enigszins smaakte alsof het gezond was. En hij was tegelijk verschrikkelijk opgelucht dat ze blijkbaar in de stemming was om met hem te praten. Er was haar vast iets prettigs overkomen.

'Het begon bij mij. Ik kreeg een akelige virusinfectie, misschien was het wel longontsteking. Ik dacht dat het de wraak van God was omdat ik met drank had geëxperimenteerd en kotsmisselijk was geworden, op mijn veertiende was dat, zoiets in elk geval. Ik werd maar niet beter, ik was maanden achtereen ziek. Het was net alsof ik al die tijd griep had. Toen werd Therese ook ziek en toen lagen we het grootste deel van de tijd allebei in bed. ME luidde de diagnose, na een heleboel onderzoeken en tests. We gingen allebei niet meer naar school uiteraard. Mamma deed alles voor ons, ze was als een slavin, en ze haalde boeken voor ons zodat we zelf konden lezen over onze symptomen, ze zat ons altijd op ons dak en zo ging het maar door. We werden een aantal keren naar het ziekenhuis overgebracht, maar mamma kreeg ons er weer uit. Ze was geweldig.'

Ze slikte, ze vond de herinnering niet prettig, wilde zich er snel van afmaken. Iemand haalde de borden weg. Christopher voelde het gekruide eten, dat hij te snel naar binnen had gewerkt, in zijn maag borrelen.

'Het eerste jaar kwamen er nog wel vriendinnen van school op bezoek, maar daar kwam een eind aan. We waren ongetwijfeld een ontzettend saai stel, zelfs op onze goede dagen, als Therese kookles kreeg en ik kon lezen, want meer kon ik niet, ik kon alleen maar lezen, het grootste deel van de tijd dan. We waren als de dood voor bacillen. Mamma had als theorie dat als we in een omgeving zonder bacillen leefden, onze eigen natuurlijke afweer ons beter zou maken, alleen gebeurde dat niet. Alleen door te bidden konden we beter worden. Een jaar werden er twee, en toen drie... en toen vier. Dat is het zo'n beetje eigenlijk.'

'En je vader?'

'Was een klootzak. Geloofde niet in die ME-flauwekul. Hij raasde en tierde, hij probeerde ons steeds weer in een auto te krijgen om naar zee te rijden, want volgens hem zouden we daar van al onze kwalen genezen. Terwijl ik nauwelijks de trap af kon komen. Spendeerde een fortuin aan dokters die nergens een idee van hadden, maakte voortdurend ruzie. Tussen zijn werk door dan. Hij was een workaholic, want als hij dat niet was, zou hij alcoholist zijn. De klootzak. En toen, toen we zo'n twee jaar ziek waren, verdween hij opeens, zomaar.'

'Hij moest toch werken om geld te verdienen?' zei Christopher, zijn woorden voorzichtig kiezend. 'Ging hij uit zichzelf weg, denk je, of zou het ook kunnen zijn dat je moeder hem buitensloot?'

Ze keek hem aan, een en al kille woede. Wat een verbijsterende ogen had ze toch. Hij kromp bijna ineen.

'Neem me niet kwalijk,' vervolgde hij. 'Het was gewoon maar een idee, het had gekund dat ze zoiets zou doen als ze dacht dat hij jullie behandeling in de weg zou zitten. Dat hij door zijn houding jullie herstel zou tegenhouden. Het was in de tijd dat ik zelf ook van de wereld was, om het zo maar eens uit te drukken.'

'Of in de gordijnen vloog,' zei ze glimlachend. 'Nog zo'n uitdrukking. Misschien was u wel net als wij, zou u ook het liefste willen dat uw ziekte het gevolg was van een geweldig auto-ongeluk, met diepe wonden en gebroken botten als bewijs. Een nobele ziekte. Iets om over op te scheppen, in plaats van alleen maar suf in je bed te liggen.'

'Precies,' zei hij, verheugd over haar begrip. 'Nou en of, ik wenste dat ik bij een beroving was neergeslagen.'

Ze beduidde dat ze koffie wilden door haar vinger in de lucht te steken, een gebaar dat er onbeschoft uitzag maar het gewenste effect had, zonder dat er aanstoot aan werd genomen. Bij het eten in een restaurant werd er een ander soort taal gesproken.

'Ik zie trouwens niet in hoe hij buitengesloten had kunnen worden als het zijn eigen huis was. Hij ging er gewoon vandoor, met Kay, onze werkster. Wij bleven waar we waren, maar het was van toen af rustiger, we deden niet anders dan dutten. Toen kwam iemand onze moeder weghalen. We werden in een verpleeghuis gedumpt waar we weer op krachten kwamen. Mijn moeder... nou, mijn moeder ging dood. Ik denk dat mijn vader en de zorg voor ons haar tot waanzin hebben gedreven. Het kan geen zelfmoord zijn geweest, ze was katholiek, dat zou ze nooit gedaan hebben. Ze had longontsteking, net als wij. Toen kwamen we in dat tehuis terecht, u weet wel, vlak bij het station... verschrikkelijk was het daar. Wij waren de rijkeluiskinderen, wij waren freaks. Ik was de hele tijd bezig om te zorgen dat we niet in elkaar werden geslagen. Maar toen kreeg ik die flat waar ik nu woon. Er was iets geregeld, via zuster Jude, maar het fijne ervan heeft ze me ook nooit uitgelegd. Mijn vader wilde ons toen zien. Maar het was te laat en we hebben geweigerd. Je zou kunnen zeggen dat hij haar heeft vermoord. We kwamen weer terug in de gewone wereld en klampten ons aan elkaar vast. Toen kregen we te horen dat hij verdronken was. Therese ging het klooster in. Mijn moeder heeft dat altijd gewild. Bent u nu weer helemaal bij?'

Vijf jaar, rekende hij snel uit, vijf jaar hadden ze een abnormaal leven geleid. Vijf jaar waarin ze niet op school hadden gezeten, het contact met leeftijdgenoten hadden moeten missen en alles wat nog meer van groot belang was om je te ontwikkelen. Hij voelde een onuitsprekelijke woede in zich opkomen. Ze vervolgde luchtigjes, alsof het onderwerp helemaal niet pijnlijk was:

'Nou ja, in ieder geval betaalde mijn vader wel voor ons, ook al kwam hij nooit bij ons in de buurt, en hij betaalt nog steeds mijn huur. Maar als hij ons geld heeft nagelaten wil ik mijn aandeel niet hebben. Zo, en nu hebben we hierover wel genoeg gepraat.'

Ze vouwde haar armen voor haar borst en boog zich naar hem toe. 'Zeg eens, meneer pastoor, wat vindt u van Goudlokje?'

Hij bepaalde zijn aandacht weer tot het heden, roerde in zijn koffie die de kleur had van stroop en bijna net zo dik was en trok er een wit spoor doorheen met koffiemelk uit een tinnetje, waarvan hij door het gemier bij het openen uiteraard spatten op zijn soutane kreeg. Hij verfrommelde het tinnetje in zijn vuist en ging akkoord met het veranderen van onderwerp. Hij was immers haar gast.

'Francis? Wel een goeie benaming voor hem. Ik weet het niet. Hij praat ontzettend aardig en hij springt allercharmantst met de ouwe dames om. Maar misschien is hij wat al te gladjes.'

'U mag hem niet.'

'Op het eerste gezicht niet, nee. Maar dat moet ik eigenlijk niet zeggen, want misschien wordt mijn oordeel wel ingegeven door geweldige jaloezie. Omdat hij er zo goed uitziet, zo'n strak lijf heeft en ongetwijfeld alle vrouwen kan krijgen die hij maar wil. Hij is alles wat ik ook zou kunnen zijn als ik maar een kilo of twintig lichter en nog veel meer jaartjes jonger was en ook nog eens de loterij zou winnen. Logisch dat ik hem niet mag.'

Toen ze in lachen uitbarstte, had hij ineens het gevoel deel uit te maken van de mensheid en dat stemde hem blij. Ze lachte nog steeds toen ze afrekende en ook nog toen ze uit het duistere etablissement naar buiten stapten waar de zonneschijn hen als een hamer trof. Christopher wist dat hij nu weg moest wezen, maar vond het niet erg. Ze hadden een geweldig begin gemaakt samen. Hun ontmoeting had veel meer opgeleverd dan hij had durven hopen.

'Nou, misschien tot volgende week, als je dan vrij bent, dan trakteer ik.' Ja, tuurlijk, om zijn mannelijke trots te redden, zelfs al zou hij er de hele week voor moeten hongeren en het collectebusje voor de armen moeten leegroven.

'Te gek, afgesproken.'

'En doe mij een lol alsjeblieft? Als je naar die tempel bent geweest, ga dan ook weer naar de kapel? Er is niks mis mee om vergelijkingen te trekken.'

Ze drukte snel een kus op zijn wang en rende de straat uit. Hij bleef in de zonneschijn achter, greep naar de plek en prees zichzelf gelukkig.

Tot hij weer dacht aan die vijf jaar en de verzameling leugentjes die hij ten beste had gegeven; hij had bijvoorbeeld gezegd dat hij bijna niets wist van wat ze hem vertelde, hoewel hij er wel degelijk van op de hoogte was, al had hij de informatie uit de tweede hand. Hij wist ervan, maar hij wilde het verhaal uit haar mond horen. Tegelijk vroeg hij zich af of het ooit de taak van een priester zou kunnen zijn deze vrouw te vertellen dat haar moeder, die grote heilige, een verknipte machtswellustelinge was geweest en dat Anna veel sterker leek op haar gestorven vader.

Biechten had niets van een catharsis. Volgens katholieke begrippen was het een sacrament. Ten minste eenmaal moesten zondaars – en wie was dat niet – naar een priester gaan en hun zonden eerlijk opbiechten, zonder er een weg te laten, en om vergiffenis smeken. Als beloning voor deze oefening in vernedering ontvingen ze de penitentie, de zegen en de officiële goddelijke absolutie, een vrijbrief om het allemaal nog eens te doen, in het vertrouwen dat ze opnieuw vergeven zouden worden. Bij wie ging een priester te biecht, vroeg ze zich af terwijl ze naar Compucab liep, waar ze met Ravi had afgesproken. Ze veronderstelde dat hij hiervoor naar een andere priester zou moeten gaan, wat wel heel erg moest zijn. Die andere priester kende exact het steno dat de meeste biechtelingen hanteerden om als een speer over hun zonden heen te fietsen, zoals een patiënt die tegen de dokter liegt over zijn symptomen in de hoop op een positievere diagnose. Ze dacht hier alleen maar aan omdat ze zich afvroeg wat Christopher Goodwin deed met alles waar zijn ziel onder gebukt ging, want ze herkende hem als iemand die een zware last met zich meetorste, en die wetenschap vond ze om de een of andere rare reden troostrijk. Voor zo'n ouwe vent was hij heel aardig, ook al loog hij er verschrikkelijk op los, net als de rest van zijn generatie. Het leek wel alsof haar de afgelopen week van alle kanten vriendschap werd aangeboden en dat was iets totaal nieuws.

Ravi stond voor het onaanzienlijke gebouw te wachten, hij stond bij een zwarte taxi en haar hart sprong op. Ze werd gegrepen door het absurde verlangen hem te bedanken dat hij bestond en dat hij haar zo'n belachelijk zweverig gevoel bezorgde, als wodka op een lege maag, terwijl een beetje babbelen en haar naar huis brengen het enige was wat hij ooit had gedaan. *Loopt hij achter je aan?* zou zuster Jude gevraagd hebben. *Hij is gewoon iemand die me door een heel moeilijke week heeft heen geholpen. En ja, ik vind hem zo leuk dat het pijn doet.*

'Hoi,' zei hij, terwijl hij een raar buiginkje maakte om te verhullen hoe breed zijn glimlach was. 'Ik heb een taxi voor ons geregeld.'

Ze zag dat hij een donkerblauw pak met een wit overhemd aanhad waar zijn bruine huid fluweelglad bij afstak, en ze was blij dat zij ook iets aan haar uiterlijk had gedaan, zodat ze er met z'n tweeën anders uitzagen dan de twee mensen die voor hun werk uren achter een telefoon zaten. En een taxi, toe maar. Het was volstrekt anders in een taxi te gaan zitten dan er een voor andere mensen te bestellen. Hij liet haar als eerste instappen. Zijn pak was precies goed. Met ook nog een das erbij zou hij er als een sul hebben uitgezien. Ze vertrokken als een koninklijk stel.

'Hoe gaat het met je?' vroeg hij nogal vormelijk. 'Heb je lekker geluncht?'

Ze had hem over die lunch verteld. Ze had hem de afgelopen dagen een heleboel verteld, en wat het begin van hun omgang met elkaar voor haar bijzonder maakte, was dat ze het vaak hadden over dingen buiten henzelf. Een beetje rondlopen en in het park wandelen was eigenlijk het enige wat ze hadden gedaan, maar hij was de enige die ze kende die zonder pedant te worden opmerkingen kon maken over de schoonheid van de bomen, de hemel of de vorm van een huis. En uiteraard praatten ze ook over God – zij spottend, hij geduldig – en ze praatten over eten. Wat een eigenaardige manier om verkering te hebben, maar zijn gezelschap was oneindig verkieslijker dan dat van anderen. Met andere leeftijdgenoten kon ze niet zo goed overweg, ze wist nooit wat ze tegen hen moest zeggen.

'Hoe was je dienst?'

Hij nam zijn werk heel serieus, dat wist ze, dus als hij een lastige dienst had gehad zou zijn stemming erdoor beïnvloed zijn. Ravi wilde perfect zijn in alles wat hij deed. Dit baantje was maar tijdelijk, daarna zou hij weer gaan studeren, maar toch nam hij het serieus.

'O, ja, voor ik het vergeet, er belde een man voor je.'

'Een man?'

'Ja, een oude man. Ik begreep niet goed of hij nu een taxi wilde of niet. Hij zei dat hij het meisje met die aardige stem wilde spreken, het meisje dat wist wat hij wilde, en toen snapte ik wel dat hij jou moest hebben.'

'O, die. Ik vraag me af of hij wel ooit de deur uit komt. Ik denk dat ik binnenkort zijn nummer maar eens natrek om uit te vinden waar hij woont. Vast ergens in Mongolië.'

'Ik hoop dat je het niet raar vindt om naar een tempel te gaan,' zei Ravi, van onderwerp veranderend. 'Misschien wil je wel veel liever ergens anders heen.'

'Nee,' zei ze, 'absoluut niet.'

Helemaal waar was dit niet; het had haar nogal verrast toen hij voor hun eerste officiële afspraakje had voorgesteld hiernaartoe te gaan, maar waarom niet? Zij was een rare, daarvan was ze zich heel goed bewust, dus waarom zou ze geen rare dingen doen met een andere rare snijboon, eentje die er zo geweldig uitzag als hij en die niet eens groter was dan zij. En dan die taxi. Als de kosten van de taxi en zijn dure pak alleen maar bedoeld waren om in stijl bij die verdomde tempel van hem aan te komen en niet speciaal voor haar, dan maakte dat haar ook niet echt uit. Ze was gek op taxi's. Londense cabs, van die (echte) ouwe koekblikken, nieuwe gestroomlijnde met rolstoelfaciliteiten, gele exemplaren beplakt met reclame, het maakte niet uit; ze associeerde ze altijd met uitjes uit haar jeugd. Taxi's behoorden tot de eerste dingen die ze opmerkte toen ze zwevend terugkeerde in de echte wereld, taxi's die iets anders van vorm waren dan ze zich herinnerde. Voortsnellen in ruim comfort, zonder aan richting te hoeven denken en met alle tijd om om je heen te kijken, dat was nog eens luxe. Als de mensen die haar een beetje kenden, nu eens zouden weten hoe weinig er voor nodig was om haar een plezier te doen.

De tempel verrees uit een zee van onooglijke straten die niet zozeer door zijn hoogte in het niet vielen als wel door de stijl waarin hij gebouwd was. Hij deed haar denken aan een enorme witte bruidstaart, bezet met vlaggen en vandaag voorzien van een perfect decor in de vorm van een knalblauwe hemel. Op het eerste gezicht leek het gebouw speciaal ontworpen voor feesten: woeste fuiven, houseparty's, spectaculair vuurwerk. De folly van een miljonair, gewijd aan decadentie. Ravi vertelde haar er van alles over, over de geweldige hoeveelheden marmer, de tonnen Birmees teakhout, de jaren vakmanschap die eraan te pas waren gekomen, maar ze luisterde niet. De taxi zette hen af voor de kolossale lage entree, die in verhouding nog bescheiden aandeed. Hij leidde haar naar binnen, haar zorgzaam met zijn arm ondersteunend, als was ze zijn grootmoeder; door zijn bezorgde manier van doen daagde bij haar ineens het verrassende besef dat er één ding was dat hij boven alles wenste: dat deze plek haar beviel. Hij voerde haar mee als was het zijn eigen huis dat hij haar liet zien. Het was warm binnen, een warmte van het soort waarbij je je jas kon aanhouden, maar die ook behaaglijk genoeg was voor de zijden gewaden van de vrouwen in de voorhal, die allemaal iets vlinderachtigs hadden. Hij liet haar zien waar ze haar schoenen moest achterlaten en ze liepen verder door de hal. De vloer voelde heerlijk warm aan haar voeten, zowel op het hout en het tapijt als op het stenen gedeelte.

De ruimte beviel haar en boezemde haar ontzag in, dat was het probleem niet. Het probleem was eerder niet overrompeld te worden door de bonte patronen van de tapijten en de massieve deuren in de gewelfde ruimte met de schrijnen, waar het marmeren plafond was onderverdeeld in segmenten die van elkaar verschilden. Ze luisterde zonder er veel van te snappen naar wat Ravi haar op gedempte toon uitlegde. De ruimte met de schrijnen heeft drie deuren, vertelde hij; je hebt er maar een van gezien. Ze stonden voor het beeld van Ganesha, de Olifantgod, dat achter glas stond en fel verlicht was zodat zijn kroon, zijn kleine, schrandere ogen, zijn versierde slurf die in een krul voor zijn hangbuik hing en zijn twee paar handen, het ene opgeheven, het andere op zijn omhulde dijen rustend, goed uitkwamen. Slechts een van zijn voeten was zichtbaar, dik, met gelakte nagels en met banden versierd. Hij zag eruit als een god die van het leven genoot en de eigenaardigheden van zijn uiterlijk met montere waardigheid draagt.

'Als we hier komen bidden, beginnen we met Ganapati, zoals hij ook genoemd wordt,' zei Ravi. 'Hij is de god die de gezondheid behoedt en voorspoed brengt. Naast hem zit Hanuman, de Aapgod, de krijger, die het individu en zijn bezittingen tegen alle kwaad beschermt. Hier overdenken we onze dagelijkse bezigheden, bewijzen we eer en bidden we. Zo bevrijden we ons om aan onze ziel te kunnen denken als we tot de andere goden bidden.'

De Aapgod was net zo vertederend als Ganesha en even rijk opgetuigd, maar agressiever, zijn kleding was bijna oogverblindend. Ze begaven zich naar de hoofdruimte van de schrijnen, waar een zoete maar niet weeïge geur hing en de vloer ook op mysterieuze wijze heerlijk verwarmd was. Er waren hier mensen in allerlei soorten en maten, en zonder uitzondering droegen ze opvallend schone kleren; ze bogen voor de goden, wierpen zich languit voor hen op de grond, knielden of stonden, opgaand in hun persoonlijke maar tevens openbare eredienst, zonder enige gêne. Hun vroomheid had niets stiekems. Ravi vertelde haar over de goden, over Krisjna en Radha, maar voor haar bleven het opgedirkte poppen en verder niets. Hij vertelde dat ze iedere dag gewassen en gekleed werden, en voedsel kregen voorgezet, wat zij heel vertederend vond; intussen liet ze hem niets merken van hoe ze zelf tegen het vereren van gesneden beelden aan keek. Nog vertederender was Ravi, zoals hij voor een beeld van Swaminarayan stond en haar vertelde dat dit zijn favoriet was.

'Mag je dan favorieten hebben?' vroeg ze.

'Natuurlijk. Je respecteert alle goden en misschien komen er nog wel nieuwe goden bij, maar je hebt altijd je voorkeur voor de god die het beste bij je past.'

'Aha.' Dat was een openbaring. 'Ik denk dat Ganesha mijn favoriet is.'

Hij glimlachte naar haar, apetrots. 'Velen delen je voorkeur,' zei hij. 'Kom, ik laat je iets zien wat je waarschijnlijk bekender zal voorkomen.'

Hij toonde begrip voor haar verwarring en daar was ze hem dankbaar voor. Het gedeelte van de tempel dat een vertrouwdere aanblik bood, kwam weer in beeld toen ze de schrijnen achter zich lieten en de trap afliepen. Bij de ingang was een open winkel met prenten, boeken, muziekcassettes en sieraden die sprekend op rozenkransen leken. In het hele gebouw waren, in volmaakte harmonie met al het andere, collectebussen opgehangen om gaven in te deponeren. Ze keerde zich naar hem toe met een ondeugende grijns op haar gezicht, nu pas volledig beseffend dat dit een oord van subliem geluk was en dat ze hem best mocht plagen. Ze wees naar de grootste collectebus.

'Dit ziet er bekend uit,' zei ze. 'Hierdoor voel ik me thuis. Nu weet ik tenminste dat ik in de kerk ben.'

'De goden en geld zijn altijd al hand in hand gegaan,' zei Ravi ernstig. 'Armoede is slecht voor alles.'

Armoede, kuisheid en gehoorzaamheid. Met de beste wil van de wereld en met alle verschuldigde eerbied voor de wil die verhevener en machtiger was dan de hare, kon Therese er toch niet omheen dat ze de pest had aan de zondag. Niet dat de wereld buiten zo verlokkend was, het was meer dat de wereld binnen zo ontzettend stil was. Al het gedoe dat aan het voorbereiden van de heilige mis te pas kwam en het extra ochtendgebed veranderden niets aan het feit dat het een dag van voorgeschreven rust was, met de middag en avond als anticlimax. Het was een dag om te mediteren, maar mediteren ging haar beter af als ze het met werken kon afwisselen. Niemand wist beter dan zij dat ledigheid des duivels oorkussen is. Ze had zich niet zomaar bij de orde aangesloten, ook niet omdat ze er al bekend mee was; ze was het klooster ingegaan om te kunnen wérken ter meerdere eer en glorie van God; de geloften die ze aan het einde van haar noviciaat zou afleggen, boezemden haar geen vrees in. *Armoede* wilde nog niet zeggen dat je verhongerde: het betekende dat je zelf niets bezat en de vrijheid die daarin school verheugde haar ten zeerste. En wat *kuisheid* betrof, ook daarin stak voor haar niets negatiefs. Een vrij lichaam, losgemaakt van zijn driften en beperkingen, was beter in staat zuiver dienstbaar te zijn aan God en de mensheid, en als ze eerlijk was, wilde ze vooral de mensheid dienen. Ze wilde het liefst zorgen dat mensen gelukkig, tevreden en gezond waren, omringd door liefde en goed gevoed, en ze zou niet weten hoe ze dat ooit zou kunnen doen onder het juk van een man als haar vader; hoe zou ze trouwens voor een man kunnen vallen als God de eerste was die haar geroepen had? Anderen konden misschien zowel God als de mens dienen, maar voor haar was dat geen optie en ze was daarenboven ook niet echt nieuwsgierig naar de begeerten des vlezes. Sterk en gezond zijn, dat was voldoende, je vol energie voelen, recht van lijf en leden. *Gehoorzaamheid*, daar stak logica in. Ze wist maar zo weinig, ze moest zich verlaten op de leiding van anderen, hoe zou ze anders kunnen? Ze zou zich moeten laten leiden tot ze haar eigen oordelen zou kunnen vormen en ze dacht niet dat dit haar weerhield van het stellen van vragen. Toch begon het langzamerhand bij haar te dagen dat ze op het terrein van de gehoorzaamheid problemen zou krijgen.

Niet met gehoorzamen aan de discipline, het zich houden aan de strikte routine van het dagelijks leven, maar met gehoorzamen aan de bevelen van anderen, ongeacht haar neiging om het tegenovergestelde te doen. Het volgen van regels die onnodig leken. Ze moest een richtsnoer zien te vinden, en wat haar op deze eenzame middag zou moeten leiden waren de woorden van de Heilige Theresia van Lisieux en haar contemplaties over de God van liefde, die zich uitstrekten van het meest alledaagse tot eenvoudige tips om met de wisselvalligheden in het religieuze leven om te gaan. Therese sloeg een bladzij om. De Heilige Theresia was een opmerkelijk jeugdig en heilig denkster geweest, die aanbeval om dagelijkse irritaties om te buigen tot oefeningen van geduld en verdraagzaamheid die als ze aan God werden opgedragen de wereld zouden helpen en Hem dichterbij zouden brengen. Ze beschreef in *De kleine weg*, waarin haar naamgenote zat te lezen, hoe ze bij het wassen van kleren in haar klooster altijd naast een andere, onhandige non stond die haar voortdurend met vuil waswater besproeide. In plaats van terug te deinzen en haar ergernis te uiten, leerde Theresia zichzelf deze ergernis juist te verwelkomen, te verdragen en als offer aan te bieden om te boeten voor de zonden der wereld. Hetgeen waarschijnlijk niet al te moeilijk was indien het water warm was en de irritatie onopzettelijk. Toepasselijke spreekwoorden drongen zich op. Geduld is een schone zaak, geduld overwint alles. Ze kon er niets mee. Therese bedacht dat ze beter naar de kapel kon gaan. God en Zijn leiding waren overal: ze had meer dan genoeg ervaring met eenzaam in haar kamertje zitten; als ze in een ruimte ging zitten lezen die geheel en al aan gebed en eredienst was gewijd, dan was dat toch zeker een verbetering? Ze moest nog zoveel leren. Het geloof dat haar op elk moment van de dag geluk deelachtig zou zijn ontbrak haar; ze had geweten dat het moeilijk zou zijn, maar niemand kon vooraf weten wanneer en waar het het moeilijkste zou zijn.

Therese wou dat ze net zo'n boekenwurm was als haar zusje. Anna zou hier in deze lege uren moeten zitten, met haar duim in haar mond, tevreden met wat ze las en tot zich nam, als een kat die na een maaltje voldaan een dutje doet. In deze instelling, waarin bejaarden in de meerderheid waren, was de zondagmiddag aan sluimer gewijd. Geen Kim, geen lawaai. Alleen Barbara's instructie over hen allen te waken en alles wat ongepast was te melden. Het was een gehoorzaamheidstest.

Ze bereikte de kapel, die leeg en kil was. In deze tijd van het jaar was het hier vroeg in de avond op zijn fraaist, als de zon naar binnen viel, terwijl haar keuken, aan de andere kant van het klooster, 's ochtends zon ving. Er was nu niemand, behalve zuster Joseph die onderuitgezakt in een stoel hing. Aan de ene kant was Therese blij haar te zien, maar aan de andere kant ook geërgerd. Ze was niet op zoek naar gezelschap, maar naar een ander soort eenzaamheid. Als ze de lessen van de Heilige Theresia van Lisieux wilde navolgen, ging ze nu naast zuster Joseph zitten en naar haar ademhaling luisteren om haar toch al zo verwarde gedachten nog verder te verstoren; die fluisterden haar in dat ze de heilige die ze had uitgekozen eigenlijk totaal niet mocht en dat de zelfopofferingen die haar eens zo inspireerden maar raar en walgelijk waren. Ze ging een eind bij Joseph vandaan zitten en besefte na een indringend moment dat Joseph niet sluimerde maar snurkte en haar evenwicht op de rieten stoelzitting slechts als door een wonder wist te bewaren. Ze had deze luidruchtige manier van ademhalen eerder gehoord, de keren dat haar vader te veel gedronken had en er op de meest oncomfortabele plekjes bij was gaan liggen, in de keuken, op de overloop, in zijn studeerkamer, al waren haar herinneringen hieraan nogal verward. Het was bij hem een fase geweest, niet iets wat voortdurend speelde, maar het stond in haar geheugen gegrift. Voor zolang als het geduurd had, had ze nooit geweten of hij beroerd was of alleen maar deed alsof, maar wel dat er in die momenten geen staat op hem te maken was, dat hij niet in was voor vragen of spelletjes en dat Anna de enige was die hem uit die toestand kon halen en weer aan de gang kon krijgen. Joseph bewoog zich in haar slaap en viel op de grond, met behoorlijk wat lawaai. Ze lag er eigenaardig bij, met haar linkerarm dubbelgevouwen onder zich; haar stoppelig kale hoofd maakte bij het neerkomen een zacht bonkend geluid.

Therese knielde naast haar neer en klopte op haar schouder. Vervolgens begon ze eraan te schudden, waardoor de romp enigszins heen en weer bewoog, als duwde ze tegen een pop, terwijl het hoofd stil bleef liggen. Toen gingen de ogen open en bewogen de lippen. Ze meende de woorden 'Weg, stomme trut' te horen voordat de ogen weer dichtvielen en Joseph automatisch haar armen voor haar borst kruiste, op zoek naar warmte. De huid van haar pols, bezaaid met levervlekken, voelde heel koud aan. Therese begon weer aan haar te schudden.

Dit keer was ze ineens klaarwakker en strijdlustig. Ze worstelde zich van de vloer omhoog, woede en venijn uitbrakend – 'Laat me met rust, godver sodeju...' –, ze kwam half overeind en begon te huilen. Traag raapte ze haar oude ledematen bijeen tot ze met gekruiste benen zat, zich met een hand ondersteunend en met de andere voor haar gezicht geslagen terwijl de tranen tussen haar vingers door drupten. Ze stonk. Naar ontsmettingsmiddel en terpentine, als natte verf, vermengd met gal en wanhoop. De geur die overheerste was die van zeep. Thereses vader had naar whiskey geroken, doortrokken van eenzelfde wanhopigheid. In een bepaalde periode van haar leven droomde ze van niets anders, en was het een onlosmakelijk onderdeel van zijn monsterlijke identiteit geworden. Hoe vaak was het gebeurd? Een keer? Twee keer?

'Wie heeft u drank gegeven, zuster?'

Therese vond zichzelf net als Barbara klinken.

'De duivel.'

'In welke verschijning, zuster?'

Ze kreeg iets van een inquisiteur, haar toon werd scherper en bozer terwijl het huilen doorging. *Armoede* betekende geen geld hebben om jezelf te verwennen, *kuisheid* betekende verlost zijn van hunkering, *gehoorzaamheid* betekende dat je je hield aan de gedragsregels. Joseph was een afgrijselijk toonbeeld van het omgekeerde, een schande; ze was te walgelijk om aan te raken. Maar tegelijk was ze een huilende, vernederde vrouw die op een zondagmiddag van schaamte aan elkaar hing, zielig en bang in deze ruimte waar ze naartoe was gegaan om vergiffenis te vragen of zich te verstoppen.

'Wie heeft het voor u gehaald, zuster?'

'Francis.'

Ze dacht aan gehoorzaamheid en hoe boos moeder Barbara zou zijn. De woede van die vrouw sneed als een mes. Barbara zou Joseph door het stof doen kruipen, maar de regel van gehoorzaamheid vereiste dat ze Barbara alles vertelde. Therese keek om zich heen, in de verwachting dat ze elk moment kon verschijnen, en trok Joseph toen overeind. Het was beter om vernedering voor je te houden.

'Kom, gauw naar bed, dat is het beste. Gauw, gauw, zo snel als u kunt. Kom maar mee, het komt allemaal goed, kom nu maar, hierheen.'

Joseph was mager, maar zwaar. De arm die over Thereses schouder lag woog als een loden last en de weg naar haar kamer was lang. De lucht die van haar af sloeg was misselijkmakend, vooral in haar benauwde kleine cel. Ze lag nu op bed met haar armen weer voor zich gekruist en Therese verzekerde zich ervan dat ze bij het water kon dat naast haar stond. Met haar kaken opeengeklemd trok ze Joseph haar schoenen uit, borstelde haar haar, en duwde het raam open. Joseph hield haar zo stevig bij haar pols vast dat ze er beslist een blauwe plek aan over zou houden. Geduld: geleidelijk aan verslapte de greep van de benige hand en Joseph viel in slaap. Therese draaide haar hoofd opzij. Het leek allemaal een eeuwigheid in beslag te nemen.

Er lagen drie lege blikjes Diamond Ice in een plastic zak. Ze verstopte ze onder een krant die ze onder het bed vond en nam ze mee. De klok voor het angelus luidde om zes uur. Halverwege de gang met zwarte en witte tegels kwam Therese moeder Barbara tegen, die als een speer de andere kant uit ging. Ze hielden allebei even in.

'*Benedicamus Domino*,' zei Barbara verstrooid.

'*Deo Gratias.*'

'Je ziet bleek, kind. Ga naar bed.'

'Ik voel me prima, moeder.'

'Heb je Joseph gezien? Ik kan haar nergens vinden.'

'Ze zat zo-even nog in de kapel te bidden, moeder, en daarna is ze gaan rusten. U moet haar misgelopen zijn.'

'Dat ik daaraan nu net niet gedacht heb.'

Ze spoedde zich verder, neuriënd. Therese keek haar na, half in de verleiding om achter haar aan te gaan. Wat ze zojuist had gedaan, had met gehoorzaamheid niets te maken. De muren van de zwart en wit betegelde gang leken haar in te sluiten. Ongehoorzaam. Konden daden die volstrekt instinctief waren ook als ongehoorzaam worden aangemerkt? Ze vloog door de gastenkamer en ging de tuin in, opgelucht toen ze merkte dat de deur niet vergrendeld was. Het was een vlucht zonder doel. De nog warme atmosfeer van de vroege avond had niets balsemends. Ze wilde Francis opzoeken om hem zijn keel dicht te knijpen. Hoe durfde hij? Hij kon komen en gaan wanneer hij wilde, hij kon tot het binnenste van het klooster doordringen en fluitend en wel zijn werk doen, en ze mochten hem allemaal naar de ogen kijken, maar wat hij gedaan had was verraad en niets anders. Rusteloos liep ze een eindje het pad op, met tegenzin en alleen maar omdat ze nergens anders heen kon. Ze had nooit iets om de tuin gegeven, ook niet als plek om haar bij haar meditatie te ondersteunen, en sinds ze Edmund hier dood had zien zitten, moest ze er nog minder van hebben. Het enige wat ze er wel leuk aan vond was Edmunds schuur helemaal achterin, omdat die haar deed denken aan de schuur die ze vroeger thuis in de tuin hadden. Zijn bank associeerde ze nu met een lijk en Francis zou er op zondag niet zijn. Zondag was de dag om te rusten. Toen ze de bocht in het pad om was, struikelde ze bijna over zuster Matilda die aan de voet van het standbeeld van de Heilige Michaël met haar ellebogen op haar knieën naar de grond zat te staren. Een grote rode kat zat zich midden op het pad druk te wassen, gekoesterd door een bundel zonneschijn. Het was een prachtig beest, met het air van een wilde kat, niet behept met het verlangen naar contact met mensen; hij trok zich niets aan van Matilda en reageerde ook niet op Thereses lichte voetstappen. De vogels in de bomen gingen daarentegen verschrikt tekeer, snerpend en onmuzikaal. In deze instelling werden geen huisdieren gehouden. Therese keek verrukt naar de kat, heel even afgeleid. Hij was zo mooi, zo sterk en zo elegant dat ze hem wilde oppakken en vasthouden, zijn prachtige vacht wilde strelen. De kat was klaar met wassen, rekte zich en liep bedaard weg zonder achterom te kijken. Wat een zelfvertrouwen. Ze zou bijna vol bewondering in lachen uitbarsten. Kijk toch eens, wat een beest, een indringer, maar zo brutaal als de beul. Maar toen stond Matilda opeens naast haar en greep haar vast bij haar arm, op precies dezelfde plek en net zo stevig als Joseph had gedaan.

'Therese, o, Therese... een kat! Hoe kon hij dat nou doen!'

'Het is een prachtig beest, zuster. Wat is er mis mee?'

Haar arm deed pijn. Ze wilde niet op zo'n manier vastgegrepen worden en kon de drang niet weerstaan Matilda van zich af te schudden, zich los te rukken uit de greep van nog zo'n oude, verbluffend sterke hand. Ze wilde niet de adem voelen uit nog zo'n oud lijf, zo'n mens dat veel te dicht bij haar stond, haar stond aan te staren met een terneergeslagen, smekende uitdrukking op haar gezicht, die iets van haar wilde wat ze niet kon geven noch begrijpen. De Heilige Theresia van Lisieux zou haar omhelsd hebben. Matilda deed een stap achteruit en tastte naar haar rozenkrans.

'Ja,' zei ze, 'het is een mooie kat. Edmund zou de pest aan hem hebben gehad, maar ik kan niet van jou verlangen dat je dat snapt, je bent nog te jong. Therese, lieverd, wil je als je zus weer komt aan haar vragen of ze naar mij toe komt? Het is heel belangrijk.'

'Natuurlijk, zuster. Maakt het wat uit hoe laat?' Ze probeerde het effect van haar onbeschoftheid teniet te doen door veel warmte in haar stem te leggen.

'Dankjewel. Nee, het maakt niet uit hoe laat.' Ze huiverde. 'En nu kunnen we maar beter naar binnen gaan.'

Ze zei het als was het een bevel. Ditmaal gehoorzaamde Therese.

7

Gij zult niet onrechtvaardig begeren,
wat uw naaste toebehoort

Zondag: de dag om te rusten. Alleen zou de slechteriken nooit enige rust gegeven zijn. Kay had zo weinig last van vleselijke lusten dat ze non had kunnen wezen, althans als het mogelijk zou zijn in die hoedanigheid in de watten te worden gelegd, waaronder begrepen langdurige onderdompelingen in water, gezichtsbehandelingen, zonnebaden, pedicures en algehele strelingen van het ik, dingen die echter geen van alle volstonden om haar huidige intense verlangen om geknuffeld te worden te bevredigen. Ze zou in een omhelzing willen wegkwijnen. Ze zou ontvoerd willen worden, meegenomen tot diep in een warm bos om daar in een grot verstopt te worden. Ze had overdag in Theo's werkkamer gezeten, wensend dat hij er was. Theo had iets grizzlybeerachtigs gehad. Hij kon grauwen en loeren, omhelzen en vechten. Kay zat achter in de kerk, zichzelf verwensend dat ze hierheen was gekomen, ernaar snakkend dat hij naast haar zat en dreigde de priester op te blazen, dat hij haar ketterse opmerkingen in het oor fluisterde. Theo zou de congregatie in ogenschouw hebben genomen en bijvoorbeeld gezegd hebben dat die vrouw daar meer behoefte had aan een kapper dan aan God. Als hij hier zou zijn, op een plek waar hij met geen tien paarden naartoe te trekken zou zijn geweest, zou hij haar uitlachen om haar geweldige afvalligheid, deze bijgelovige slinkse terugkeer naar de Kerk, in de belachelijke hoop dat die iets voor haar kon doen.

In gedachten begon Kay met Theo te soebatten, ze vertelde hem dat ze hier was met een doel en dat dat doel voortkwam uit iets waaraan hij schuld had. Ze was hier niet om te vragen om vergiffenis of om raad, en het had haar vijf dagen gekost om er voldoende moed voor bijeen te rapen. Ze had zich die moed gedeeltelijk ingedronken en de sluier van verveling die over de zondag hing had eveneens enigszins geholpen. Ze was deze onopvallende kerk binnen gegaan, een Edwardiaans gebouw van baksteen in een zijstraat, gesitueerd in een buitenwijk met huizen in overeenkomstige stijl, waarvan de oostzijde zich aan de donkere kant van de straat bevond, zodat het binnen nooit echt warm of licht werd. In de jaren zeventig, de tijd van hippe beatmissen met blij handengeklap, tamboerijnen en gitaren als belangrijkste ingrediënten, waren alle ornamentele beelden eruit verwijderd. De oorspronkelijke sfeer was voorgoed verdwenen. De houten banken hadden plaatsgemaakt voor krimpende rijen stoelen die zo dicht mogelijk om het altaar heen waren gezet in een poging iets van gezelligheid te creëren. De priester deed zijn best, maar het was een man met meerdere missies; hij gaf ook les op de school die zich aan de rand van de gemeente bevond en beijverde zich om bekeerlingen aan te trekken met een inzet die door de resultaten werd gelogenstraft, maar getuigde van hoop en een verre herinnering aan het Ierland van zijn jeugd. Hij dacht blijkbaar nog altijd dat een club waar limonade werd geserveerd en waar tot het onchristelijke tijdstip van negen uur 's avonds muziek werd gedraaid de jongeren uit het plaatsje van de drugs zou afhouden; en zo geloofde hij ook dat een praalwagen met carnaval een hele kudde naar de kerk kon lokken.

In zekere zin had hij daarin gelijk. Kay was hier immers vanwege die optocht, al was ze de kudde blijkbaar vooruit. Ze zat de onbestemde mis, waarin weinig haar bekend voorkwam, lijdzaam uit; het was een samenraapsel van een anglicaanse avonddienst, maar dan zonder zang, en het katholieke lof, maar zonder enige opsmuk. Alles was erg veranderd sinds ze voor het laatst in de kerk was geweest, afgezien van het voorspelbare handjevol ouwe getrouwen die na afloop met elkaar kletsten terwijl ze wachtten om de priester gedag te kunnen zeggen, die ongetwijfeld niets liever wilde dan de deur op slot doen en naar huis gaan.

Kay wilde helemaal niet praten met die ellendige priester; of, nou ja, ze wilde het wel en ze wilde het ook niet, want het ging haar om inlichtingen die ze nodig had maar tegelijk vreesde. Hij was aan de jonge kant, maar voortijdig oud, en hij hield zich op de been met een zwak, weifelachtig enthousiasme, een knopje in zijn oor en een modieuze bril op de punt van zijn neus. Een sulletje uit Connemara. Iemand trok aan de mouw van haar jas.

Het was haar op een na beste mackintosh, met een zilverige weerschijn, en ze kon het niet hebben als iemand anders dan zij er met zijn vuile poten aanzat. Ze stond oog in oog met mevrouw Boyle, lerares op de middelbare school waar Kay Jack onder dwang naartoe had gestuurd en waar hij het tegen de verwachting in bijzonder goed had gedaan.

Waarschijnlijk was dit te danken aan types als mevrouw Boyle, een glasharde tante die eruitzag als een strenge presbyteriaanse maar die lesgaf in Engels en drama en die wist dat onderhandelen met pubers zonde van de tijd was. Zij hield de wind eronder met afschrikkingsmethoden, het slaan tegen kuiten en het dreigement leerlingen uit te sluiten van toneeluitvoeringen. Kay herinnerde zich dat Jack vaak opmerkelijk onder de indruk was van dit soort straffen en dat zijzelf hem dan altijd toevoegde: *Het was vast je eigen schuld. Je bent een rotjong, altijd al geweest.*

'Hé, mevrouw McQuaid.'

Ze was zo'n type dat nooit ofte nimmer vergat welke naam bij welk gezicht hoorde, en mocht dat wel zo zijn dan moest je ervan uitgaan dat de wereld op zijn eind liep. Haar stem was berekend op een klaslokaal en nu ze hem dempte tot een acceptabel niveau voor in een kerk, resoneerde hij nog als een fluistering van een acteur op het toneel. 'Wat fijn u hier te zien. En wat leuk toch dat Jack hier vorige week was.'

Kay viel bijna flauw. Ze had het gevoel dat het ene glas gin dat ze tot zich had genomen overduidelijk aan haar gezicht te zien was. Ze knikte.

'Wat een bof was dat. Die lieve jongen kwam toevallig bij ons langs toen we met dat carnavalsgedoe bezig waren en toen had een van onze sterren net griep gekregen. Het was toch zo aardig van uw zoon dat hij wilde invallen, vindt u ook niet? Hij speelde de duivel werkelijk fantastisch! U moet wel geweldig over hem te spreken zijn geweest.'

'Ja.'

Ze was niet van plan mevrouw Boyle te bekennen dat haar zoon in staat was naar wat tussen zijn vijftiende en zijn achttiende zijn woonplaats was geweest te komen zonder bij haar langs te gaan. En dat hij de laatste vier jaar een complete vreemde voor haar was geworden, tot haar enorme opluchting.

'Het gaat geweldig goed met hem, hè? Maar dat hij nu toch zijn naam veranderd heeft! Hij zei dat hij het altijd maar niks had gevonden om Jack te heten. Veel te algemeen. Hij zei dat hij voor Francis had gekozen omdat de Heilige Franciscus goed past bij een tuinman. Geweldig toch?'

'Francis,' echode Kay. Een túínman? Híj? Ze hervond haar zelfbeheersing en zette haar babbelstem op.

'Ach, Francis was altijd al zijn tweede naam. Ik denk dat hij het zich zo'n beetje heeft aangewend. Ik bedoel, kinderen doen dat zo vaak tegenwoordig. Hun naam veranderen als die hun niet bevalt, bedoel ik.'

'Ze doen waar ze zin in hebben.' De rij voor het afscheid schuifelde verder naar voren, maar werd weer opgehouden door een serieus kijkende man die dringend op de priester begon in te praten. 'Maar hij is al lang geen kind meer. Dat haar van hem! Nou, nou. Hoe oud wordt hij onderhand?'

Er klonk iets van sluwheid door in die bazige, Schotse stem; blijkbaar had ze haar aarzeling bespeurd en stuurde ze het erop aan het feit boven tafel te krijgen dat ze niets wist van haar zoon en daar gebruik van te maken.

Kay kende dit spelletje ook en ze klopte vertrouwelijk op de tas van mevrouw Boyle. 'U zou de kleur die het eerst had eens moeten zien, verschrikkelijk gewoon.'

'O, ik vond dat dit hem heel goed stond. Maar wie had nu gedacht dat hij, met zijn uiterlijk, serieus aan een opleiding tot tuinman zou beginnen, met een baantje in een klooster nog wel? Maar ja, hij zit in Londen. Dat maakt wel verschil denk ik.'

'In een klóóster?'

Ze herstelde zich snel, voordat haar stem pieperig werd. De dunne priester had zich van de dikke man ontdaan en de onregelmatige rij verplaatste zich weer naar voren. Kay deed net of ze in haar zakken naar munten zocht, want ze had de onvermijdelijke collectebus in het oog gekregen. Zo erg veranderde alles nu ook weer niet. Je moest betalen om vanuit de kilte binnen te mogen komen, zelfs al was het binnen nog killer. Ze dwong zichzelf mevrouw Boyle op een brede glimlach te vergasten.

'Als hij u dat heeft verteld dan moet hij altijd wel erg gek op u zijn geweest, mevrouw Boyle. Ik dacht dat het een geheim was. Dat een jongen als hij in een klooster werkt, dat is niet erg cóól, wel?'

'Ach, volgens mij is het allemaal maar relatief. Het is beter dan dat hij hier in dit gat blijft zitten. De helft van zijn oude vriendinnetjes heeft intussen al kinderen.'

Mevrouw Boyle glimlachte veelbetekenend. Ze was zo scherp, straks sneed ze zichzelf nog. Kay dacht aan alles wat ze zo haatte aan kerkdiensten, waaronder al die teven met hun giftige informatienetwerk. Ze was als volgende aan de beurt om die flapdrol van een priester een hand te geven, en wist al van tevoren dat de zijne zo nat en glibberig als verse schelvis zou zijn; ze pakte hem, liet hem meteen weer los en maakte dat ze wegkwam. Mevrouw Boyle was zo'n mens dat in iemands adem de gin van de vorige avond nog kon ruiken, en dus zeker een borrel van een uur geleden, en zijzelf had dringend behoefte aan frisse zeelucht. Ze had de exacte bevestiging gekregen van wat ze al vreesde. Het leek een heel eind naar huis en al droeg ze de juiste schoenen voor de korte taxirit die haar naar de kerk had gebracht, voor de terugweg voldeden ze minder goed. Stomme schoenen, met idioot dunne hakken onder haar felrode broek. Geen wonder dat mevrouw Boyle zo naar haar voeten had staan kijken. Kay liep al zwikkend door de achterafstraten naar de hoofdweg en toen door naar het strand. Aan het einde van deze vochtige dag, met de duisternis in aantocht, had zich mist gevormd, zodat de horizon een waas was. Hierdoor genoot ze voldoende privacy om het op een schreeuwen te zetten. *Aaargh...* ze sloeg met haar vuisten op haar borst, als een waanzinnige boeteling. Het *aaaargh* mondde uit in *shiiiit, godverdegodver, kolere*, maar het schonk haar genoegen noch opluchting. Een man die met zijn hond liep te wandelen bleef staan om naar haar te kijken. Ze merkte tot haar ontzetting dat ze zich automatisch bekruiste alvorens snel verder te lopen. *Francis? Tuinman in een klooster?* Er was niet maar één klooster in Londen, waarschijnlijk waren er tientallen, maar zij kende alleen dat ene en durfde wel te wedden dat hij het ook kende. Grote, brutale Jack, die vond dat hij zich alles mocht toe-eigenen en die zich blijkbaar nog steeds niet ver van de plekken waagde die hij het beste kende. Logisch dat hij zich ophield in de omgeving die hem vertrouwd was, de parochie uit de tijd dat hij nog die verrekte krijsende baby was en zij niet wist wat ze met hem aan moest. Een omgeving waarin zij zich verschrikkelijk eenzaam had gevoeld, tot er betere tijden kwamen en er momenten waren, maar ook niet meer dan momenten, dat ze het niet betreurde dat hij geboren was. Natuurlijk was Jack teruggekeerd naar een plek die hem vertrouwd was toen hij uit Theo's huis was gegooid, en natuurlijk was hij daar gebleven ook. Ze had hem geschreven, poste restante, in haar laatste brief had ze hem Theo's overlijden gemeld, maar ze had nooit een brief terug gehad. Jack had altijd wel vrienden en logeeradressen gehad. Rare, oudere vrienden, gluiperige kerels bij wie hij zijn toevlucht zocht toen hij nog een kind was, kennissen bij wie ze hem had weggesleurd toen ze met Theo verhuisden. Hij leek op te bloeien op zijn nieuwe, kleinere school; met zijn aura van coole grotestadsjongen werd hij de koning van zijn klas. En wat had het opgeleverd dat ze zo onlogisch was geweest erop te staan dat hij naar een katholieke school ging? Alleen voldoende religieuze kennis om naïevelingen het idee te geven dat hij een rooms-katholiek christen was, als hij daardoor een baantje kon krijgen. Hij hield van de kerkelijke gezangen. *Een tuinman?* Hij leerde snel, en hij had genoeg ervaring opgedaan met snoeien en dat soort dingen in de tuin hier om niet meteen door de mand te vallen, maar een echte tuinman? Misschien verloor een vos toch zijn streken en had Jack – *ze moest eraan denken hem Francis te noemen* – zijn roeping gevonden. Maar wel een hele rare voor een knul die blijkbaar alleen maar van akelige films, zwaar elektrisch gereedschap en seks hield. De hemel werd donkerder; ze keek op haar horloge en ze kon de wijzerplaat nauwelijks onderscheiden. Het leek wel of het op zondag altijd eerder donker werd en waarschijnlijk was dat ook al haar schuld. Ze had de pest gehad aan de Kerk en alles waar die voor stond, ze had zich met Theo samen aan bespotting ervan overgegeven, maar steeds als ze de kerk voor zichzelf of voor haar zoon nodig had, maakte ze er gebruik van en misschien was dat de reden waarom zondagen haar altijd zo vreugdeloos voorkwamen.

Ze besloot het niet op een rennen te zetten langs de kalme waterkant. Daar konden haar schoenen niet tegen en haar angst zou er alleen maar door toenemen, en dus liep ze op een keurige manier verder, tot de weg van zee afboog en ze in haar eigen straat was met de mooie huizen en de straatlantarens die op het vroegtijdig duister reageerden door om de vierenhalve meter plasjes licht om zich heen te strooien. Op opritten stonden auto's, het leven speelde zich binnenshuis af, en in een portiek lag een driewielertje van het soort dat ze voor Jack nooit had kunnen kopen, zomaar achtergelaten. Als jongen zou Jack, nee, *Francis*, het ding gepikt en verkocht hebben. En daar was Theo's huis, solide en comfortabel.

Ze moest zichzelf er altijd aan herinneren dat het Theo's huis was, niet dat van haar. Zoals gewoonlijk liet ze de fraaie voordeur voor wat hij was en liep achterom. Als *Francis* weer binnen had weten te komen, zou ze de confrontatie met hem aan moeten gaan, maar *Francis* was een heel eind uit de buurt, aangezien hij *tuinman* was. In het klooster waarin de jongste van de meisjes Calvert zat. Voordat Kay haar sleutel in het slot stak, schreeuwde ze nogmaals – *Shiiiit!* – waarna ze naar binnen ging, gekalmeerd.

De gouden boeddha glansde in de huiskamer en bood net zo weinig vertroosting als de kerk, maar het ezelwagentje met drank was geruststellend vol. Ze gaf de boeddha een klopje, die daar feitelijk alleen maar stond omdat hij zo prettig aanvoelde en ze het af en toe fijn vond om tegen hem aan te praten en hem te vragen wat hij wilde drinken. Haar gewoonte om tegen beelden te praten zat er waarschijnlijk al vanaf haar prille jeugd in. Met een glas gin in de hand ging ze naar Theo's studeerkamer, zich oneindig veel beter voelend na die tweede schreeuw.

Al die stapels brieven die niet verstuurd waren en de verschillende versies van dat verdomde testament van hem. Brieven aan zijn dochters, die aan de afzender waren teruggestuurd, ongeopend, tot hij was opgehouden hun te schrijven en de teruggestuurde brieven en hun enveloppen op datum had gesorteerd. Een paar brieven aan Francis (ze begon al te leren op die manier aan hem te denken), eveneens geretourneerd, maar niet ongelezen. Ze vroeg zich af wat beledigender was: dat een brief gelezen werd om dan versmaad en teruggestuurd te worden of dat een brief werd teruggestuurd zonder dat de ontvanger zelfs maar de moeite had genomen die te openen, en besloot dat het eerste erger was. *Beste jongen*, had Theo aan Jack geschreven, *ik wens je het allerbeste, maar het is beter als je niet terugkomt. Ik voel niets voor wat jij in gedachten hebt [...] cheque bijgesloten, ik hoop dat je er iets mee kunt. Schrijf je moeder alsjeblieft.* De cheques hield hij altijd, maar de brieven zelf stuurde hij honend terug. Wat een manier om je weldoener te bedanken.

Ze leunde achterover in Theo's stoel; de gin hielp voor geen meter om de zenuwachtige onrust te verdrijven die zich als een maagzweer in haar binnenste had genesteld en alles de smaak van bitterheid gaf.

Ze bekende tegenover zichzelf dat Francis, die schattebout, met zijn oude sleutels in het huis had kunnen komen wanneer hij maar wilde, keer op keer, maanden geleden ook al, zonder dat zij het had gemerkt, althans niet na de paar drankjes die ze altijd nodig had voordat ze zichzelf ertoe kon brengen naar deze papierwinkel te kijken. Ze probeerde zich te concentreren. Als Francis tuinman was in het klooster van hun oude parochie, zou hij niet in de buurt van de nonnen mogen komen en dan zou die goeie ouwe pastoor Goodwin, die had verteld dat hij daar vaker dan hem lief was over de vloer kwam, hem allang in de smiezen hebben gekregen. Een golf van opluchting sloeg door haar heen en de gin smaakte meteen beter, totdat ze weer dacht: zou dat wel zo zijn? Hoe lang was het niet geleden dat Christopher haar zoon in den lijve had gezien? Toch zeker jaren en, jeminee, ze groeiden tegenwoordig ook zo hard en ze zagen er steeds anders uit. Het blonde haar van de duivel in de optocht had háár zelfs een ogenblik voor de gek gehouden. Ze verslikte zich in de gin, en leunde achterover met waterige ogen. Francis tuinman? Wat een giller. Iedereen wist toch wat Francis zou worden? Een hoerenjongen. 'Een hóér,' gilde ze tegen de muur. 'Een hoer.'

Ze dacht aan hem, een hoer losgelaten op een klooster, en krijste van het lachen. Een ontaard stuk vreten tussen de lelieblanke nonnen, dat zou ze leren. Toen hield ze op met lachen en begon te sidderen. Ze stopte haar vingers in haar mond en bleef maar beven, ze kreeg schilfers roze nagellak naar binnen terwijl ze erop bleef bijten, denkend aan wat ze zelf had voortgebracht. Francis, Jack, een schepsel van de duivel en zijn begoochelingen, het product van een verkrachting.

Ze boog zich over Theo's bureau en stopte de documenten terug in hun keurige mappen. Wie met de duivel eet heeft een lange lepel nodig, zei Theo, of was het Christopher? Haar hand ging naar de telefoon. Ze trok hem snel weer terug en gaf haar eigen pols een mep.

Ze zou doen wat ze altijd al gedaan had. Leugens verkopen door te zwijgen. Niks doen, net doen of ze alles in de hand had. Welke versie van Theo's testament zou haar bastaardzoon gelezen hebben?

Zondagen waren een vloek. Het was te laat om nog het klooster binnen te kunnen toen Anna terugkwam. Niet dat het laat was volgens de normen van de wereld erbuiten, het was alleen maar laat omdat het al donker was en ze veel te lang in het park hadden rondgelopen. Zij althans. Ravi had zich opeens in een Dracula veranderd, hij moest met het donker thuis zijn, net op het moment dat zij graag had gehad dat hij haar kuste. Maar nee, toen stond alles opeens weer op z'n kop, zoals zondagen alles op z'n kop zetten.

'Ik moet naar huis. Mijn ouders wachten op me en anders worden ze ongerust.'

Meteen was ze razend, ze barstte, ze kookte over van woede.

'Hoe oud ben je nou, Ravi? Tweeëntwintig? Krijg je soms nog steeds zakgeld?'

Ze had zich voorgesteld dat de middag zich zou uitstrekken tot de avond, dat ze alle tijd van de wereld hadden, en ze was bitter teleurgesteld, maar ze begon ook wel door te krijgen dat zijn dagen waren ingedeeld volgens een strak schema van werk en verplichtingen, een schema dat zo weinig ruimte overliet dat het een wonder mocht heten dat hij tijd had weten te vinden om met haar mee naar huis te lopen. Hij kon ongestraft een uurtje of twee achter zijn werk aan plakken, maar daarmee was het bekeken. Hij zei dit niet met zoveel woorden, maar ze vermoedde het en al besefte ze het niet, ze was jaloers op hem vanwege die veeleisende ouders die steeds op de achtergrond aanwezig waren. Ze probeerde zowel haar trots als haar nieuwsgierigheid te verbijten, maar slaagde daar niet in.

'Kunnen je vader en moeder goed met elkaar overweg?'

'Ja, natuurlijk. Ze irriteren elkaar weleens, maar ze praten veel met elkaar en ze houden van ons. Ze hebben ons te eten gegeven, ze hebben ons van alles geleerd, van alles van ons geslikt, ze waren er voor ons vanaf het moment van onze geboorte en dus moeten wij er ook voor hen zijn.'

'Wanneer zij dat maar willen?'

'Ja.'

'En zij komen altijd op de eerste plaats?'

'Ja. Hier,' zei hij, en gaf haar een beeldje van Ganesha. 'Je zei dat je hem wel leuk vond. Ik heb het voor je gekocht.'

Het was geen compensatie. Het kwam uit zijn zak en verdween in de hare, een klein gipsen beeldje van een plompe olifantman met te veel ledematen, een geschenk dat uit aardigheid gegeven werd maar niet vermocht haar te verzoenen, ook al was er geen enkele reden om boos te zijn: hij had geen enkele belofte gedaan of verbroken. Dit had zich afgespeeld bij de eendenvijver, bij het gesnater van eenden en hun kroost; de laatste jongen van het jaar probeerden al piepend en kwakend bij hun papa en mama te blijven die hen verjoegen opdat ze voor zichzelf gingen zorgen. Ze was op dat moment zo jaloers dat ze blij was toen hij weg moest. Al zei ze: *Nou fijn, ga dan, flikker godverdomme maar op. Ik ben met je mee geweest naar je tempel, maar nou heb je opeens geen tijd meer. Sodemieter maar op, lul.* Allemaal omdat ze zo razend teleurgesteld was terwijl een heerlijke dag uitdoofde. Omdat ze alleen werd gelaten. Zonder wortels, zonder ouders, zonder doel, godverdommes verlaten; al het andere weer vergeten. Ze bleef bij de vijver zitten terwijl het steeds donkerder werd, en stak daarna het voetbalveld over, met woedende snelle stappen, wensend dat ze naar haar werk ging, dat alles wat snaterde en kwaakte zijn kop hield, en toen ze bij het hek van dat rotpark kwam zat het al op slot. Ze mat de hoogte met haar ogen, rende er van een afstand van een meter of tien op af en klom eroverheen. Makkie. Pijn in haar binnenste. Ook een makkie. Naar huis rennen. Nog groter makkie. De lul. Ze hield halt bij een kroeg en sloeg twee dubbele wodka's naar binnen, ging weer weg toen iemand haar wilde aanspreken.

Op weg naar huis, nog steeds rennend, kwam ze langs de voordeur van het klooster, wetend dat het te laat was om nog naar binnen te gaan. Misschien zat Agnes nog wel op haar plek in het portaal, maar na negen uur had ze strikte orders niet open te doen voordat ze Barbara had gehaald om te zien wie er voor de deur stond. Barbara mocht zich inmiddels dan milder tegenover Anna opstellen, ze zou haar zo laat nog steeds niet binnenlaten, zelfs als Anna zou zeggen dat ze kwam om te bidden. En ze zou ook niet naar binnen mogen om Therese welterusten te gaan zeggen.

Ze snakte er verschrikkelijk naar om Therese te zien. Ze miste de fysieke aanwezigheid van haar zus voortdurend. Ze snelde verder, linksaf en nog eens linksaf, passeerde de deur aan de achterkant en hield toen halt om op adem te komen. Beklemd door de onplezierige gedachte dat ze waarschijnlijk alleen maar tegen Ravi geschreeuwd had omdat hij betere dingen te doen had dan de avond met haar doorbrengen, en zij nog zoveel energie over had en nergens heen kon. Dat was niet waar; er waren plaatsen zat waar ze heen kon gaan om haar energie weg te drinken en iedereen te laten zien dat ze heel goed in staat was om plezier te hebben. Bars en disco's zat, die begonnen net zo'n beetje warm te draaien voor de nacht, maar geen plekken waar ze wilde zijn. Als ze niet naar de kapel kon, dan wilde ze het verboden park of de stilte van de tuin hierachter om een gedempt potje te gaan schreeuwen tegen God. Ze werd van alles buitengesloten. Ze wist dat ze zich als een akelig verwend kind gedroeg, maar trapte desondanks tegen de deur aan. Met een van pijn vertrokken gezicht bekeek ze hem van dichterbij.

Hij zag er nog steeds eigenaardig kaal uit zonder het gordijn van klimop waarachter hij bijna geheel was schuilgegaan en dat rafelig was ingekort zodat er nu een paar takken als tentakels rond de deurlijst hingen, ontsnapt uit het dichte gebladerte dat de hele muur bedekte. De greep van de deur zag nog zo roestig dat het leek alsof hij in geen eeuwen gebruikt was, maar het hout van de deur was geblutst, alsof iemand er met zware laarzen een aantal keren keihard tegenaan had geschopt. Het waren onbetekenende deuken in een zwaar massieve deur, maar ze zagen er akelig agressief uit. Anna staarde ernaar in het licht van de straatlantaarn. Er reed een auto voorbij, waar dreunende muziek uit kwam; de huizen aan de overkant van de straat baadden in een zachte gloed. Niemand zou het merken. Ze dacht aan Edmund, die in de tuin gestorven was terwijl zij lag te slapen en ze werd gegrepen door een onweerstaanbare drang om er binnen te gaan. Het was eenvoudigweg niet voldoende om vanaf het dak van haar flat te spioneren.

Ze liep naar het midden van de weg, ritste de zak van haar jas waarin haar portemonnee zat dicht en schatte de afstand. Ze nam een aanloop en graaide naar de klimop. Ze bleef met gespreide benen aan de muur hangen en zocht steun voor haar voeten terwijl haar handen in de takken klauwden. De dikke klimop hield haar. Ze woog ook niet veel. Haar kleine voeten wroetten tussen de bladeren en vonden houvast. In de verte hoorde ze weer een auto aankomen en dat geluid had het effect van adrenaline. Daarna was het een fluitje van een cent. Binnen een lang durende seconde zat ze schrijlings op de muur, nog voor de koplampen van de auto langsgleden, en keek aan de andere kant naar beneden, opgetogen maar zich tegelijk een dwaas voelend. Wat was ze in godsnaam aan het doen? Onder haar aan deze kant was eveneens een geweldige wirwar van klimop, ze kon er hier met gemak van af en ook weer terug omhoogklimmen. Het deed Anna plezier zo boven op de muur te zitten; heel even dacht ze erover om triomfantelijk te gaan zwaaien. Het was achteraf gezien eigenlijk helemaal niet zo'n hoge muur, iets van vierenhalve meter; vreemd dat niemand dit eerder had geprobeerd. Maar aan de andere kant, waarom zou iemand die moeite nemen? Een klein beetje licht drong vanaf de straat ver genoeg in de tuin door om de contouren van Edmunds schuur en zijn bank af te tekenen, verder heerste er intense duisternis. De deur van de schuur stond open en de bank was leeg. Dat was een opluchting. Ze was bang geweest dat daar iemand zou zitten om naar de tot rust gekomen vogels te luisteren. Toen ze omhoogkeek, zag ze het silhouet van haar flatgebouw met de kleine ramen aan de achterkant. Ze was immers vlak bij huis. Met veel geritsel klauterde ze aan de tuinkant naar beneden.

De tuinmuren hielden de geluiden van de straat tegen en creëerden zo een tunnelachtig effect. Het struikgewas was minder dicht dan het vanaf haar hoge uitkijkpost had geleken; van boven leek het gebladerte het grootste deel van de tuin met een tapijt in verschillende tinten groen af te dekken, met nauwelijks zicht op de paden. Hier op de grond leken de grijze stenen van het pad bijna licht af te geven. Anna was nog nauwelijks in deze tuin geweest, behalve laatst, toen de dode aanwezigheid van Edmund op de bank haar blind had gemaakt voor alles eromheen. Haar idee van de indeling was ook verwrongen door haar eigen perspectief: hier beneden, in het duister waaraan haar ogen langzamerhand begonnen te wennen, leek de tuin groter en toegankelijker, al was de afstand tussen waar ze stond en het hoge raam van de kapel veel groter dan ze zich had kunnen indenken. De andere kant van de tuin verschilde hemelsbreed van de plek waar zij zich bevond, en de wereld achter de muur was ook weer totaal anders. Zonder een echt doel te hebben, maar zoals altijd aangetrokken door de kapel, begon ze het kronkelende pad af te lopen, met haar armen uitgestoken om op de tast haar weg te vinden, als speelde ze blindemannetje, onderwijl proberend de verschillende geuren die ze opsnoof thuis te brengen. Iets jeneverbesachtigs, walnoot, de mosachtige lucht van aarde, een vleugje lavendel, de olieachtige geur van coniferen en de stank van urine, sterk ammonia-achtig. Er streek iets langs haar benen wat in de struiken links van haar weggleed en weer tevoorschijn kwam, naar haar blazend met een sissend keelgeluid, dat als schreeuwen zo hard klonk. Een kat waarvan ze de kleur niet kon onderscheiden, ze kon alleen maar raden naar zijn grootte. Zijn ogen lichtten als bakens op voor hij met kwaad zwaaiende staart verdween. Anna's hart begon weer langzamer te kloppen, bijna normaal. Haar voet raakte iets glibberigs wat op het pad lag. Tot dat moment had ze iets verontschuldigends tegenover de kat gehad, totdat ze het slijmerige spul onder haar schoen vandaan veegde in het besef dat het in ieder geval iets bloederigs en vlezigs was, hoogst waarschijnlijk een onverteerd brokje van het maaltje van een roofdier. Zonder het echt te zien, had ze een soort visioen van de versmade spiermaag van een merel; ze schudde het van zich af en liep verder, behoedzaam en kwaad op de kat, omdat ze wist dat die hier niet hoorde te zijn. Die kat was de indringer, zij niet. Hij zou in een val gelokt moeten worden en weggehaald uit een tuin die als toevluchtsoord voor vogels functioneerde. Bij een bocht in het pad rook ze zwarte bessen, iets peperachtigs, kruisbessen en roest. Haar uitgestrekte hand stuitte op mosachtige steen. Ze streek eroverheen en voelde de natte zoom van het gewaad van de Heilige Michaël en zijn grote koude voeten, en op hetzelfde moment voelde ze zich dwaas en kinderachtig, want zij hoorde hier evenmin thuis en had hier zelfs minder te zoeken dan de kat. Anna draaide zich om met de bedoeling weg te lopen uit het lichtschijnsel dat vanuit de ramen kwam en terug te gaan naar de muur. Plotseling was er een verandering in de haar omringende geuren, de sensatie van iets warms in de buurt.

Er klonken geen voetstappen, ineens was daar iemand die van achteren tegen haar aanbotste en haar tegen de grond smakte. Ze brak de val met haar handen, en voelde de schok bij het neerkomen op de stenen in de botten van haar polsen. Hij had zich met zijn volle gewicht op haar gestort, was uit het niets op haar afgeschoten als een hittezoekende raket en had, *beng*, haar schouders geramd. Ze draaide zich bij het vallen, enigszins weerstand biedend aan de kracht, en gleed onder zijn graaiende handen uit, in een verwoede poging tussen de struiken weg te kruipen, als de kat. Langzamer dan de kat, gemakkelijker te achtervolgen, onhandig als was ze kreupel. Grote knuisten grepen haar bij haar enkels en vervolgens bij haar dijen terwijl ze zonder succes probeerde verder te komen op handen en knieën tot hij haar op het grijze pad tegen de grond duwde en ze dacht dat hij haar in haar nek ging bijten. Haar voeten roffelden op de grond; ze lag vastgepind onder hem, zijn lijf rustte op haar rug als was hij een dode, terwijl ze wild met haar benen spartelde en zijn hand zich om haar nek sloot, en zoals ze daar lagen, buiten adem, met zijn lendenen tegen haar achterste, voelde ze zijn pik tussen haar billen, hard als een stok. Ze worstelde met alle kracht die ze in zich had en toen hij haar enigszins losliet begon ze te schreeuwen, alle scheldwoorden die ze kende uitbrakend, zo hard dat de vogels opvlogen uit de bomen, krassend van schrik en woede, en de lichten beneden in het gebouw flikkerend aangingen. *Gore klerelijer smeerlap viezerik lul lamelos.*

'Schreeuw maar een eind weg,' fluisterde hij in haar oor. 'Te gek. Dan komen ze wel aanrennen.'

Hij trok haar omhoog en tegen zich aan, zichzelf ook oprichtend zodat het leek alsof hij haar op schoot had en zij hem gewillig omhelsde. Toen de lichten van binnen fel naar buiten schenen, tekenden hun contouren zich plots gedeeltelijk af, haar silhouet tegen het zijne, met verstrengelde ledematen, hun benen en lijven in een akelige gloed ondergedompeld. Hij trok haar overeind tot ze stond, hield haar kort in zijn armen en liet haar toen zonder meer op het pad vallen. Toen plaatste hij zijn voet op haar middel, een enorme voet, groter dan die van de Heilige Michaël, hij zou er zo haar milt mee kunnen vermorzelen als hij hem niet keurig balancerend op dezelfde plek hield, als een jager op groot wild die poseert voor een foto met pas geschoten prooi die hij geen verdere schade wil toebrengen. Zich over haar heen buigend terwijl er lichtjes hun kant uit kwamen, pakte hij haar rechter tot een vuist gebalde hand en hield die bij zijn gezicht.

'Toe dan, liefje, doe je best.'

Ze klauwde naar hem, vergeefs, krabde hem zonder schade aan te richten in zijn linkerwang. Hij pakte haar geopende hand, sloot de zijne om haar knokkels en trok de in zijn greep gevangen vingers met de lange nagels langs de andere kant van zijn gezicht.

'Brave meid,' mompelde hij, haar optrekkend tot ze op haar voeten stond en haar armen naar achteren trekkend; hij stak zijn arm tussen haar gebogen ellebogen door en duwde haar voorover. Haar schouderbladen leken tegen elkaar aan te schuren en ze begon akelig rochelend te hoesten, als een oude man die slijm uit zijn longen naar boven haalt. Hij rukte haar weer omhoog met dezelfde misleidende goedaardigheid, terwijl het haar voor haar gezicht hing, tot ze erdoorheen kijkend de ochtendjas zag van moeder Barbara, vanaf haar middel tot haar grote voeten, die door een zaklantaarn beschenen werden. Ze ving ook glimpen op van een ander uniform, van nek tot enkels, met stoffen slippers eronder die op laarzen leken en waarop Anna haar ogen gevestigd hield, terwijl ze naar de kwaaie van angst verstikte stem luisterde.

'Francis, wat is hier gaande?'

Barbara probeerde haar gezag te laten gelden, maar haar stem, zelfs met de gedempte resonantie van gepsalmodieer die er ingebakken zat, sneed schril door de stilte en daalde af naar een zwak *tut*, *tut* toen ze het tableau dat zij samen vormden bekeek. Daar stond de grote, mannelijke Francis, steunpilaar van het establishment, met krassen op zijn gezicht waaruit bloed begon te sijpelen, een gevangene in zijn greep houdend, op de ingehouden wijze waarop een hondentrainer een potentieel gevaarlijke hond in bedwang houdt, met een hand op haar gebogen hals en met de andere haar armen vastklemmend.

'Gaat het?' zei Francis tegen de achterkant van Anna's nek. 'Ik laat je los als je je gedraagt.' Hij sprak onnodig luid.

'Wat is er toch aan de hand?' riep Barbara.

'Sst. Wacht even, moeder. Ik zet haar eerst even op de bank neer. Het volgende moment zat Anna na een simpele duw van zijn krachtige hand, aan de voeten van de Heilige Michaël, waar het licht dat uit de gastenkamer naar buiten viel, aangevuld met dat uit Barbara's zaklantaarn, bijna op viel. De stemmen van Francis en Barbara leken van een andere planeet te komen. Die van haar klonk scherp.

'Wat voer jij hier uit, Francis? We betalen je niet voor de zondag.'

Hij haalde diep adem en stond daar heel bedaard in het licht van haar zaklantaarn, die aan het uiteinde van haar pols heen en weer zwaaide. Er stond iemand achter hem. Anna tilde haar hoofd op en keek in de heldere ogen van zuster Matilda, die van opzij naar haar stond te kijken, met haar vinger tegen haar lippen om haar te beduiden stil te zijn. Anna had dit advies eigenlijk niet nodig; ze kon nauwelijks praten en probeerde het ook niet. Van alle nonnen was Matilda haar favoriet, degene die ze vertrouwde simpelweg omdat zij degene was die het meest zichtbaar was, die het vaakst in de tuin kwam, een vriendelijke, bescheiden verschijning, nog net te zien vanaf het dak en daarom de meest vertrouwde van het stel; ze was vergeten haar het kruisje van Edmund te geven. Dat zat in haar zak, in afwachting van de ochtendmis, samen met Ganesha. Matilda was helemaal aangekleed, alsof ze haar sluier nooit ofte nimmer aflegde, zelfs niet in bed.

'Ach, ga opzij, Matilda.' Het licht uit Barbara's zaklantaarn werd op Anna's gezicht gericht en bescheen vervolgens haar lichaam. Haar jurk was vuil. Barbara slaakte een kreet, richtte de lichtbundel weer op Francis en liet hem rusten op de halen op zijn wang waar het bloed uit droop. Hij stak zijn hand uit naar Anna, maar liet hem toen weer langs zijn zij vallen.

'Gaat het?' vroeg hij met zachte stem. 'Ik wilde je geen pijn doen.'

Het licht van de zaklantaarn keerde beverig terug naar haar gezicht. Matilda was naar de achtergrond verdwenen. Anna deed nu iets ontzettend kinderachtigs, iets waar ze naderhand met veel meer schaamte aan zou terugdenken dan aan al het andere: ze stak haar tong uit en trok een raar gezicht. Het was dom en onaardig om zoiets te doen, het was als het bekennen van schuld, en als er al een kans was geweest dat Barbara haar kant zou kiezen, dan verspeelde ze die op dat moment van puberale opstandigheid. De stem van Francis klonk weer op.

'Ik weet dat ik hier eigenlijk niet hoor te zijn, moeder,' zei hij berouwvol tegen Barbara. 'Maar ik kwam hier op weg naar huis voorbij en zag iemand over de muur klimmen. Ik had geen tijd om u eerst te bellen, wat natuurlijk het beste zou zijn geweest. En dus ben ik achter haar aan geklommen. Ik dacht dat het een kind uit de buurt was. Ik had niet in de gaten dat het iemand was die u kende. Iemand die ik vanmorgen in de kapel heb gezien.'

Hij was een en al verontschuldiging en zelfverzekerdheid. Anna was ineens weer furieus, omdat ze zo klein was. Zijn stem klonk zo beheerst, zo vol zelfvertrouwen, zo mannelijk, hun vrouwenstemmen vielen er gewoon bij in het niet en hij trok er alle aandacht mee naar zich toe, onmiddellijk. Als zij haar mond nu opendeed zou ze alleen maar zielig klinken, als een parkietje. Een man kon dat altijd, met hetzelfde gemak waarmee hij haar tegen de grond had gegooid. Het vuil op haar jurk voelde aan als as, terwijl ze aan de stof trok om haar knieën te bedekken, in een automatische poging haar schrammen te verbergen. Ze zou zijn stem bijna zelf geloven, ondanks dat ze wist hoeveel herrie het maakte als je via de klimop over de muur klom en ze wist dat ze hem allang gehoord zou hebben voordat hij haar had kunnen overvallen. Hij had haar hier gewoon staan opwachten. Ze deed haar mond open om ertegenin te gaan en deed hem toen weer dicht. Ze dreigde misselijk te worden. Barbara's sympathie voor haar, zo daar ooit al sprake van was geweest, verdween als sneeuw voor de zon, zo snel dat woorden niet zouden baten; toen Anna er later aan terugdacht vroeg ze zich af wat ze dan tegen haar gezegd zou kunnen hebben. *Ik had twee dubbele wodka's achter mijn kiezen en had zin om over een muur te klimmen en een babbeltje met God te maken. Ik wou Hem gaan vertellen dat hij er beter uit zou zien met een langere neus.* Ja, dat zou wat zijn. Er viel helemaal niets te zeggen. De gedachte die ze had gehad voor hij haar besprong was juist geweest. Ze had hier niets te zoeken. Ze begon te beven. Barbara luisterde naar hem.

'Ik dacht dat het een kind uit de buurt was,' herhaalde hij. 'En...' Hier aarzelde hij. 'Ik dacht dat het hetzelfde kind was dat ik vorige week hier zag rondhangen op de dag dat het raam van de kapel brak. Ik dacht dat het dat kind weer was, met een katapult, of misschien wel een luchtdrukpistool. Ik kon niet het risico nemen dat het weer zou gebeuren.'

'Vuile klootzak,' siste ze. 'Gore leugenaar.'

'Houd je mond!'

Hij richtte zich smekend tot Barbara. 'Die avond, moeder, liep ik gewoon door, omdat het nog licht was en ik me er niet mee wilde bemoeien. Ik heb daar aldoor spijt van gehad en daarom heb ik vanavond wel ingegrepen. Ik dacht er niet bij na, ik deed het gewoon. Ik heb haar geen pijn gedaan, toch? Het spijt me verschrikkelijk. Ik vroeg haar alleen maar wie ze was en toen besprong ze me als een kat. Is zij bevriend met u?'

Het licht van de zaklantaarn ging steeds geagiteerder tussen hen beiden heen en weer, tot het op Francis' prachtige verwoeste gezicht bleef rusten. Ach, verwoest was het woord niet, eerder opengehaald, de krassen maakten zijn jukbeenderen nog sprekender en maakten dat hij eruitzag als... een martelaar. Dat gezicht als van een heilige van een plaatje, dat haar ogenblikkelijk zo vertrouwd was voorgekomen toen ze er vanochtend in de kapel een glimp van had opgevangen, alsof het een afgietsel was van het bijgewerkte maar toch nog lijdende gezicht van een apostel op de kruiswegstatie.

'Nee,' schreeuwde ze. 'Ik heb dat kloteraam niet gebroken. Ik kwam die middag door de voordeur binnen, vuile lul die je bent, ik was toen ín de kapel...'

Ze zat de stof van haar rok hevig in haar gebalde vuist te verfrommelen. Het beeldje van Ganesha dat Ravi haar had gegeven viel met een verdacht kloink-geluid uit haar zak; ze pakte het schielijk op en stopte het weer terug. Ze voelde zich een op heterdaad betrapte inbreker, en zo zag ze eruit ook. Een inbreker die stiekem een subversief afgodsbeeld naar binnen smokkelde, een schadelijk werktuig wegmoffelde. Niemand stelde een nader onderzoek in, maar het geluid en haar zenuwachtige gedoe wierpen een beschuldigend licht op haar. Het gouden kruisje aan de gebroken ketting lag nog op de grond te glinsteren. Ze keek toe en geloofde haar ogen niet toen Francis het in een vloeiende steelse beweging oppakte.

'Dat is van mij,' zei Francis, terwijl hij het omhooghield. 'Arm kind, was het je alleen daarom te doen?'

Barbara zuchtte. 'Anna, o, Anna, hoe kon je dat nou doen? Ik dacht dat je geen hekel meer had aan ons.'

'Dat is niet zo... ik wou...'

'Wat wil je?'

Barbara's stem klonk laag. In het licht van de zaklantaarn zag ze eruit als een bejaarde leeuwin die over een prooi gebogen staat, maar eerst wil uitleggen waarom ze die gaat opeten. Anna verloor haar laatste restje waardigheid en geloofwaardigheid door over te geven. Ze werd er zelf volledig door verrast. Braaksel spatte op Barbara's degelijke slippers en die kon een 'Jakkes' van walging niet onderdrukken. Misschien deed die meid het wel expres, net zoals ze een lelijk gezicht had getrokken en haar tong had uitgestoken.

'Misschien moeten we de politie bellen,' prevelde Francis. Terwijl ze naar haar eigen voeten stond te turen, beschenen door de zaklantaarn, werd Barbara opeens besluitvaardig. Besluiten nemen, daar was ze goed in.

'Nee, Francis, beste jongen. Dat kunnen we gewoon niet doen. We gaan nu allemaal naar binnen.' Ze richtte zich met haar besluit en het waarom ervan volledig tot Francis, alsof er verder niemand aanwezig was, erop vertrouwend dat hij Anna met zich meevoerde, terwijl zij haar ene voet gebruikte om de viezigheid van de andere te vegen.

Een zurige lucht, die helemaal niets met de tuin had uit te staan, drong in hun neusgaten. Anna voelde zich minder dan een worm.

'Anna heeft een familielid hier in het klooster,' legde Barbara aan Francis uit. 'Het zou niet aardig zijn tegenover haar zuster om hier anderen bij te betrekken. Bovendien is ze niet helemaal goed bij haar hoofd. Kom mee.'

De zwijgende Matilda ging hen voor over het pad, door de open deur van de gastenkamer tot in het volle licht binnen. Voortgeduwd door Francis volgde Anna. Aan de andere kant van de gastenkamer verdween Matilda naar het andere gedeelte van het gebouw, ze loste op als een spook. Barbara was ook niet van zins veel langer te blijven. Ze bleven niet staan te midden van de lelijke stoelen, maar volgden haar door de zwart en wit betegelde gang naar de voordeur, keken toe terwijl ze met de grendels en de sleutels worstelde tot ze de deur open had. Ze maakte een weids gebaar met een hand, alsof ze rotzooi de straat op veegde.

'Ga maar, Anna. Je moet hier maar niet meer komen. Zeg, Francis, ik vertrouw erop dat je dit kind naar huis begeleidt. Morgenochtend kunnen we wel verder praten.'

Ze ging achteruit om hen te laten passeren, gehoorzaamheid afdwingend met haar kaarsrechte postuur, zodat Anna langs haar heen liep zonder een woord te uiten van het woedende protest dat in haar keel opborrelde en op weg ging. *Je moet hier maar niet meer komen.* Barbara's woorden gonsden door in haar hoofd, haar ellende uitwissend, al het andere naar de achtergrond dringend, met inbegrip van de angst voor de man die achter haar aan liep en Barbara's nonchalante wreedheid: ze stuurde haar doodgemoedereerd sámen met hem de deur uit. Het afgrijselijke van deze daad drong pas na vijftien stappen tot haar door. Barbara had haar in het donker in de grote stad de straat op geschopt met een vijand als metgezel. Een leugenaar, een gluiperd, een gevaarlijke schóft. Ze begon te rennen, maar haar benen leken wel van gelatine. Hij haalde haar op de hoek in en greep haar vast bij haar elleboog.

'Ik moet je naar huis brengen,' zei hij, bedaard. 'Mooie meiden als jij moeten in het donker niet alleen over straat lopen.'

'Vuile lul.'

Er reden auto's langs. Aan de overkant van de straat liep een stelletje, heel normaal en geruststellend, een teken dat het nog lang geen middernacht was, en nog geen bedtijd voor mensen die een normaal leven leidden. Hij stak zijn arm door de hare en trok haar dicht tegen zich aan, in een imitatie van het stel dat in innige verbondenheid liep te wandelen. Ze liepen met stijve stappen een eindje door. Zij had het gevoel dat hij precies wist waar zij moest zijn; net zoals hij al geweten had wie ze was voordat Barbara haar op die bizarre manier introduceerde. *Anna heeft een familielid hier in het klooster.* De dingen die Anna het dierbaarst waren bevonden zich tussen die muren. Ze rukte zichzelf los.

'Ik ben de goede prins en jij de gemene schurk,' pestte hij. 'Maar je bent nog knapper dan je zus. Ik zou niet weten wie ik het eerst moet nemen.'

Hij trok haar aan haar haar naar zich toe en kuste haar, zonder zich iets aan te trekken van de zurige lucht die uit haar mond kwam. Toen duwde hij haar van zich af, zodat ze weer bijna viel. Ze hoorde hem lachen terwijl hij zich omdraaide en wegliep.

'Je hebt gehoord wat ze zei,' schreeuwde hij haar na. 'Je hoeft niet meer terug te komen. Niemand zal je binnenlaten.'

En dat waren de enige woorden die bleven nagalmen.

8

Therese was klaarwakker.

Ze had de onrust aan het begin van de avond bespeurd, zonder er echt iets van te hebben waargenomen. Ze bleef op haar kamer, gehoorzamend aan de algemene regel die voor het welzijn en de rust van hen allen was opgesteld.

Haar kamer bevond zich op de eerste verdieping in een hoek van het gebouw die uitkeek op het dak van het huis aan de overkant en met beperkt zicht op straat. De andere zusters op deze verdieping waren onder andere de oudere habijtdragende leden van de nonnengemeenschap, die Anna en zij langgeleden als pinguïns hadden aangeduid. De meeste zusters hadden een tv of een radio, en hoewel er geen bikkelharde regel bestond dat de privacy van de anderen gerespecteerd diende te worden, werd die bij voorkeur wel gevolgd. Elke kamer was spaarzaam maar niet Spartaans ingericht en voorzien van een wastafel; er was een badkamer en er waren twee wc's die in pais en vree werden gedeeld en er bestond een stilzwijgende afspraak dat iedereen 's nachts stil was. In geen van de kamers hing een spiegel.

Therese had Matilda's gewaad horen ruisen in de met linoleum belegde gang op het moment dat ze erover dacht te gaan slapen, en ze raadde wie het was door haar voetstappen, die ze uit duizenden zou herkennen. Matilda bleef altijd laat op en als Agnes 's nachts weleens lag te huilen was het Matilda die naar haar toe ging. Dan hoorde ze gedurende korte tijd een zacht gemurmel, gevolgd door stilte, en bij die gelegenheden besefte Therese altijd dat ze nooit echt deel zou kunnen hebben aan hun gedachten en de dingen die hen het meest bezighielden, omdat ze gewoon niet wist wat die waren. Ze hadden misschien een aantal omstandigheden en een bepaalde gedragscode gemeenschappelijk, maar zij waren oud en zij was jong.

De kamer van zuster Joseph bevond zich precies boven die van Therese, met aan weerszijden een lege kamer, een niet-geplande isolatie die bij toeval was ontstaan doordat een zuster naar een ander klooster was vertrokken en zuster Jude gestorven was, zodat Joseph het vrijwel exclusieve gebruik had van de badkamer op haar verdieping, wat wel plezierig was voor iemand die zo vlijtig haar eigen was deed; ze stond erop haar eigen goed te wassen in plaats van net als de anderen haar was in een zak te stoppen die op zondagavond werd opgehaald. De oude scheidingsmuren waren stevig genoeg om de meeste geluiden tegen te houden, behalve kreten, heel luid gesnurk en aanhoudend hoesten, zoals Therese nu hoorde terwijl een lange nacht zich voortsleepte in de richting van de ochtend.

Het geluid ergerde haar mateloos en ze weet het hieraan dat ze niet kon bidden. In het zwakke schijnsel van haar leeslamp had ze opnieuw de raadgeving van de Heilige Theresia van Lisieux gelezen over hoe je een irritant geluid in een offer kon omzetten. *Ik bracht mezelf ertoe er aandachtig naar te luisteren als was het verrukkelijke muziek, en mijn meditatie bracht ik door met het opdragen van deze muziek aan Onze Lieve Heer.*

Therese vond het een onmogelijke oefening en daarom beproefde ze het troostrijke, formulaire bidden van de rozenkrans, waarbij ze het begin oversloeg en meteen doorging naar het onzevader, gevolgd door tien weesgegroetjes, onderwijl angstvallig haar best doend om haar aandacht te bepalen tot de blijde geheimen van de aankondiging van de ontvangenis van Jezus en Zijn geboorte, maar in gedachten toch steeds afdwalend naar het heden. Soms waren er momenten van gezegende stilte tussen de verre hoestbuien in; dan hield ze haar adem in en bad dat het nu gedaan zou zijn. En dan begon het weer.

Therese knarsetandde en begon vervolgens aan gezichten te denken, waardoor de bron van het hoesten in ieder geval in beeld kwam. Die arme Joseph. Als je toch zo óúd was als Joseph, dan zou je je leven toch eigenlijk onderhand op een rijtje moeten hebben? Ze ging weer in bed liggen en staarde naar het plafond, waar ze, in kleur, Josephs vlekkerige gezicht in het helle wit van de verf voor zich zag en merkte dat het kijken naar dit gezicht haar ergernis jegens de bezitter ervan verminderde; en niet voor het eerst besefte ze dat ze eigenlijk een praktisch iemand was, zonder enige aanleg voor mystieke overpeinzingen. Doen ging haar beter af dan denken: ze zou nooit in staat zijn geestelijk boven zichzelf uit te stijgen zonder aandacht te schenken aan storende geluiden of zich gezichten te herinneren.

Het was, voordat ze Joseph in de kapel had gezien, nooit werkelijk tot haar doorgedrongen dat personen met een zo diep en allesomvattend geloof in God éénzaam konden zijn. Ze konden van tijd tot tijd ongelukkig zijn, dat wel; verontrust vanwege gebeurtenissen en persoonlijke tekortkomingen, belaagd door moeilijke uitdagingen, vaak ook beschaamd, maar éénzaam? Dat nooit. Het viel onmogelijk te begrijpen, want het vormde de essentie van haar geloof dat God en Zijn heiligen nimmer sliepen, dat zij nooit verzuimden te luisteren en altijd vergiffenis schonken. God was een vader die via een navelstreng met al zijn kinderen verbonden was. Vergiffenis was iets natuurlijks; Hij keerde zijn gezicht nooit af van wie schuld bekende. Mokken was heiligen vreemd en ze toonden zich ook niet teleurgesteld zoals ouders deden als je niet aan hun verwachtingen voldeed; ze waren altijd bij je, ze waren je vrienden en je familie voor je hele leven en ook nog daarna. Dus hoe kon je dan eenzaam zijn, zelfs al was je treurig? Boeten voor je tekortkomingen stond gelijk aan vergeven worden.

Maar toch was Joseph dat geweest: door en door eenzaam, zo eenzaam dat je hart ervan omdraaide, niet meer in staat om door een ander te worden opgevangen, buiten bereik van vragen. Die gedachte joeg Therese schrik aan omdat ze niet snapte hoe zoiets had kunnen gebeuren. Het hoesten begon weer. Ditmaal wekte het eerder medelijden dan irritatie op. Als Joseph geen hulp bij iemand zocht, was het niet aan haar om zich met haar te bemoeien, ze kon het op zijn hoogst aan haar superieuren doorgeven en het aan hun wijsheid overlaten om naar een oplossing te zoeken. Als ze iets anders deed, verergerde ze haar daad van ongehoorzaamheid die ze gisteren had gepleegd.

En toen drongen andere favoriete woorden tot haar brein door. *De liefde is lankmoedig, zij is goedertieren; de liefde is niet afgunstig; de liefde handelt niet lichtvaardig, zij is niet opgeblazen; zij handelt niet ongeschikt, zij zoekt zichzelf niet, zij wordt niet verbitterd, zij denkt geen kwaad; zij verblijdt zich niet in de ongerechtigheid... Al ware het dat ik de talen der mensen en der Engelen sprak, en de liefde niet had, zo ware ik een klinkend metaal of huilende schel geworden...*

Therese knoopte haar dikke nachtjapon tot aan haar nek dicht, glipte haar kamer uit en sloop door de gang naar de trap. Door de kieren langs Matilda's deur scheen licht naar buiten, maar zelfs als ze wakker was, zou ze haar niet horen. Therese had zich de kunst van het zich geluidloos voortbewegen hier niet hoeven aanleren: ze beheerste die blijkbaar al voordat ze hier gekomen was, ze kon zich niet herinneren zich ooit op een andere manier te hebben bewogen. De deur van Josephs kamer was eveneens met licht omlijst. Dat was een opluchting voor haar; ze bespaarde tenminste niet op elektriciteit door zich in duisternis aan haar ellende over te geven. Therese klopte zachtjes aan, maar ging naar binnen zonder daartoe genood te worden. Er hing een muffe lucht in de kamer, ook al stond het kleine raam wijdopen, en Joseph hing boven de wastafel. Ze keerde zich met een onheilspellende woedende blik om naar haar bezoekster en begon toen water tegen haar gezicht te plenzen. De voorkant van haar witte nachtjapon was bespat met bloed.

Therese slikte. De bloedspatten staken helrood af tegen het wit van de oude nachtpon, die Joseph zelf gewassen moest hebben. Ze was klaar met het wassen van haar gezicht. Haar braakaanval was over en haar huid was wit als gips. Therese bleef bedremmeld naar haar staan staren terwijl ze haar gezicht afdroogde. Joseph glimlachte. Haar glimlach had altijd iets sardonisch, alsof ze zich ertoe moest dwingen.

'Hallo, kleine Therese. Kom je me weer helpen? Kun je me mijn andere nachtpon aangeven – daar, in de kast. Als ik deze niet in de week zet, krijg ik de vlekken er niet meer uit.'

Therese deed wat haar gezegd was. Er lag een opgevouwen nachtpon, identiek aan die die Joseph aan had, op de bovenste plank van de kleine kledingkast, die verder alleen nog een jas, een blouse en een paar schoenen bevatte. Ze pakte de nachtpon en bleef ermee in haar handen staan tot Joseph hem eruit rukte.

'Draai je om, kind.'

Therese ging met haar gezicht naar de deur staan en hoorde het ritselen van katoen toen Joseph de bevuilde nachtpon over haar hoofd trok en de schone aantrok. Alleen als er sprake was van ziekte waren zusters op een zo intieme wijze bijeen. Therese wist dat ze een dood lichaam wel aan zou kunnen, maar ze zou het vreselijk vinden om Joseph naakt te zien.

'Zo, dat is beter. Je kunt je weer omdraaien.'

Therese draaide zich om. Joseph bukte zich om de nachtpon die op een hoopje bij haar voeten lag op te pakken, kreunend van inspanning.

'Laat mij...'

'Néé!'

Ze keek toe terwijl Joseph het bovenstuk van de nachtpon in de wasbak begon te spoelen, die hier te klein voor was. Alles in de kamer was klein. Therese voelde zich in haar eigen, identieke kamertje passen alsof het voor haar was gemaakt, maar kon zich voorstellen dat Joseph, die lang, mager en onhandig was en twee keer zo zwaar was als zij, zich in de kleine ruimte wel vaak zou stoten als ze zich klaarmaakte om naar bed te gaan. Ze keek toe, gehypnotiseerd door het roze kleurende water, terwijl Joseph doorging met spoelen. Reinheid is verwant aan goddelijkheid, maar ze vond het een eigenaardig iets voor iemand die haar lichaam zo graag vergiftigde, om van haar geest nog maar te zwijgen. Misschien was het wassen een geheim soort boetedoening; misschien stak er een bedoeling achter. Joseph begon te bibberen.

'Ga in bed liggen, zuster. Ik maak het wel af.'

Joseph zette slingerend de twee passen naar haar bed, dat ook al te klein leek voor haar. Het raam was ernaast, met de gordijnen opengetrokken, waardoor een glimmend nieuw haakje zichtbaar was dat zorgde dat het raam open bleef staan. Dat iemand die ouder was dan zij haar zomaar gehoorzaamde was voor Therese een verontrustende nieuwigheid. Ze wrong de nachtpon uit en drapeerde hem over de wastafel. Toen pakte ze het kussen van de enige stoel die er stond en stopte het onder Josephs hoofd als extra steun.

'Dank je, kind. Je bent heel lief. Dat je er op aarde voor beloond mag worden, in plaats van in de hemel.'

Therese ging uiterst behoedzaam op de rand van het bed zitten. 'Wat is er met u aan de hand?' vroeg ze recht voor zijn raap. Ze had zich afgevraagd of het verstandig zou zijn om te vragen: 'Wilt u dat ik Barbara roep, of de dokter, of wie dan ook?' maar ze wist dat het antwoord nee zou zijn.

'Cirrose, kind. Opgelopen door mijn dienstbaarheid aan Jezus, in verre streken.'

Therese wist wat het betekende. Ooit was de medische encyclopedie voor haar en Anna een soort bijbel geweest, waarin ze hun eigen symptomen opzochten, zonder er echter ooit wijzer van te worden. Ze begonnen bij de a en werkten het door tot en met de z. Hun moeder had hen hiertoe aangemoedigd.

'Dus van drank kunt u doodgaan.'

'Met een beetje geluk gá ik eraan dood.'

'Is dat de reden dat u drank wilt?'

Joseph friemelde aan de boord van haar nachtpon. De bruine levervlekken op haar handen leken op misvormde sproeten, formaat extra large.

'Mogelijk. Ik wil het eigenlijk vooral omdat ik er behoefte aan heb en omdat het leven zonder drank volslagen zinloos, saai en onbetekenend is. Niet de moeite waard. Breek je er het hoofd maar niet over, kind. Je zou het toch niet begrijpen.'

'Nee, zuster, ik begrijp het ook niet. Ik kan niet...'

'Zuster Jude begreep het wel,' vervolgde Joseph. 'Maar ja, Jude begreep alles, die ouwe oplichtster.'

'Oplichtster?'

'Wat kon die vrouw liegen. Ik heb nooit iemand gekend die haar meningen beter voor zich wist te houden, wat gelijkstaat aan liegen. Niemand is in mijn meningen geïnteresseerd, zei ze altijd. Ik schrijf ze achter op bidprentjes om ze zo beknopt mogelijk te houden en dan stop ik ze in mijn missaal. Dat zei ze.'

'En wat doet u met uw meningen, zuster?' vroeg Therese, in een poging het gesprek een luchtiger wending te geven.

'Ik slik ze in hun geheel in en hoest ze er weer uit.' Ze lachte droog. Ze begon slaperig te worden; de lijnen in haar gezicht werden er zachter door.

'U bent blijkbaar vergeten om God om bijstand te vragen.'

Josephs ogen vlogen weer open. Ze had geweldige pret. 'O, die? Lieverd, we zijn al tijden uit elkaar. We zaten op een compleet andere golflengte. Dat was over en uit. De zend- en ontvanginstallatie helemaal aan diggelen. Weg verbinding. Klop, klop, klop, is daar iemand? Nee, niemand. Ik zei tegen God: God, wat ben jíj saai. En toen was Hij weg.'

Als Joseph had gespuugd of in haar bed geplast, was Therese lang niet zo geschokt geweest. Ze worstelde met het idee dat je zelfs maar zou kunnen geloven dat God de Vader simpelweg op zou stappen, zoals haar vader had gedaan, en een geweldige leegte zou achterlaten.

Ze wist dat een dergelijk beeld iemand als Anna wel zou aanspreken, en ook iemand als Kim, die nooit over die drempel was gegaan of die aanwézigheid had ervaren, als twee armen die zich om je heen sloten, maar voor een oude vrouw die haar hele leven in dienst van de Heer had gesteld, leek het een weerzinwekkende erkenning van plichtsverzaking. Iemand die God kende, zou Hem nooit wegsturen; dat zou Hij niet toestaan. Het was onmogelijk iets te verliezen dat zo wezenlijk van jou was en net zozeer onderdeel van jezelf uitmaakte als het bloed in je aderen. De martelaren waren liever gestorven dan dat risico te nemen; en, zo dacht ze, dat zou zijzelf ook doen.

'Vind je dat onvoorstelbaar? Misschien is geloof een geschenk, Therese, maar ik zou er niet op vertrouwen dat het iets permanents is. Het kan je zomaar in de steek laten, of jij maakt je er zelf van af. En als het weg is, dan kun je nog zo je best doen om het terug te krijgen, maar dat lukt je niet, wat die stomme Heilige Theresia ook mag beweren. Zodra het besef begint te dagen dat het wel eens zo zou kunnen zijn dat de mens God heeft geschapen om het zichzelf gemakkelijk te maken in plaats van andersom, dan gaat Hij er op een holletje vandoor. Laat het licht van de rede schijnen en Hij is nergens meer. Dan blijkt Hij net zo onbetrouwbaar als al het andere dat synthetisch is en door mensen is gemaakt.'

Ze lachte weer, maar zonder humor. Therese hield haar ogen op de beddensprei gevestigd, om aan haar kritische blik te ontsnappen en het heftig bonken van haar hart tegen te gaan.

'Hoevelen van ons geloven waarachtig, Therese? Hoevelen van ons in dit klooster? Wij, de gelovigen bij uitstek? Wat houdt ons bezig, denk je? Agnes droomt van haar bastaardzoon die ze haar hebben afgepakt. Ze ziet hem in elke jongeman die ze tegenkomt, ook al moet hij zelf onderhand ook al oud zijn. Barbara denkt aan God de Heer als een risico van het vak. Die arme pastoor Goodwin moddert verder met de armzalige restjes geloof die hij heeft weten te behouden. Die lieve Matilda, tegen wie ik niet meer durf te praten, omdat ik bang ben dat ik haar besmet... Matilda zit de hele dag tegen de Heilige Michaël te babbelen, die haar waarschijnlijk doet denken aan iemand die ze ooit in een film heeft gezien. Hij is niet voor niets de schutspatroon van politieagenten en andere fascistische zwijnen. Het gaat niet om eredienst, maar om blinde heldenverheerlijking. Iedereen heeft zijn eigen God. We maken ons een God die het beste bij ons past.'

Therese wilde haar toeschreeuwen dat ze op moest houden. Het was niet waar, er klopte niets van wat ze zei. Het was de drank die sprak, ook al was Joseph op een ziekelijke manier nuchter. Drank dreef mensen tot waanzin: Anna werd er gemeen van, haar vader een zielenpoot, het was een duivels goedje. Morgen zou ze naar Francis gaan en hem eens goed vertellen wat hij had aangericht... Nu was ze op een bedaarde manier kwaad.

'Als u niet gelooft, zuster, en als u het gevoel hebt dat God u heeft verlaten, waarom blijft u dan nog?'

'Doe niet zo naïef, kind. Waar zou ik heen moeten? Wat héb ik om ergens anders heen te kunnen? Nee, ik heb de Kerk het beste van mezelf gegeven, en nu kan de Kerk het slechtste van me krijgen.'

Ze trok de dekens tot over haar kin op, zodat Therese alleen nog haar vurige, spookachtige ogen kon zien.

'Het spijt me, kind. Ik ben afgrijselijk onaardig. Eenzaamheid zou niet besmettelijk moeten zijn. Je kan maar beter nog een schoonheidsslaapje gaan doen. Ik heb liever niet dat je Barbara over mijn gehoest vertelt. Ze heeft al genoeg aan haar hoofd. Het zou voor geen van ons beiden een *charitatieve daad* zijn.'

Therese knikte, in het bewustzijn dat ze een belofte deed. Joseph sloot haar ogen. Aan de andere kant van de deur, waar het eerste daglicht door het hoge raam aan de overkant over de vloer streek, bleef Therese even staan. In plaats van linea recta terug te gaan naar haar kamer, liep ze naar die naast Joseph, waar zuster Jude had gewoond. Hij was schoongemaakt, maar nog niet alles was weggehaald. De nonnen en Judes verwanten hadden allemaal iets van haar planken meegenomen, ofwel als aandenken, ofwel omdat ze iets mooi vonden. De keuze was beperkt geweest. Poëzie, proza, een minimum aan stichtelijke werken, een maximum aan muziek voor haar walkman, die was meegenomen, haar radio, die ook was meegenomen, zodat er alleen nog wat literaire souvenirs waren achtergebleven. Therese merkte dat ze op zoek was naar de plek waar het missaal had gelegen, herinnerde zich dat ze het voor Anna had meegenomen omdat Jude van Anna hield. Anna die deed wat Jude het meest beviel: ruziën, stennis trappen, vragen stellen en antwoorden eisen, Jude zwaar op de proef stellen, de ouderdom tegen de jeugd, zodat ze kwaad werden op elkaar. Therese zou zoiets nooit gedurfd hebben, sterker nog, ze zou het niet eens willen. Ze had een hekel aan confrontaties. Voor haar was gehoorzaamheid altijd iets natuurlijks geweest. Jude had haar om die reden nooit gerespecteerd. Haar geheiligde tante had een voorliefde voor zondaars, geloofde niet in wat haar eigen moeder haar door haar voorbeeld had geleerd: *Wees braaf, zoet kindje van me. En laat het aan anderen over om slim te zijn.* Het was Jude die haar had afgeraden haar roeping te volgen; Jude die had gezegd dat een kind nooit iets moest doen omdat haar moeder het wilde. Maar dat was niet de reden dat ze het gedaan had. En ze had zich ook niet bij de orde aangesloten omdat ze dacht dat het gemakkelijk zou zijn. Ze had het gedaan omdat het voor haar iets volkomen natuurlijks was en omdat ze ervan overtuigd was dat dat ook zo zou blijven. Op de terugweg naar haar eigen kamer, dankbaar dat de dageraad aanbrak, betrapte ze zich erop dat ze jaloers was op Anna. Ze zou willen dat ze iets van haar kwaaiigheid bezat en ook iets van haar straatvechtersmentaliteit, zodat ze zou weten hoe ze moest optreden tegen Francis, die simpelweg door Joseph haar eigen vergif te leveren, haar in de waan had gebracht dat ze haar geloof kwijt was. Je kon spugen op het geloof, je kon ertegen tekeergaan, maar verliezen kon je het nooit. Wat een onzin. Ze zou naar Francis toe gaan en hem te verstaan geven dat hij dit niet meer mocht doen en dan kwam alles weer in orde. Ze zou een beroep doen op het goede in hemzelf, het goede zoals dat in iedereen te vinden was. Terwijl ze haar eigen nachtpon uittrok, haar daagse kleren aantrok, en vervolgens haar gezicht waste voordat ze haar haar met schuifjes naar achteren deed, bekroop haar stiekem de tot dan toe ongekende gedachte dat ze liever een wat betere, minder kriebelige nachtpon zou willen hebben, en dat mocht ze ooit sterven, wat vooralsnog een verre mogelijkheid leek, ze ook wel graag meer dan één paar schoenen zou bezitten.

Kim kwam vroeg die ochtend. ‘Het enige wat die lul wel ’s doet,’ mopperde ze, ‘is die kleine rotzakken hun brood geven en naar school brengen. De lul. Ik zit liever hier dan thuis. Wat een gekkenhuis. Hé, Tresa, ben je wakker of hoe zit ’t? Hoe lang zit je hier al te zitten? Doe je je mond nog een keer open? Anders kan ik net zo goed weer naar huis gaan.’

De keuken was heerlijk leeg, een plek die wachtte om tot leven te komen. Therese fleurde er immens van op. Hier was ze het liefst, er was niks mis mee om Maria te zijn en niet Martha en ze had verschrikkelijk veel behoefte om even te lachen. Dus zuchtte ze eens hartgrondig en stortte zich vervolgens in de vertrouwde maandagochtendroutine die zij en Kim tot in de puntjes ontwikkeld hadden.

'Nou, ik ben echt een beetje moe, om je de waarheid te zeggen. Zeg maar afgepeigerd, Kim. Die weekenden hier zijn ook zo héftig. Zaterdagnacht wezen stappen, joh, te gek. Wodka met ketchup, heb je dat weleens geprobeerd? Dodelijk spul. Zondagochtend God mag weten waar wakker geworden met de zusters, even weer een beetje ontnuchteren en stoeien met de paters. Toen weer hierheen voor een lijntje coke met een baconburger. Je kent 't wel. Heel vermoeiend.'

'Zo ken ik je weer. Ik dacht effe dat je voor lijk lag. En, heeft iemand die lekkere Francis nog te pakken genomen? Nee?'

'Nee, we hebben lootjes getrokken. Maar we kwamen tot de conclusie dat hij het meer op kerels had.'

'Nee toch! Verbaast me anders niks. Zo'n mooie jongen.'

'Wat verbaast je niks? Nonnen aan de coke?'

'Nee, Francis een homo. Die naam alleen al, dat haar van 'm, je weet wel. Zonde en jammer. Ach, wat maakt 't uit? 't Blijft een lekker dingding.'

Therese ging erbij zitten, zich plotseling in alle hevigheid bewust van haar verschrikkelijke onwetendheid. Ze kon dit spelletje nooit lang volhouden.

'Hoe weet je of een man homo is?'

Kim stond melk in een kan te schenken. Het water in de ketel begon te koken. Alles zag er vrolijk uit en over enkele ogenblikken konden ze gaan eten. Therese had een geweldige honger.

'Of een man homo is? Dat weet je niet. Alleen zien ze er vaak lekkerder uit dan goed voor ze is en soms lopen ze met hun piemel uit hun broek. Ze houden van parfum en ze gaan heel vaak in bad. Dat soort dingen. O, en ze weten hoe ze het vrouwen naar de zin moeten maken. Als ik er zo eens over denk gaat dat helemaal op voor Francis. Homojongens kunnen heel goed met meiden overweg. Ik bedoel, ze práten met ons, dat doen andere kerels niet.'

'O.'

'Zonde dat geen van jullie 'm gepakt heeft. Wil je koffie tegen je kater?'

'Alsjeblieft.'

'Ik denk dat jij eens wat vaker thuis moet blijven, Tresa. Duik eens een keertje wat vroeger je nest in. En laat Francis je dan instoppen.

Als hij homo is, kan je niks gebeuren, al gooi je je slipje in z'n gezicht. O, trouwens, daardoor denk ik er weer aan. Vandaag moeten we de was doen. Voor het ontbijt moeten we al beginnen.'

De waszakken die wekelijks bij de zusters werden opgehaald, lagen in de bijkeuken, waar de boiler was, waslijnen hingen en een grote herriemaker van een wasmachine stond.

'We moeten Francis maar eens naar de wasmachine laten kijken, Tresa. Dan kun jij ook kennis met hem maken, net als de anderen. Wat jij doet is alleen maar naar hem glimlachen en er dan als een speer vandoor gaan. Je hebt nog geen woord tegen hem gezegd, of wel?'

'Nee, maar ik wil wel met hem praten.'

'Jij stoute meid! Waarom dan?'

'Ik wil hem vragen geen boodschappen meer te doen voor zuster Joseph.'

'O, doet-ie dat dan? Ach, ik kan 't 'm niet kwalijk nemen. Ze is heel vasthoudend. Ze vroeg het mij ook steeds en het viel niet mee om nee te zeggen. Zo'n lief jong kereltje als Francis is natuurlijk de klos. Ze maakt hem natuurlijk gewoon wijs dat hij een goeie daad verricht.'

Therese zat als vastgenageld op haar stoel. Wat wist ze toch ontzettend weinig. Zowel over lichamelijke als geestelijke dingen. Ze spanden allemaal samen om haar te beschermen.

'Ik begrijp niet waar ze het geld vandaan haalt.'

'Ze heeft wat geld van d'r eigen. En ik kan wel merken dat jij niet degene bent die de collectebus bij de kapel poetst. Iemand haalt iedere week de bodem eraf en pikt er wat uit voordat het geld geteld wordt. Eitje. Voel je je wel goed, Tresa?'

Ze voelde zich helemaal niet goed, opnieuw was ze zo geschokt dat het haar voor de ogen draaide. Die arme Joseph was werkelijk voor de eeuwigheid verdoemd, al helemaal in de ogen van moeder Barbara. Ze dronk van haar koffie en wenste dat die sterker was.

'De was,' zei ze.

De was verzorgen van een tiental vrouwen leek in niets op de taken die de Heilige Theresia in de kille kelder van haar klooster had moeten vervullen, in strijd verwikkeld met vuil water en smerig zeepsop. Het behelsde simpelweg het sorteren van de inhoud van de waszakken tot twee hopen ontstonden, ruwweg de verdeling tussen fijne en normale was. De normale was vormde de grootste berg, maar het sorteren had voor Therese altijd iets van spioneren. Iedere non deed haar ondergoed in de zak waarin ze het weer schoon terug zou krijgen. Er waren hele stapels zakdoeken, die blijkbaar onmisbaar waren. Therese had een hekel aan de zakdoeken, terwijl Kim altijd moest lachen of meesmuilen over de rest van de was. Zo waren daar Agnes' flanellen slips, die ze zomer en winter droeg, Barbara's monsterlijk grote, onverwoestbare beha, de soms onchristelijk versleten flanelletjes waaraan anderen de voorkeur gaven, en de oerdegelijke schoolmeisjesachtige spullen van de jongsten, onder wie Theresa zelf, alles zonder een spoor van kant of wat voor versiering dan ook. Behalve de zakdoeken dan, textiel dat de nonnen vaak van familieleden ten geschenke kregen, omdat hun verder nauwelijks iets te geven viel. Geborduurde zakdoeken, bonte zakdoeken, zakdoeken van linnen en zakdoeken van zij. Matilda gebruikte er minstens twaalf per week. Ze vormden het hoofdbestanddeel van haar wasgoed. Ertussen verstopt, onder in haar waszak, zat een mes.

Geen geweldig slagersmes, maar toch niet ongevaarlijk. Een fruitmesje met een heft van gedraaid touw en een kort lemmet, dat eruitzag alsof het op een wetsteen geslepen was tot het zo scherp was als een scalpel. Als Therese de zakdoeken er niet zo omzichtig van afkeer had uitgehaald zou ze haar vingers aan de scherpe punt verwond hebben. Ze legde het boven op de wasmachine en ze keken er met z'n tweeën naar. Een waszak was heel goed als verstopplek, maar wat moest zij met een mes? En nog wel zo'n scherp mes?

Barbara's stem drong door vanuit de keuken. '*Benedicamus Domino*!'

'*Deo Gratias*,' mompelde Therese, terwijl ze het mes in de zak van haar tuniek liet glijden terwijl Kim doorging met haar werk alsof er niets aan de hand was. Geheimen bewaren was onderhand een tweede natuur van haar geworden.

Kim pakte het laatste kledingstuk, zwaaide er als met een vlag mee boven haar hoofd, stopte het in de wasmachine en deed het deurtje met een klap dicht. Barbara verscheen, haar voeten vulden de drempel van de bijkeuken als stond ze op het punt naar binnen en om hen heen te stromen, als lava. In haar normale doen spreidde ze een onverslaanbare opgewektheid tentoon, terwijl haar onderzoekende ogen elk detail in zich opnamen en een glimlach op haar lippen bestorven lag. Vandaag ontbrak de glimlach. Ze zag er onvermoeibaar, maar niettemin moe uit. Kim klaagde dagelijks dat ze het mens haatte, een opmerking die Therese allang vertaald had als een goedaardig soort angst en een verschrikkelijke afkeer van gekoeioneer. Voor Therese was Barbara iemand uit andere sferen. Ze was in haar herinnering de eerste volwassene die haar serieus had genomen en haar vrees voor haar kwam voort uit ontzag. Barbara was de belichaming van alle hogere autoriteiten, de vertegenwoordigster van de regel die ze gehoorzaamde en degene die het antwoord wist op alle vragen. Maar juist op dit moment, terwijl Barbara's voeten en boezem de kleine ruimte dreigden op te vullen, kon ze alleen maar aan die boezem denken en aan de kolossale bustehouder die Kim zojuist in de ronde muil van de wasmachine had gepropt.

Het ding dat in het zicht in de machine lag, leek onderdeel van een komische wapenrusting. Therese keek ernaar alsof ze het nooit eerder had aanschouwd. Barbara's postuur maakte deel uit van haar gezag. Ze droeg haar boezem hoog, zodat hij haar vooruitging, als een vrouw die een doos droeg, en alleen zij tweeën hier in de bijkeuken wisten wat voor stellage hieraan te pas kwam.

'Mooi zo, jullie zijn aan het werk, zie ik.'

Ze was een beetje geagiteerd, maar haar solide boezem trilde voor geen centimeter. Twee witte beha's had ze, van katoen, met beugels, grijze schouderbanden en zes haakjes en oogjes. Als ze opgewonden was, vergat ze zacht te praten en ze had er vanochtend niet aan gedacht haar haar te kammen.

'Altijd, moeder,' zei Kim ingetogen.

'Prachtig,' zei Barbara. 'Ga zo door! Wie hard doorwerkt, komt gauw klaar. Therese, na het ontbijt wil ik je even spreken.'

Ze stevende de deur uit en zodra het geluid van haar krakende schoenen was weggestorven begonnen ze allebei zenuwachtig te giechelen.

'Wat weet zij nou van klaarkomen?' vroeg Kim.

'Waarschijnlijk meer dan ik,' zei Therese, zonder helemaal zeker te weten wat ze bedoelde. Kim moest zo lachen dat het mes voor even vergeten was.

Laat zijn met het ontbijt, dat zou je eigenlijk een zonde moeten noemen. Al had ze nog zo'n honger, ze zou niet ontbijten, als boetedoening voor het lachen waarvan ze het gevoel had dat, zo het niet zondig was, het daar toch dicht bij in de buurt kwam.

Zonden waren er in gradaties. Je had de dagelijkse zonden – smoezen verzinnen, jokken, het vergeten van heilige dingen. Therese had de catechismus tot zich genomen zoals andere kinderen leren tellen, maar de definitie van wat een zonde tot een doodzonde maakte en welke nog vergeeflijk was, was veel lastiger. Er was geen rechtstreeks verband tussen deze twee. Vergeeflijk waren de dagelijkse zonden, ze konden gemakkelijk worden uitgewist, maar een doodzonde sneed de ziel van God af. Als mensen stierven met een niet-gebiechte doodzonde op hun geweten konden ze in het hiernamaals nooit verenigd worden met de God die hen had geschapen. De gedachte alleen al was angstaanjagend: de dreigende mogelijkheid voor altijd datgene te verliezen wat geluk en veiligheid kon schenken. Desondanks wist ze nooit helemaal zeker wat voor soort zonde hiervoor nodig was. Een zonde waarmee je God een klap in Zijn gezicht geeft, zo omschreef Jude het altijd. Een echt ernstige zonde. Je geweten zal het je wel vertellen als je die begaan hebt, zelfs als de reacties van anderen het je niet duidelijk maken, want je zult jezelf verachten en weten dat je Vader erop wacht dat je bekent wat je gedaan hebt en je leven betert. Het is iets wat je in je botten voelt. Maar wat voor zonden zijn het dan, had ze gevraagd. Is er een lijst van? Nee, nee, die bestaat niet, behalve de tien geboden en de catechismus.

Het enige wat Therese wist terwijl ze rond de eettafel in de weer was, melk en vruchtensap uitdeelde en uiteindelijk met gebogen hoofd tijdens het gebed bleef staan, was dat ze voelde dat ze in staat van zonde verkeerde en daardoor niet in staat was de woorden *Heer, zegen ons en deze gaven, die wij van uw mildheid zullen ontvangen. Door Christus, onze Heer. Amen* mee te zeggen. Haar honger was verdwenen en ze maakte kleine bolletjes van haar brood om niet te hoeven eten, terwijl ze wist dat het verspillen van voedsel hier als een veel ergere zonde werd beschouwd dan te veel eten. Ze had naast Matilda moeten gaan zitten, die zou alles wel voor haar opgegeten hebben. Maar waar bestaat mijn zonde uit, vroeg ze zich steeds weer af, woedend, terwijl de bolletjes brood haar in de keel bleven steken. Ik heb naar Josephs ketterij en roddelpraat geluisterd en ik heb haar geholpen haar zonden te verbergen. Ik heb Barbara uitgelachen en haar niet gehoorzaamd, in ieder geval in de geest. Volstaat dat om me zo'n slecht gevoel te geven dat het om een doodzonde gaat? Vergeef me, Heer. Ze keek naar het gezicht van Matilda die haar ongerust van halverwege de tafel zat op te nemen en merkte dat haar blik haar argwaan opwekte. Matilda's mes zat in haar zak; Matilda wilde Anna spreken; ze hadden geheimen samen. Agnes, vermeende moeder van een kind, zat naar de deur te staren, als verwachtte ze een visioen te zullen zien opdoemen. Joseph zat er sereen bij. Ze wachtte helemaal tot het eind, toen Therese de borden aan het verzamelen was en de anderen al weg waren, benaderde haar toen van achteren en tikte haar op de schouder.

'Therese, lief, ik moet me bij je verontschuldigen dat ik je last heb gegeven. Dat was heel zelfzuchtig van me.' Ze aarzelde, maar dat had niets met haar geweten van doen. Ze zag er verrassend gedecideerd en fris uit, als een vrouw die heel goed in staat was een heel nieuw leven voor zichzelf te verzinnen, en ze keek Therese onderzoekend maar vriendelijk aan, als om vast te stellen of Therese zich ook maar iets kon herinneren van wat ze had gezegd. Althans zo interpreteerde Therese het met haar sinds kort achterdochtige geest.

'Het was helemaal geen moeite, hoor. Daar hoeven we het niet eens over te hebben.'

Ze begon al net als de rest te worden, ze zocht het in oeroude clichés.

Joseph knikte. 'Maar er is nog iets wat ik tegen je zou willen zeggen, kind. Ik zei iets over het missaal van zuster Jude. Kijk er maar niet in. Ze heeft erin opgeschreven hoe ze over je moeder dacht.'

Ze liep weg toen Matilda steels weer binnenkwam; Matilda boog glimlachend haar hoofd in de richting van de verdwijnende rug van Joseph en legde toen haar hand op Thereses schouder. In haar nerveuze toestand van verhoogd bewustzijn drong zich aan Therese de indruk op dat de twee vrouwen zich op een andere manier zouden willen gedragen.

'Therese, liefje, vergeet je niet tegen Anna te zeggen dat ze bij me langs moet komen? Dat wil zeggen, als Barbara zo verstandig is haar weer toe te laten.'

Therese was aan verwarring ten prooi. 'Natuurlijk, zuster, maar ik weet nooit precies wanneer ze komt.'

'Nee, maar als ze ooit nog komt... Ach, dat zal toch wel? Het is heel belangrijk dat ik haar spreek.'

Therese zou Anna het liefst meteen zien. Ze verlangde heftig naar contact met haar zuster van vlees en bloed. Verlangde ernaar haar stem te horen, zelfs als die spotte. Ze zou haar misère willen voorleggen aan iemand die niet op God afging om er een oplossing voor te vinden, en ze zou voor de verandering weer eens willen worden aangeraakt door iemand die niet oud was. Oude lichamen, oude luchtjes, oud, oud... oude zonden.

Barbara's werkkamer, met de slaapkamer erachter, bevond zich naast de gastenkamer, aan de zwart met witte gang. Agnes had haar post bij de voordeur alweer betrokken. Deze dag en deze week begon als elke andere van het afgelopen jaar, maar zonder het optimisme dat haar aan de gang hield en zonder het troostrijke gevoel dat alles góéd was. De drie jongere nonnen die nooit iets tegen haar zeiden, zoals op middelbare scholen ouderejaars niet met beginnelingen praatten, waren met hun gebruikelijke bedaarde doelgerichtheid vertrokken om les te gaan geven. Zonder dat ze het zich echt bewust was, had Therese een flinke afkeer van hen ontwikkeld, omdat ze het air hadden heel belangrijk en nuttig bezig te zijn. Zij hadden het recht om 's avonds uitgeput te zijn en ze hadden de oudere nonnen die eenzelfde soort carrière achter de rug hadden altijd meer te zeggen dan ze haar ooit zouden doen. Martha en Maria, daar kwam het altijd weer op neer. Ze was plichtsgetrouw opzij gegaan om hen te laten passeren en had Agnes de deur naar de buitenwereld zien openen, terwijl ze hen tjirpend als een eekhoorn gedag zei. Toen Agnes de deur alweer half gesloten had, net zo efficiënt als ze hem altijd opende, wat Therese de zure gedachte inblies dat ze liftbediende had moeten worden – *Wat was er vandaag in vredesnaam met haar aan de hand?* – maakte ze een sprongetje achteruit om hem weer wijd te openen. Haar glimlach, van opzij gezien, was er een van zuivere adoratie, een glimlach die paste bij spirituele extase, en ze spreidde haar armen. Francis stapte naar binnen, tilde haar op in een omhelzing en draaide haar in het rond alsof ze totaal niets woog. Agnes was haar neiging om te schreeuwen te boven gekomen, maar maakte in plaats daarvan nu kleine piepende geluidjes van plezier en protest. Hij was zo sterk, hij kon precies bepalen hoe ver hij haar plompe lichaam, dat hij vasthield aan de gordel om haar middel, kon laten zwaaien zodat haar voeten slechts enkele centimeters van de grond verwijderd bleven en ze geen ogenblik bang hoefde te zijn voordat ze zich weer met beide voeten op de vloer bevond en naar haar ouwe trouwe plekje werd geleid en hij behendig een kus op haar linkerwang drukte.

‘Hoe gaat het met m’n lieve jongen?’ teemde ze.

‘Kan niet beter, moeder. Maar ik moet gaan, ik moet aan het werk.’

‘Natuurlijk, lieve jongen, natuurlijk.’

Vlak bij de voordeur was het licht niet best als de deur dichtzat en met Agnes’ gezichtsvermogen was het nog slechter gesteld. Ze was tevreden met haar omhelzing, ze klopte hem op zijn arm en moedigde hem aan door te lopen, zonder zijn gezicht goed te kunnen zien. De zwart en wit betegelde gang voerde naar de tuin en naar de rest van het gebouw. Hij botste tegen Therese toen hij deze inliep – zij bewoog zich net iets minder snel dan hij –, heel licht maar, zijn elleboog raakte heel even haar schouder, maar toch bleef hij staan om zijn excuses te maken.

‘Neem me niet kwalijk, het spijt me,’ zeiden ze tegelijk, terwijl zij meteen weer opzij ging om hem door te laten. Ze was het spuugzat om steeds maar voor iedereen opzij te gaan; straks struikelde ze nog over zichzelf heen. Ze wist wie hij was en dat ze slecht over hem dacht, en ze hield haar ogen op de zwart met witte vloer gevestigd. Vreemd dat ze in deze bekrompen omgeving in staat was geweest níet met hem te praten, zoals alle anderen in de afgelopen tien dagen vol enthousiasme wel hadden gedaan, en dat ze nu wel met hem moest praten. Alle anderen kenden hem al en waren weg van hem. Het was onmogelijk hem voor een ander dan Francis te houden. Hij was een kop groter dan alle anderen en alles aan hem was mannelijk.

‘Francis? Ik ben Therese. We hebben elkaar nog niet eerder gezien. Kan ik straks met je praten?’

Het kwam er stamelend uit. Ze wist niet hoe ze zich tegenover mannen moest gedragen: ze kon alleen maar onnozel of lomp doen, of niks zeggen. Ze wist niet goed wat ze anders moest doen toen hij zijn hand uitstak, dan hem vastpakken en schudden, om te constateren dat hij twee keer zo groot was als de hare en als schuurpapier om haar eigen vereelte hand sloot. Hij schudde haar verwoed de hand, terwijl hij met zijn andere hand haar elleboog vasthield om haar niet uit balans te brengen.

‘Het is een genoegen u te ontmoeten, Therese. En als u me wilt spreken: ik ben vandaag in de tuin. Of ergens anders. Het ligt eraan waar Barbara me op afstuurt.’

Overal op af, dacht ze, denkend aan het nieuwe haakje van Josephs raam terwijl hij haar hand en haar elleboog losliet. Ze voelde dat hij grijnsde en ze was zich bewust van zijn ogen zonder ze werkelijk te zien; ze veegde haar hand af aan de zijkant van haar tuniek en hoorde hem weglopen, net zo stil als zij allemaal liepen, op een eigenaardig soort schoenen die geen geluid maakten. Ze raakte haar rechterhandpalm met haar linker aan en dacht terug aan hoe zijn handdruk had aangevoeld. Zo spontaan en bescheiden, helemaal niet zoals de oudjes haar vastgrepen. Ze had geen tijd om er verder bij stil te staan. Hun gezamenlijk oplopen, met de handdruk, had haar voor Barbara's deur doen belanden. Ze zou Barbara alles vertellen. Ze zou biechten.

Je bent nog knapper dan je zus. Anna klauterde het dak op en keek de kloostertuin in om naar hem te speuren. Het was een kille ochtend: de zomer had het achterhoedegevecht tegen de herfst verloren en het leek wel alsof de laatste bladeren in één keer van de loofbomen waren gevallen zodat ze ineens kaler dan kaal waren. Als ze wist hoe het moest, zou ze hem van hieraf kunnen doodschieten, en ze zou willen dat ze het wist. Ze probeerde zich voor te stellen hoe het was als je je niet in staat van ongenade voelde. Zij voelde zich alsof ze een zware zonde had begaan en ze wou dat ze niet meer hoefde te denken aan het uitsteken van haar tong. Wat was dat stom geweest. Ze probeerde nonchalant te doen over het feit dat ze was uitgesloten van de Hof van Eden en hield zichzelf voor dat er heus wel andere waren.

Niks aan de hand. De tuin was leeg en haar mond voelde droog aan; ze had een angstig gevoel doordat ze half en half besefte dat er iets was wat ze zou moeten doen. Er woelde zoveel verwarrende onzin rond in haar zere hoofd dat het vooruitzicht te gaan werken en zich onder te dompelen in die heel andere wereld haar enorm aanlokte. Ze wilde het oord waar ze naar keek vergeten, met iedereen die erbij hoorde, zoals ze ook haar ongelofelijke stommiteiten wilde vergeten. Wat was het ergste wat ze gedaan had? Haar tong uitsteken? Zijn gezicht openkrabben? Het kwaad ontmoeten en ervoor op de loop gaan? Zich aan zijn greep ontworstelen.

Er stond een stevige wind; in de nacht was hij stormachtig geweest en had de bladeren afgerukt. Ze ging in de goot achter de balustrade zitten, in de luwte. Als ze Thereses God niet meer in de kapel kon uitschelden, dan zou ze het hier moeten doen. Ze haalde het beeldje van Ganesha uit haar zak, legde het naast zich neer en probeerde zich een triomfantelijke houding aan te meten, maar dat viel niet mee.

'Nou, aan jou heb ik ook niet veel gehad,' zei ze, haar knieën optrekkend tot haar borst. 'Ik weet wel dat je de macht er niet voor had, maar toch vind ik dat je me had moeten tegenhouden toen ik over die muur ging klimmen, maar ja, niets aan te doen. En als ik niet over die muur was geklommen zou ik niet geweten hebben wat er gaande was.'

Ze voelde de schrammen op haar knieën door de stijve stof van haar spijkerbroek heen. Haar straf.

'Het spijt me, Olifantgod, maar met jou kan ik echt niet praten. Je moet het niet persoonlijk opvatten. Je bent gewoon veel te aardig. Ik heb liever een lelijke, wraakzuchtige God. Een bruut. Ik wil er een waar ik tegenaan kan schreeuwen.'

Ze ging verzitten om een gemakkelijkere houding te vinden, keek naar haar voeten. Het was laarzenweer vandaag. Maar goed ook, kon ze beter rotzooi trappen. Wat een shitzooi. Klote. Godverdomme. Ze kwam stram overeind en keek met haar armen voor zich gevouwen naar de hemel. Daar joegen de wolken, grijs en nog grijzer. Geen inspiratie. Beneden in de tuin zag ze de bladerloze bomen en de gestalte van Matilda die doelloos stond te zwaaien. Zonder Edmund leek het alsof ze de vogels aan het roepen was om te komen eten. Anna dook weer achter de balustrade.

'Luister eens even, Heer, ik weet niet hoe het zit, maar volgens mij ben jij er alleen maar op uit om een hoop ellende te veroorzaken.'

Ze sloot haar ogen en stelde zich het kruisbeeld in de kapel voor, met zijn vermoeide gezicht en kunstmatige bloed. Het beeld bleef wazig en flets. Anna wreef in haar ogen, woedend. De weerzinwekkende kus van Goudlokje, de bezegeling van haar ultieme vernedering, dat was wat ze steeds weer voelde. Ze probeerde zich te herinneren of ze zich ooit eerder zo machteloos en claustrofobisch had gevoeld in de omarming van iemand die het niet goed met haar voorhad. En als vanzelf herinnerde ze zich hoe ze had geworsteld in de armen van haar moeder.

Ze had nog twee uur voordat haar dienst begon. Net genoeg tijd om bij pastoor Goodwin langs te gaan, tenminste als ze rende op haar gelatinebenen. Ze wilde hem een zeer speciale vraag stellen – *Droeg Edmund een kruisje aan een kettinkje? Ik kan het me niet meer herinneren* – maar toen ze bij hem aanbelde werd er niet opengedaan. God en zijn medewerkers waren altijd de hort op.

Therese kwam rond elf uur weer terug in de keuken. Ze had een omweg naar de kapel gemaakt, en was daar lange tijd gebleven. Kim had de was uit de machine gehaald en in de droger gestopt en was vuilnis in zakken aan het doen, omdat dinsdag de vuilnismannen kwamen. Terwijl ze daarmee bezig was, trof ze zes blikjes Diamond Ice en een lege wodkafles aan.

'Tjezus, Tresa. Geen wonder dat je zo bleek ziet. Dat noem ik godsamme geen grap meer.'

9

'Was u niet wat al te streng?' vroeg pastoor Goodwin.

Hij dacht eraan dat de Heilige Barbara de patroonheilige was van artilleristen: een deugdzame maagd die ergens in de derde eeuw gevangen was gezet en door haar eigen vader op de een of andere bloedige manier was terechtgesteld omdat ze het christelijk geloof omhelsde. Maar zodra hij haar had vermoord werd hijzelf getroffen door de bliksem en tot as gereduceerd, wat het mogelijk maakte dat in de legende zijn dochter werd gesymboliseerd door een machtige toren. Dat paste geheel in het beeld dat hem nu werd voorgeschoteld, met dit verschil dat hij moeite had deze boezemrijke Barbara te verzoenen met het prachtige meisje uit het verhaal en het tegelijk makkelijk vond zich voor te stellen waarom de vader van de oorspronkelijke heilige haar wilde vermoorden.

Ze waren uit de werkkamer van Barbara, waarheen ze hem dringend ontboden had om aanwezig te zijn bij het gesprek met Therese, verkast naar de gastenkamer, met uitzicht op het voorste gedeelte van de tuin. Het betegelde gedeelte dat hij door de openslaande deuren kon zien zag er netter en schoner uit dan hij zich herinnerde, zelfs in een mate die in de verte herinnerde aan het pijnlijk nette terras van het huis waarin Kay McQuaid woonde. Vorig jaar had hij rond deze tijd niets anders dan een wirwar van afgevallen bladeren en stakerige, doorgeschoten planten gezien, dat wist hij wel zeker. Nu zag hij een rijtje zwarte afvalzakken klaarstaan om afgevoerd te worden, een bonte verzameling vlijtige liesjes in de bloembak vlak voor het raam en Francis, links in het decor, die bezig was een al opgeruimde lege border te schoffelen. In nog geen twee weken had hij een ware revolutie teweeggebracht. Alles wat dood en stervend aan de zomer herinnerde was met wortel en tak uitgeroeid.

'De komende lente gaat het er prachtig uitzien, we hebben massa's bollen,' zei Barbara op babbeltoon, het onderwerp uit de weg gaand.

'Is het niet een beetje vroeg om al bollen te planten?' vroeg pastoor Goodwin.

'Volgens Francis niet. Bollen zijn zo goedkoop. Voor een habbekrats koop je veertig narcissen.'

'Maar weg vogels.'

'Hoezo?'

'Er is geen Edmund meer om op ze te letten. En er loopt een kat rond.'

'Heeft Francis een kat in de tuin gehaald? Wat goed van hem. Vorig jaar hadden we hier muizen. Ik heb nooit over een kat gedacht. Wat zei u ook weer, eerwaarde?'

'Ik vroeg of u niet een beetje te streng tegen Therese bent geweest.'

Ze pakte de koffiepot en schonk zijn kopje vol. Hij kon niet goed uitmaken of de koffie nog slapper was dan de thee, en besloot dat hij geen gokje zou wagen. Straks, in de namiddag, zou hij op ziekenbezoek gaan, bij een oude man die bijna niet meer kon praten maar een kolossaal televisietoestel bezat. Ze zouden gezamenlijk van de pastorale zorg genieten door zwijgend naar oude voetbalfragmenten te kijken. Het was een lokkend vooruitzicht.

'Het was niet mijn bedoeling om streng over te komen, eerwaarde. Vindt u dat ik me moet verontschuldigen?'

Met tegenzin bracht hij zich Barbara's goede kanten te binnen, haar zeldzame aanvallen van nederigheid.

'Wat u tegen haar zei moet haar erg pijn hebben gedaan.'

'Ach, kom nou, eerwaarde, ik heb alleen maar tegen haar gezegd dat haar zus zich vreselijk heeft misdragen en dat we haar hier nooit meer willen zien.'

'U zei tegen haar dat Anna een dievegge is, een wilde meid die kraken zet en mensen aanvalt, en dat zij de ruit had gebroken. U zei dat allemaal tegen haar hoewel u naar mijn idee daarvoor nauwelijks bewijs hebt...'

'Maar Francis heeft het me verteld. Hij was gewónd.'

'Inderdáád, Francis heeft u dat vertéld, en hij heeft wonden om het te bewijzen, maar vertelt u me nu eens, moeder, klopt dit met de Anna Calvert die u kent? De Anna die nuttige suggesties doet en met waardevolle informatie van buiten aankomt, de Anna die zo lief was toen Edmund stierf? Een wees die zich ontzettend dapper staande houdt. Een jonge vrouw zonder ouders of andere familie. Een moeder die dood is, een vader die dood is, en nu ook nog zuster Jude. Het is toch logisch dat ze een beetje uit het lood is?'

Barbara hijgde als een paard aan het eind van een race.

'Dan is ze dat maar ergens anders, niet hier. Ik kan geen verantwoordelijkheid voor haar op me nemen, dat gaat gewoon niet. We hebben het al moeilijk genoeg. We beschikken gewoon niet meer over de financiële of de spirituele middelen om ons ook nog eens bezig te houden met een heidense ruitenbreekster die ons probeert onderuit te halen. Het is natuurlijk vreselijk dat ze met zoveel sterfgevallen te maken heeft gekregen, maar daar kan ik verder ook niks aan doen. Ze heeft Francis verwónd, hoe heeft ze dat nu in hemelsnaam kunnen doen. Die arme, lieve Francis die zo zijn best voor ons doet. We raken allemaal vroeg of laat familieleden kwijt en trouwens, hun vader was geen groot verlies.'

Hij verslikte zich in zijn koffie, woede welde in hem op, hij dacht aan een volmaakt doelpunt, een bal die hoog aankwam en met een boog in het net belandde, het uitzinnige gejuich van het publiek.

'Wat weet u daar nou van? Ze hadden hem in geen jaren gezien, maar dat wil nog niet zeggen dat het hen niet heeft aangegrepen. Waar het om gaat is *dat ze niemand meer hebben*, allebei niet. U kunt Anna niet bij Therese weghouden, want behalve Anna heeft ze niemand meer.'

'Anna maakt het haar lastig en Therese heeft óns,' zei Barbara afwerend.

Het leek niet zo verstandig om te zeggen: *dat is niet genoeg.*

'Nou, maar u kunt Anna niet verbieden op zondag naar de mis te komen. Die is vrij toegankelijk en als u het haar toch verbiedt, kan ik de mis niet meer voor jullie opdragen.'

'Ach, er zijn nog andere priesters,' zei ze uit de hoogte.

Hij zat zich zo te verbijten dat het pijn deed.

'Volgens mij,' vervolgde hij, 'is de kwestie van de nalatenschap van Theodore Calvert nog steeds niet opgelost...'

Ze verschoof ongemakkelijk op haar stoel.

'Uh, ja en nee. Ik heb het er sinds zuster Jude gestorven is al steeds met u over willen hebben, maar het is zo hectisch geweest de laatste tijd. Ik krijg zeer regelmatig brieven van een droogstoppel van een advocaat waar ik geen touw aan kan vastknopen. Hij schrijft dat er een of andere twist gaande is over het een of ander. Eerst schreef hij dat het testament heel ingewikkeld was, en toen dat er naar bloedverwanten gespeurd moest worden, voor het geval het testament ongeldig is, wat overigens geen enkel verschil zou maken omdat volgens het erfrecht zijn dochters hoe dan ook zouden erven, maar dat hij toch op zoek moet naar voorvaderen of zoiets. Het is een kwestie van tijd, schrijft hij steeds maar weer.'

'Krijgt u die brieven dan?'

'Ja. Ik censureer niemands inkomende post, hoor, als u dat soms denkt. Therese heeft me gevraagd haar post voor haar te openen, en voor een paar anderen geldt dat ook. Ze willen slecht nieuws niet rechtstreeks ontvangen en van ingewikkelde dingen willen ze dat ik ze hun uitleg. Ik wil maar zeggen dat ze liever van mij horen dat iemand in hun familie ziek is dan dat ze het al voor het ontbijt op hun bordje krijgen.'

'Maar u houdt nooit iets voor hen achter?'

Ze schraapte haar keel en dacht over de vraag na. Ze wíl eerlijk zijn, realiseerde Christopher zich vol verbazing. Het lukt haar alleen niet.

'Nee, natuurlijk niet. Maar ik wacht af en toe wel op een goede gelegenheid om iets te vertellen, dat zouden we allemaal moeten doen. Als Matilda bijvoorbeeld longontsteking had, zou ik het misschien niet het juiste moment vinden om haar te melden dat haar broer is overleden. En stel dat het er ooit van zou komen dat Agnes' zogenaamde zoon haar terug zou willen zien, dan vertel ik dat haar misschien wel helemaal niet.'

'Ach zo.'

'Ik kan er niet met haar over beginnen, want ik word niet geacht het te weten. Er is op dat vlak een heleboel gaande, eerwaarde,' zei ze vriendelijk, zijn onwetendheid op het terrein van de seksualiteit eerbiedigend, 'net als veertig jaar geleden.'

Hij zweeg en dacht aan Agnes die dag in dag uit bij de deur zat te wachten. Aan de wreedheid waarvan ze in haar jeugd het slachtoffer was geworden en die door een beslissing van Barbara geprolongeerd zou kunnen worden: een van haar eer beroofd meisje van het Ierse platteland dat in een klooster was opgenomen om daar de rest van haar dagen bij de deur te zitten wachten. Aan Barbara die als buffer fungeerde tussen haarzelf en haar zusters en aan het feit dat zij in ieder geval besluiten nam en zich daar ook aan hield, in plaats van de vermijdingstactieken te gebruiken waar hij zichzelf van bediende; nederig kwam hij tot de conclusie dat dit misschien toch wel van enige morele moed getuigde. Zijn handen lagen beheerst in zijn schoot en het speet hem bijna dat hij zijn boosheid in bedwang had.

'Heeft Therese ooit een afschrift van haar vaders testament gekregen?'

'Ze heeft het me ongelezen ter hand gesteld. Een testament en een ontwerptestament dat blijkbaar bij vergissing bijgesloten was. Ik vrees dat ik haar er niet over heb ingelicht. Het was een obscene tekst. Ik laat het aan de advocaat over het uit te zoeken.'

'U hebt het voor haar achtergehouden?' Hij merkte dat zijn stem weer uitschoot.

'Zoals me gevráágd was.'

Ze zat met haar ellebogen op haar knieën die gespreid waren onder haar lange habijt, naar voren gebogen om haar woorden kracht bij te zetten. Ze was lelijk en blaakte van gezondheid, dacht hij emotieloos, het onvrouwelijkste wezen dat hij kende. Was het zo erg om meer op te hebben met een vrouw die naar parfum rook en goed voor haar huid zorgde?

'Toen Therese tot de orde toetrad, achttien maanden geleden, was dat vlak voordat ze te horen kregen, van Calverts minnares geloof ik, dat hij verdronken was. Therese was geen vreemde voor ons, zoals u wel weet, en ze bracht al haar wereldse bezittingen met zich mee. Met inbegrip van een stapel brieven die aan haar en Anna waren geadresseerd. Ze zaten allemaal in enveloppen van dezelfde advocaat en ze waren geen van alle opengemaakt. Ik weet niet of ze daar allebei toe besloten hadden of dat Therese de brieven voor Anna had achtergehouden toen ze nog samen die flat deelden. Ze nemen elkaar allebei op een idiote manier in bescherming. Ik twijfel er niet aan dat Therese de baas was in huis... zij is degene die zich verantwoordelijk voelt. Ze heeft me verteld dat zij geen van tweeën in hun vader geïnteresseerd waren... Waarom zouden ze wel aandacht schenken aan brieven vanuit het graf als ze nooit hebben gereageerd op brieven die hij hun schreef toen ze ziek waren? Daarom stuurt die advocaat zijn brieven naar mij. Ach, eerwaarde, kom nou, u weet ook best dat ik ze niet alleen voor mezelf heb gehouden toen zuster Jude nog leefde. Ze was het met me eens dat het testament onduidelijk en obsceen was. Ze heeft de hele correspondentie gelezen en heeft die waarschijnlijk ook aan u laten zien.'

Er klonk in haar woorden iets als een soort van jaloezie door. Barbara stond wantrouwig tegenover intelligente mensen die gesprekken met elkaar voerden. Die gesprekken zouden wel subversief zijn, dat kon bijna niet anders.

'Nee, ze heeft me de situatie in grote lijnen geschetst, maar de brieven of het testament zelf heeft ze me nooit laten lezen.'

'Och, Heer, wat kunnen priesters toch pedant zijn. Is het soms niet beter voor ze dat ze niet weten dat hun vader zo gek als een deur was?'

'En hun moeder...?'

'Die stierf aan een gebroken hart nadat ze van hen gescheiden was. Ze was een heilige.'

'O, ja, dat was ik vergeten.'

Hij stond op met stijve botten, hij had het ineens koud. Het was nooit echt warm in de gastenkamer, zelfs niet in de zomer. Hij probeerde zich een voorstelling te maken van de lege haard die opeens gevuld was met houtblokken en een vrolijk flakkerend vuur, maar vond hetzelfde moment dat die fantasie wel erg ver ging. Misschien kon de brave Francis de schoorsteen vegen en voor goedkope brandstof zorgen: hij hoefde er alleen de bomen in de tuin maar voor om te hakken. Pastoor Goodwin liep naar het raam en keek over het brandschone terras naar het woud van struiken achter de bocht in het pad. Francis was verdwenen. Christopher had een visioen van een gouden serpent dat wegkronkelde, de vergetelheid in, en de duidelijkheid van het beeld schokte hem.

'Moet ik me bij Therese verontschuldigen?' vroeg Barbara nederig.

'Daarin kan ik u niet adviseren, moeder. U neemt de plaats van haar ouders in. Maar ik vind wel dat u nog eens zou moeten nadenken over uw besluit wat Anna betreft.'

'Nee.'

'Dan denk ik dat u me maar kopieën van de brieven en van dat verdulde testament moet geven. U hebt misschien het recht om dit soort dingen voor uw postulante verborgen te houden, maar niet voor haar zusje, die zoals u zelf zegt niet uw verantwoordelijkheid is.'

Ze knikte, het was zonneklaar dat ze opgelucht was. 'Ik zal ze voor u halen.'

En dat, dacht hij bij zichzelf, terwijl ze een dikke envelop gevuld met een stapel papieren voor hem haalde, is wat men noemt een schot in eigen doel. De uiteindelijke bevestiging van de onbehaaglijke opdracht zich met het leven van anderen te bemoeien. Terwijl hij het pakket van haar aannam en zich omdraaide om te vertrekken, zag hij Francis binnenkomen door de openslaande deuren en hoorde hij hoe Barbara hem met liefdevolle bezorgdheid ontving.

'Ach, jij arme lieve ziel...'

De jongen werd vergast op het restant van de koffie en het medeleven van zijn van adoratie overlopende werkgeefster. Hij bezat hier meer invloed dan pastoor Goodwin ooit was toegevallen en de priester schaamde zich voor zijn ergernis hierover.

Het onaanzienlijke gebouw waarin Compucab gevestigd was deed net zo veilig aan als een gevangenis. Alles wat Anna wilde was een dienst die langer duurde dan de zes uur van tien tot vier, zonder een ogenblik om na te denken. Uit haar rugzakje haalde ze het beeldje van Ganesha en zette dat naast de papieren beker met koffie die ze naar haar werkplek had meegenomen. Het zou aardig van haar zijn geweest om ook een bekertje voor Ravi mee te nemen, maar ze wist dat hij thee noch koffie dronk, alleen water. Het beeldje van Ganesha naast de telefoon moest in plaats daarvan dienen als teken van verzoening en spijt over haar infantiele, kinderachtige gestampvoet van de vorige middag, die al zo ver achter haar leek te liggen; de gedachte hieraan drong zich steeds op in de marges van grotere zorgen die haar kwelden en deed haar blozen.

Ze had zichzelf op weg hierheen afgeleid, het ondraaglijke, verpletterende gewicht van haar paniekerige angst op de achtergrond proberen te schuiven door een plek te bedenken waar ze vanaf nu kon gaan bidden. Niet bidden op zo'n pathetische manier, gedoe als rozenkransen bidden of het kussen van de grond, nee bidden door te denken en in discussie te gaan met een logische macht, maar dat, zo had ze zich vanochtend op het dak gerealiseerd, vergde echt een geschikte plek. Daar wáren gebedsruimten immers voor. Ze wilde een plek waar ze in zichzelf een potje kon zitten schreeuwen en vragen kon stellen als: *wat denk je aan mijn zusje te gaan doen?* Ze wilde een plek waar ze in antwoord op haar vraag een geruststellende stem zou horen die zei: *je verbeeldt het je alleen maar dat ze binnen stevige muren zit opgesloten als slachtoffer van een virus dat al haar broeders al heeft aangetast. Ze verkeert niet in gevaar. Ze is feitelijk sterker dan jij en heeft bovendien nog eens een hele batterij heiligen en engelen om haar te beschermen.* Natuurlijk.

Tijdens het lopen – ze liep vandaag niet op een drafje in haar herfstspijkerbroek, want haar benen voelden als lood – dacht ze aan de grotere kerken die ze als kinderen tijdens de hoogtijdagen van de godsdienstigheid van hun moeder hadden bezocht. Overal waar ze ooit geweest waren, was wel een kerk waar ze naar binnen gingen en er snel weer uitliepen als het geen roomse kerk bleek te zijn. Het was of hun moeder door alle kerken werd aangetrokken, of ze van haar eigen richting waren of niet, puur om vergelijkingen te kunnen trekken en te kunnen zeggen: zie je wel? Die van ons zijn veel en veel beter. De kathedralen van Coventry, Ely en Canterbury had ze versmaad. Ze had beloofd hen mee te zullen nemen naar die van Chartres en Palma, maar het was er nooit van gekomen. Ze betreurde het ten zeerste dat ze in het verkeerde land woonden voor de beste voorbeelden van rooms-katholieke kathedralen en ze hadden het moeten stellen met Westminster, waar ze een aantal malen naartoe waren geweest, als toeristen die een paleis bezochten. Ze hadden er een paaswake bijgewoond waarbij Therese had moeten niezen van de wierook en waarbij Anna, aangemoedigd door haar vader, had zitten giechelen.

Het andere voorwerp dat in haar rugzakje zat was het missaal, dat ze om geen andere reden met zich meedroeg dan vanwege het troostrijke gewicht ervan. Anna keek de ruimte rond, speurend naar Ravi's gladde zwarte hoofd, luisterend naar het geroezemoes van de stemmen. Hij keek op en glimlachte naar haar, stak zijn duim op als korte begroeting en ging door met in zijn microfoontje te praten. Zijn glimlach was als een zegen. Iedereen wist dat Ravi niet in staat was op commando te glimlachen. Hij had het haar vergeven. Hij was niet in staat om te doen alsof. Anders dan zij, zij spande zich vaak in om te glimlachen, omdat ze wist dat een glimlach hielp om de gemelijke en kwaaie indruk die ze vaak wekte te verzachten. De glimlach van een ontzettend onzeker persoon, ze had er serieus op geoefend en ze maakte er gebruik van, niet noodzakelijkerwijs om uiting te geven aan genoegen maar om bij anderen in de smaak te vallen. In de jaren dat ze ziek was, was ze de kunst van het glimlachen verleerd en ze had zich ingespannen om die weer meester te worden, ze oefende in winkels, in de gang, in de slaapkamer, in de badkamer, overal waar maar een spiegel was. Door al dat oefenen zou ze onderhand glimlachtherapeut kunnen worden, dacht ze, en moest daar heel even om glimlachen, lachte zichzelf uit vanwege het feit dat ze al lang zelf niet meer wist wanneer ze glimlachte of chagrijnig keek. Misschien moest ze zich er maar op toeleggen om belachelijk te zijn; ze zou er een hele manier van leven van kunnen maken, er als een hoer bij gaan lopen, met veren en bont en hoeden, of met helemaal niks aan... Ze zwaaide naar Ravi en de hele ruimte, wiegde met haar heupen zoals zij en Therese hadden gedaan als ze mannequins uit tijdschriften na-aapten in de jaren dat ze ziek waren, en ging zitten, terwijl in haar verbeelding geapplaudisseerd werd. Haar telefoon zoemde al terwijl ze haar koptelefoon opzette.

'Goedemorgen, Compucab.'

Een aarzeling die een volle seconde duurde, toen hoorde ze een diepe stem.

'Ik vroeg gisteren naar je, maar je was er niet. Ik maakte me zo'n zorgen. Ik had bijna, ach, het doet er niet toe wat ik bijna deed, tjeminee...'

'Mag ik uw rekeningnummer, meneer?'

'Ik weet niet, ik zal het hier wel ergens hebben...'

Ze herkende de stem van de beller en wist voor één keer zeker dat ze glimlachte. Hij verspilde haar tijd, maar hij kreeg haar wel aan het glimlachen.

'Het is nog een beetje vroeg om u druk te maken over waar u gaat lunchen, meneer. Het is nog lang geen Kerstmis, dus lang van tevoren reserveren hoeft echt niet.'

'Nee, dat zal wel niet. Hoe gaat het met je?'

'Heel goed, en met u?'

'Ik maakte me zorgen om je. Probeerde je gisteren te bellen.'

'Ik heb weleens vrij, u weet hoe het is met zondagen.'

Hij zuchtte weer. 'Die rotzondagen. Waarom zijn die altijd zo vreselijk? Ze duren zo verschrikkelijk lang...'

'U hebt helemaal gelijk,' zei ze meesmuilend. Ze duren zo lang dat mensen zonder glimlach volstrekt idiote dingen kunnen uithalen.

'Weet je wat zondagen zijn?' Hij schreeuwde nu in de hoorn. 'De saaiste dagen van het jaar. Ben je naar de kerk geweest?'

Ze dacht aan de tempel, raakte met haar vrije hand het beeldje van Ganesha aan. Ganesha zat er niet mee dat hij er belachelijk uitzag; misschien was hij toch een van haar goden.

'Ja, in zekere zin wel. Wou u nog een taxi?'

'Ik wou je vragen of je bij me komt lunchen.'

'Ik moet vandaag werken, meneer, een andere keer misschien.'

Hij aarzelde opnieuw. 'Naar wat voor kerk ben je geweest?'

'Ik ben eerst bij de katholieken geweest en daarna bij de hindoes. Bij de hindoes is het veel leuker, maar ze hebben ook collectebussen.'

Ze hoorde een kort gegrinnik en toen werd er opgehangen. Dat deed hij wel vaker, haar bejaarde beller met de geladen stem en verwarde manier van doen. Anna wachtte tot de telefoon opnieuw overging. Uitgerekend vandaag liet hij haar in de steek. Zijn zwijgen had iets verwijtends. Er ging een halfuur voorbij. Ravi mocht dan naar haar geglimlacht hebben, hij kwam niet naar haar toe. Te midden van het geroezemoes leek het wel of zij een besmet persoon was. Het was warm en ze was verschrikkelijk moe. Om de tijd te doden begon ze de aantekeningen te lezen die achter op de bidprentjes in de missaal waren gekrabbeld. Toen sloot ze het boek, vouwde haar handen om het zachtleren omslag en gebruikte het als kussentje voor haar hoofd. Er was dus toch geen alternatief voor denken.

Iemand schudde haar wakker, haar cheffin stond naast haar aan haar linkerschouder te trekken, zodat ze een kreetje slaakte. Ze was midden in een droom waarin ze werd aangeraakt en gekust. Ze werd omhelsd door Therese, die een kop groter was dan zij.

'Hé, meisje, waar ben jij nou mee bezig? Je bent hier toch niet om te dutten? Je hebt je apparaat uitgezet. Waarvoor denk je dat je hier betaald wordt?'

Het klonk eerder verwonderd dan als een vermaning: bezorgdheid om een goede medewerkster.

'Sorry.'

'Alle anderen zijn druk aan het werk, anders zou het me niet eens zijn opgevallen. Dit pakje is voor je bezorgd. Ben je jarig of zo? Of was je gisteren jarig en moet je nu een beetje bijslapen? Je ziet er behoorlijk belazerd uit. Waarom ga je niet naar huis?'

'Ik wil niet...'

'Je wilt ons niet laten zitten, hè?'

Ze wilde niet naar huis. Ze zag Ravi, die naast de cheffin was komen staan, en vond het vreselijk zoals hij naar haar keek, met oprechte bezorgdheid, waardoor ze zich net een zieke kat voelde.

'Kom morgen maar terug, lieverd, als je je beter voelt. Wil je een taxi?'

De ironie hiervan maakte haar aan het lachen, maar niet van harte. Ravi stopte haar missaal en het beeldje van Ganesha in haar rugzakje. De cheffin keek haar aan door brillenglazen die haar ogen wel twee keer zo groot deden lijken. Ze hadden de krassen op haar handen opgemerkt: door de slaap was haar gezicht roze en opgezet. Ze waren aardig tegen haar, maar aardigheid boezemde haar een geweldig wantrouwen in en ze had het misselijkmakende gevoel dat ze dit al vaker had meegemaakt. Eerst waren ze aardig tegen je en dan stuurden ze je weg.

'Sorry,' herhaalde ze, alle waardigheid die ze bezat verzamelend.

'Maak je maar niet druk, lieverd. Ga lekker naar bed. En vergeet je pakje niet.' Ravi liep terug naar zijn bureau. De cheffin liep met haar mee naar de deur. Anna droeg het in geschenkpapier verpakte pakje onder haar arm en had het gevoel dat aller ogen op haar gericht waren en haar schaamte zagen, hoewel de mensen hier totaal niet op elkaar letten: dat was ook precies de bedoeling. Buiten bleef ze in haar eentje op de taxi staan wachten, gedachteloos aan het pakje plukkend. Twee lagen vrolijk gekleurd papier zaten met veel plakband om een plastic zak waar een ondefinieerbaar luchtje van afkwam. Aangezien ze niets anders te doen had, ging ze verder met het papier loshalen. In de plastic zak, tussen twee lagen witte tissues, zat een dode vogel met een rood bandje om zijn nek. Het was een klein vogeltje dat al heel lang dood was, en niet zozeer aan het rotten, maar verdroogd. Het begeleidende briefje dat er gevouwen bij zat was van droog papier dat koel aanvoelde.

Worden niet vijf mussen verkocht voor twee duiten? En niet één van die is vergeten voor God. Ja, zelfs de haren van uw hoofd zijn alle geteld. Vreest dan niet: gij gaat vele mussen te boven. Lucas 12.

Ze was bezig alles terug te stoppen in het papier toen de taxi eraan kwam. Ze deed het in haar plastic broodzak en veegde haar handen aan haar spijkerbroek af voordat ze het portier opende.

'Waar gaan we heen, moppie?'

'Naar Westminster.'

'Zo, zo, doe maar duur.'

Bibberend probeerde ze een gevat antwoord te vinden, maar toen opende Ravi het portier en schoof naast haar.

'Zal ik je thuisbrengen?' vroeg hij.

Barbara verontschuldigde zich niet. Kim ging naar huis zodra de vaat van het middageten aan kant was en Therese zag haar spijtig vertrekken en zwaaide haar na vanaf de drempel van de keuken alsof ze haar nooit meer terug zou zien. Barbara, onvermoeibaar voorzitster van drie liefdadigheidsclubjes van de parochie en bovendien op weg naar een afspraak met de thesaurier van de bisschop, gaf Agnes bij de deur een kort knikje en schreed weg om de bus te gaan nemen, zichtbaar opgelucht. De kloosterauto, met zijn respectabele herkomst maar lage kilometerstand, was zo belachelijk snel verkocht dat ze zich afvroeg of ze er niet te weinig voor hadden gevraagd. Het licht in de keuken zag er grijs uit. De zusters verspreidden zich om zich aan hun diverse taken te wijden: een groepje van drie ging in de gastenkamer zitten breien voor een goed doel. Matilda kwam de keuken in op het moment dat Therese de strijkplank uitklapte.

'Is Anna geweest?'

'Nee, zuster. Nog niet. Ze heeft een baan. Ze komt wanneer ze kan.' Ze had een brok in haar keel en de woorden kwamen er moeizaam uit.

'Zou ze vandaag nog komen?'

'Ik weet het niet, zuster, ik weet nooit wanneer ze komt.'

'Maar ze komt toch wel gauw? Ze zal toch wel weer... we hebben haar nodig...'

'Ze zal wel gauw weer komen, denk ik. O, zuster, hebt u een momentje?' Ze viste in de zak van haar tuniek en haalde het mes eruit dat ze uit de waszak had gehaald, verpakt in een papieren zak zodat het niet onmiddellijk herkenbaar was, behalve voor wie al wist wat het was. Matilda's ogen gingen wijdopen; ze pakte het mes zenuwachtig aan en stopte het diep weg in haar gewaad, een bedankje mompelend.

'Mag ik vragen waarom u dat mes hebt, zuster?'

'Het heeft allemaal te maken met waar ik het met je zus over wil hebben, kind.'

'Misschien kan ik wel helpen.'

Matilda schudde haar hoofd. 'Nee, liefje, ik moet met Anna praten... omdat ze niet een van de onzen is.'

'Nee, dat kun je wel zeggen,' zei Therese bitter, de woorden er uitgooiend voordat ze het goed en wel besefte. 'Ze heeft de ruit van de kapel gebroken.'

'Wie heeft je dat wijsgemaakt?'

'Moeder Barbara.'

Matilda tastte naar haar rozenkrans, liet haar vingers er nerveus langsglijden, worstelend met het opgeven van het onkritische gedrag dat er na vijfenvijftig jaar zat ingebakken.

'Ik kan je verzekeren, kind, dat Barbara... verkeerd is voorgelicht. Anna heeft dat helemaal niet gedaan.' Ze stak haar hand uit en streelde Therese over haar gloeiende wang met een gekromde vinger. Therese deed moeite om niet achteruit te deinzen. Ze werd heel vaak beklopt en gestreeld, als was ze een donzige mascotte, en vandaag moest ze er al helemaal niets van hebben. Matilda glimlachte haar engelachtige glimlach en ging door met het armzalige bevingeren van haar rozenkrans. Therese werd helemaal akelig van het geklik van de kralen.

'En wat dat mes betreft, kind. Laten we zeggen dat ik het gebruik om fruit te schillen op mijn kamer. Edmund hield het altijd scherp voor me. Je weet toch dat ik een ouwe gulzigaard ben?'

De middag sleepte zich voorbij. Therese was klaar met strijken. Ze was helemaal wee geworden van de reuk van het wasgoed en ging naar de kapel voor het voorgeschreven leesuurtje. Lezen in de Heilige Schrift naar eigen keuze, zodat ze altijd haar favoriete passages herlas, of het Nieuwe Testament gewoon ergens liet openvallen. Lucas 12, 22:

> Daarom zeg Ik u: Zijt niet bezorgd voor uw leven, wat gij eten zult, noch voor het lichaam, waarmede gij u kleden zult. Het leven

> is meer dan het voedsel, en het lichaam meer dan de kleding. Geeft acht op de raven, dat zij niet zaaien noch maaien, welke geen spijskamer noch schuur hebben, en God voedt ze: hoeveel gaat gij de vogelen te boven? Wie toch van u kan met bezorgd te zijn één el aan zijn lengte toevoegen? Indien gij dan ook het minste niet kunt, wat zijt gij voor de andere dingen bezorgd?

De laatste twee regels waren precies van toepassing op haar zus, die altijd haar best had gedaan om te groeien, en hierna kon Therese niet meer verder lezen. Maffe Anna, altijd bezig om voor de spiegel glimlachjes te oefenen. En altijd had ze groter willen zijn. Ze kon nergens meer aan denken, behalve aan Anna en aan wat Barbara had gezegd. Of niet alleen aan wat Barbara had gezegd, maar ook aan haar eigen volledige stilzwijgen toen deze stortvloed over haar werd uitgestort, een stilte die uit geschoktheid voortkwam, maar die ze in haar ontrouw had laten duren. Ze kon natuurlijk best kwaad zijn op haar eigen zus, maar het was nog wel iets anders om goed te vinden dat een ander haar beledigde, en toen ze hier eerder binnen was gegaan om te bidden tot God en de ziel die via haar mond was ontsnapt, had er een onheilspellende, van afkeuring vervulde stilte gehangen. Therese liep naar haar kamer boven om haar jas te halen.

Er was geen regel die het haar verbood naar buiten te gaan: ze werd niet aangemoedigd om zich te verschuilen voor de wereld achter de muren; ze zat niet in een kerker opgesloten. Ze kon in het park wandelen en in etalages kijken zoals alle anderen met een vrije wil. Haar was in niet mis te verstane bewoordingen duidelijk gemaakt dat de orde niet zat te wachten op iemand die het normale seculiere bestaan ontvluchtte omdat ze er bang voor was. Het was niet de bedoeling dat ze op het moment dat ze het klooster uit zou komen om een vak te gaan leren waardoor ze in staat zou zijn haar eigen onderhoud te bekostigen, te bang zou zijn om de straat over te steken, maar zo ver was het nog niet en ze had zich binnenshuis onderhand niet alleen onmisbaar weten te maken, maar voelde er ook steeds minder voor om naar buiten te gaan. Het was een ontwikkeling waartoe niemand haar gedwongen had. Als ze klaar was met haar bezigheden in het klooster, was ze zo vrij als een vogeltje en kon ze naar Anna of naar wie dan ook toe gaan zonder door wat dan ook te worden tegengehouden. Ze liep de trap weer af. Agnes opende de deur voor haar zonder commentaar te geven of enthousiasme te tonen en voor het eerst sinds weken stond Therese buiten op straat. Vrij als een vogeltje met een gebroken vleugel. Vrijheid vergde oefening en rekwisieten. Ze bezat geen handtas, geen geld, niets van de wapenrusting van de grotestadsinfanterist. Wat was er maar weinig tijd nodig om te vergeten hoe het was: het lawaai, de benzinedampen, het nattige trottoir en het licht. Het licht dat zelfs op een grauwe dag nog verblindend aandeed, een hele zee van licht die haar bedrukte en haar haar gevoel voor richting ontnam. Linksaf en dan weer links, dicht langs de tuinmuur tot ze aan de kruising kwam, waar het nog lawaaiiger was. Ze passeerde de kale deur in de achtermuur, keek er verlangend naar, liep door naar het flatgebouw waar Anna woonde en drukte op de bel, bedenkend wat ze zou zeggen om het allemaal in de hand te kunnen houden, duidelijkheid te scheppen, een strategie van kalme vragen ontwerpend. Ergens in haar achterhoofd speelde ook de gedachte dat ze Judes missaal wilde hebben. Barbara had erop gezinspeeld dat Anna het gestolen had, en zelfs toen had ze geen woord gezegd.

Staande naast het paneel met naamplaatjes, elk met een eigen bel ernaast, voelde ze zich te kijk staan, een indringer, en toen er niets gebeurde, er geen krakende stem uit de oude intercom opklonk, bekroop haar een gevoel van verschrikkelijke verlatenheid. Therese boog zich naar het paneel toe, voor het geval ze de respons had gemist. Het ontbreken ervan voelde als een volstrekte afwijzing. In plaats van de logische gevolgtrekking te maken dat Anna er niet was, kon Therese zich niets anders voorstellen dan dat Anna boven naar het geluid van haar ademhaling door het apparaat zat te luisteren en haar uitlachte. Anna had haar nog nooit uitgelachen, maar het beeld van een grijnzende, honende Anna liet haar niet los. Therese draaide zich om en liep gehaast terug. Agnes deed er heel lang over om de deur te openen en toen ze het eindelijk deed, stond Therese al op haar nagels te bijten. De dag was zo grauw als maar kon: het geluid van de deur die achter haar dichtviel betekende een dieptreurige opluchting.

Ze was moe, dat was alles. Je hebt je veel te druk gemaakt, zoals haar moeder altijd zei. *Dat wordt huilen voor het naar bed gaan, als we tenminste niet ons best doen om onszelf weer in de hand te krijgen en beseffen wat het beste voor ons is.* Ze zou nu graag op haar nummer gezet worden: ze zou graag een heleboel regels krijgen opgelegd die veel strenger waren dan die waaraan zij zich nu te houden had. Ze verlangde naar orde, voorspelbaarheid en werk, maar zodra de deur achter haar gesloten was, miste ze de hemel.

Nog even en het slaperige gedeelte van de middag zou voorbij zijn. Met haar jas nog aan glipte Therese langs de drie nonnen in de gastenkamer die boven hun breiwerk in slaap waren gevallen en liep de tuin in om Francis te zoeken. Als je in je ene taak niet slaagt, zoek dan een volgende. Hij was nergens te bekennen. Halverwege het pad, ter hoogte van het beeld van de Heilige Michaël, zat de rode kat zich te wassen op de plek waar Matilda anders zat. Ze stak haar hand uit om hem te aaien. Hij sprong weg en liep weg over het pad, een verontwaardigde blik achterom werpend. Ze liep achter hem aan, en voelde zich Alice in Wonderland.

Deze kerk verschilde hemelsbreed van de kapel, hij leek wat sfeer en praal betrof veeleer op de hindoetempel die Ravi haar zo trots had laten zien en ze was blij dat hij er was, ook al had hij vrijwel geen woord gezegd, behalve om erin toe te stemmen met haar mee te gaan naar waar ze maar heen wilde. Gek dat ze toch een soort competitief gevoel over zich kreeg waar het de kunstvoorwerpen en ornamenten betrof die de religie waarmee ze was opgegroeid en waarin ze niet geloofde tentoonspreidde, alsof het deel uitmaakte van een geboorterecht en in al zijn glorie diende te schitteren, vergelijkbaar met een rijk of beroemd familielid dat een meisje op school status en respect verschafte, ook als ze de persoon in kwestie nauwelijks kende. Echt waar, dacht ze, de Kerk van Rome was onverslaanbaar als het ging om pronken. Deze tempel glinsterde van het goud. De kleinere kapellen aan de zijkanten vond ze het allermooist, samen met het zachte licht om de ijzeren standaards voor kaarsen, de goedkoopste tien penny's per stuk, kleine nachtlichtjes die erom schreeuwden te worden aangestoken, onweerstaanbaar, wat ze ook kostten, alsof het kleine gebaar waarmee je de ene met de andere aanstak verantwoordelijk was voor al het licht in de duisternis. Het voelde alsof je met tien penny's een ziel kon redden. De zijkapel die ze het mooist vond, was die van de Heilige Paulus, met een klein gewelfd plafond van groen mozaïek waarin drie strenge hoofden van heiligen met halo's waren uitgespaard, die er eerder symbolisch dan menselijk uitzagen; eigenlijk leken ze sterk op drie heren die met een slechte spijsvertering kampten. Te oordelen naar ander bewijsmateriaal was het blijkbaar onmogelijk een glimlachend gezicht op te bouwen uit kleine stukjes steen. Anna zei tegen Ravi dat de kathedraal, met zijn enorme collectie achteroverliggende kardinalen, die rustten op stenen tombes in enorme donkere hoeken, niet gebouwd was ter meerdere eer en glorie van God, van wie maar weinig afbeeldingen te zien waren, maar ter meerdere eer en glorie van mensen, vooral degenen die met marmer werkten, want deze kille steensoort was hier in alle kleuren en variëteiten aan te treffen. Hij knikte. De preekstoel voor de hogepriester was net een gigantische witte versie van een van de tombes; hij stond op acht pilaren, omwonden met kronkelingen in contrasterende kleuren en het ding zelf was zwaar ingelegd met mozaïekwerk en er konden met gemak dertig personen op staan. Eén enkele kardinaal zou er hier als een dwerg uitzien, zelfs als hij zijn hoed op had.

Halverwege het middenschip hing een gigantisch kruisbeeld aan het plafond. Een heel eind verder, in het kleine deel van de enorme ruimte dat voor kerkdiensten werd gebruikt, zat een menigte van zo'n driehonderd mensen tegenover de koorknapen die hun plaatsen innamen in de banken aan weerszijden van het altaar. Anna ging ook zitten, met Ravi naast haar, dicht bij een deur om snel te kunnen ontsnappen, en keek naar de lange zwarte gewaden en brede rode sjerpen van de geestelijken die rondwandelende toeristen behendig wisten te scheiden van de vromen die de mis wilden bijwonen. Ze vroeg zich af wat voor kerkelijke feestdag het was. De vromen zouden het wel weten, de toeristen niet en het interesseerde hen ook geen bal. Anna vond het maar een vreemd oord; het leek kleiner dan ze zich herinnerde en deed ook bijzonder onheilig aan door het ontstellende gebrek aan harmonie in het interieur. Ravi's tempel was wat dat betreft veel beter, vond ze. Fluisterend vertelde ze hem dat ook en hij knikte weer.

Ze vestigde haar ogen op het enorme kruisbeeld dat aan kettingen hing. Misschien was het freakachtig om steeds maar weer aangetrokken te worden door een beeld dat zo gruwelijk was en ze vroeg zich af wanneer dit begonnen was. Ze moest een jaar of tien zijn geweest toen haar vader haar er opmerkzaam op had gemaakt dat een bepaalde Jezus er zo comfortabel bij hing aan een bepaald kruis. Jezus als een object zien betekende waarschijnlijk de doodsteek voor haar geloof. Haar vader was altijd tegendraads geweest en ze had hem nog nooit zo erg gemist als nu. Ze wees Ravi op het kruisbeeld. Het beviel hem niet.

Dit was geen comfortabel kruisbeeld, maar het had wel het vertrouwde effect dat ze haar gedachten beter bij elkaar kon houden en op een bepaalde manier was het zelfs afschuwwekkender dan alle andere die ze ooit gezien had. De kadaverachtige gestalte, met lange haren, een halo om het hoofd en een doornenkroon op enige afstand van het voorhoofd, keek naar links, gesteund door uitgemergelde armen die zich in een stijve rechte hoek uitspreidden. De langgerekte, bloedeloze romp van een verhongerde man, die enigszins gedraaid verdween onder een tot de knieën afhangende lendendoek, waaronder dunne benen uitliepen in voeten in een houding alsof ze zich doodgeneerden. Het hout waaraan hij hing was helderrood met een sierrand van groen met goud en eindigde boven zijn hoofd en aan weerszijden van zijn gespreide ledematen met symbolische afbeeldingen die ze van waar ze zat niet kon onderscheiden, maar die eveneens met goud omrand waren; het was hoe dan ook een Jezus die het tegenovergestelde van bewonderend ontzag opriep en juist de minachting waaraan ze zo'n behoefte had. Er waren vragen die ze Hem moest stellen, ze moest een potje tegen Hem kunnen schelden. Ravi voelde wel aan hoe gepreoccupeerd ze was en begaf zich naar de zijkapel van de Heilige Paulus, naar haar gebarend dat hij weer terugkwam. Ze bleef zitten, ze weigerde te knielen, en ze begon in stilte aan een nieuw soort gesprek.

'Weet je wat jij bent, Heer, je bent een klein klootzakkie. Zo verwend als het maar zijn kan. Het deugt niet dat lieden als jij zo vereerd worden. Je was te jong.'

Het orgel begon te spelen, het geluid rolde over het koor aan. De driehonderd vrome gelovigen die voor de dienst bijeen waren zaten rustig te wachten op een commando. Anna schonk geen aandacht aan hen en vervolgde haar eigen toespraak.

'Veel te veel aandacht voor een zo jong iemand, misschien is dat de reden dat je ideeën niet altijd even goed zijn. En waarschijnlijk had pap gelijk met zijn theorie. Je ouwe heer stuurde je op een missie naar de mensen op aarde en kijk eens wat ze met je hebben uitgevoerd. Ze hebben je bespot, gemarteld en vernederd, en vervolgens hebben ze je er zo ongekleed bij laten hangen als je nu doet. Dus wat doet Papa God? Die is de volgende eeuwen bezig met wraak nemen op de wereld. Dat zou een normale vader in ieder geval doen. De pot op met dat vergiffenisgedoe.’

Het koor begon te zingen, het barstte los in jubelend lawaai.

‘Is dat de reden dat je je dienaressen zo slecht behandelt? Laat je daar een stelletje ouwe besjes zonder een rooie rotcent bij elkaar zitten, aangevoerd door Non de Dragonder en belaagd door zwervers aan de achter- en de bisschop aan de voordeur. En wat doe jij om het allemaal nog wat lolliger te maken? Je stuurt iemand op ze af die er als een heilige uitziet en geeft hem de touwtjes in handen. Wat probeer je eigenlijk te doen, hè? Nou, geef antwoord, godsamme, waaróm doe je dat?’

De menigte voor haar stond als één man op. Het geluid dat ze hierbij maakten had een grotere weerklank dan de orgelmuziek of de zang. De ene golf na de andere van schuifelende vibraties spoelde aan, het geruis van jassen, het geschraap van kelen, de beweging van de lijven die een levend geluid en een sensatie voortbracht als van wiekende vleugels, die een vlaag van tocht door het schip teweegbracht en fladderende echo’s in de daksparren. Het trof haar dat de beweging van mensen het krachtigste geluid was dat er bestond. En toen hoorde ze het weer, in de frontaalkwabben van haar brein, het lievelingsgedicht van zuster Jude:

> Nog steeds ongehaast jagend,
> En onverstoord voortsnellend,
> Met doelgerichte spoed, majesteitelijke drang,
> Zaten de achtervolgende voeten mij na.
> En een Stem boven hun roffelen uit –
> ‘Niemand beschut jou die Mij geen beschutting biedt.’

‘Wat wilt U dat ik doe?’ fluisterde ze.

Eert uw Vader. Zoek de waarheid.

Ze was koud als ijs toen Ravi weer terugkwam. Hij legde zijn arm om haar schouders, de eerste keer dat hij haar aanraakte. Warmte stroomde haar aderen binnen; ze rook kruidnagel.

‘Het is prachtig hier,’ fluisterde hij in haar oor. ‘Net zo mooi als bij ons, vind ik. En nu weet ik ook waarom je zo treurig bent.’

‘Omdat mijn moeder me probeerde te vermoorden,’ zei ze met vlakke stem.

Hij legde zijn hoofd tegen het hare aan. 'Omdat je je vader niet gekend hebt en je voortdurend tegen hem praat. En vooral omdat jullie goden zo ongelukkig zijn.'

De menigte voor hen ging zitten en bracht een nieuwe golf van bedaard geluid aan het rollen.

10

Geeft acht op de leliën:
zij arbeiden niet en spinnen niet

Tuinen waren voor Therese altijd geheimzinnige plekken geweest en hoewel deze ook ter meerdere eer en glorie van God waren aangelegd, vond ze gebouwen veel beter getuigenis afleggen van zijn genialiteit. Anne en zijzelf waren vroeger in deze tuin losgelaten toen ze als kind voor het eerst in het klooster op bezoek waren. Anna was in de bomen geklommen en was weer binnengekomen met vuile kleren. Ze zou kunnen zweren dat Edmunds oude schuur er toen ook al had gestaan. De vage herinnering hieraan had niets te maken met het feit dat Therese zich vrijwel nooit eerder zo ver in het verwilderde gedeelte had gewaagd en zich schaamde omdat het weliswaar een zeer langgerekte tuin was maar dat hij toch slechts meters en zeker geen kilometers lang was; ze had het er hoe dan ook nooit vredig gevonden. In de lente werd ze er bestookt door net met vliegen beginnende jonge vogels met hun oorverdovende gepiep en gekwetter en de aanwezigheid van de traag bewegende Edmund met zijn zwijgend-afwerende houding maakte haar altijd beschroomd. Er was trouwens nergens een plekje om te gaan zitten of zelfs maar om tegenaan te leunen behalve zijn bank, die hij zo overduidelijk met de vogels deelde; die zat onder de vogelpoep, waarvan Edmunds kleren ook de sporen vertoonden. Het was een rommelig, onappetijtelijk geheel, en nu helemaal doordat hij hier gestorven was. Toen ze de laatste bocht in het pad om kwam, zich bewust van het zwiepen van de bomen achter haar, verwachtte ze half en half hem op de smerige bank aan te treffen, bij zijn kwalijk riekende schuur met de kapotte deur, zo dood als hij pas twee weken geleden was geweest toen ze de deken over hem uitspreidde.

Maar het zag er hier nu juist heel schoongeveegd uit, er waren zelfs op miraculeuze wijze oude tegels opgedoken uit de aarde die hier eerst lag. De bank was schoongeboend, zodat er een ruim bemeten zitting van blankgeschuurd hout tevoorschijn was gekomen, met zwarte gietijzeren poten. Toen ze dichterbij kwam rook ze creosoot, een weeïge lucht die ze aanvankelijk slechts vaag herkende. Links van de schuur lagen een stapel afval en wat tuingereedschap, en ze hoorde er gezang vandaan komen.

> Altijd, Heer, God onze Vader,
> Zullen wij U loven,
> Gelukkig de mensen die U aanbidden,
> Gelukkig de wereld die zich voor U openstelt.

Het was een ochtendhymne, niet een voor de middag, maar toch, een hymne, en hij werd gezongen met een volle ongekunstelde baritonstem. Therese riep aarzelend. Het zingen hield abrupt op. Francis verscheen met een verfpot in zijn ene en een kwast in zijn andere hand, volstrekt niet verwonderd haar te zien. Ze zag dat de deur van de schuur niet langer scheef hing, maar openstond, zodat de pas gewitte, schone binnenkant zichtbaar was. Hij was inderdaad iemand die wonderen verrichtte. Hij had zelfs de krijsende lentevogels het zwijgen opgelegd en zijn glimlach was zeer aanstekelijk.

'Zuster Therese!' Hij maakte een zwierige buiging en ze wist niets anders te doen dan zenuwachtig te lachen, denkend aan wat Kim had gezegd: *Homo's weten hoe ze het vrouwen naar de zin moeten maken.*

'Ga zitten op de bank, hij is brandschoon,' zei hij. 'Dan mag je als eerste mijn werk bewonderen. Zelfs Barbara heeft het nog niet gezien. Ga maar zitten, hoor, hij is helemaal droog.'

Ze ging weifelend zitten. Het hout voelde warm tegen haar rug. Hij ging aan de andere kant zitten, met de breedte van een lichaam tussen hen in, en zette de verfpot voor zijn voeten neer. Toen boog hij zich naar haar toe. De beweging deed haar schrikken, maar hij bewaarde voldoende afstand.

'Tegen niemand zeggen, hoor.'

'Wij kennen hier geen geheimen, Francis,' zei ze streng, en op het moment dat ze het zei besefte ze hoe ver bezijden de waarheid dat was. 'Waar ben je precies mee bezig?'

'Ik maak een *prieel*,' zei hij, een weids gebaar met zijn arm makend. 'Nou, een prieel is misschien wat overdreven uitgedrukt. Wat ik doe, is *ruimte* creëren, zoals ze in tuinierprogramma's op de televisie doen. Kijk je daar weleens naar?'

'Ik vrees van niet.'

'Dat dacht ik wel.' Hij grijnsde haar toe. De dag verloor ineens iets van zijn grauwheid.

'Al creëer ik natuurlijk eigenlijk niks,' vervolgde hij. 'Dat kunnen wij immers geen van allen. Dat kan alleen God. Ik haal alleen naar boven wat er al was. Een schoon plekje om te mediteren, om te beginnen. En dan kan ik verdergaan met het terugsnoeien van de klimop en langs het pad het een en ander aan planten neerzetten en huppetee, binnen de kortste keren wordt het een tuin waar iets mee gedaan wordt in plaats van dat hij er ongebruikt bij ligt. Maar ik heb liever niet dat je er iets over zegt, want dan blijft het een verrassing.'

Hij had een beetje een accent; Londens, met iets anders erdoorheen.

'Wat een aardig idee,' mompelde ze, en ze meende het. Een ogenblik lang wist ze helemaal niet meer met welk doel ze deze expeditie ondernomen had. Zijn enthousiasme verwarmde haar al net zo als het hout van de bank waarop ze zat.

'Maar ik vrees dat Matilda het er niet zo mee eens is. Die vindt dat het zou moeten blijven zoals het was, maar ja, oude mensen houden nu eenmaal niet van verandering, hè? Wilt u misschien een kopje thee, zuster?'

De uitnodiging verraste haar. Hoe zou zelfs iemand die zo vernieuwend was als Francis helemaal achter in de tuin thee kunnen zetten? Zonder haar antwoord af te wachten, sprong hij op van de bank en liep de schuur in, waar ze de vlam zag van een gasbrander en waaruit ze het getinkel van lepeltjes hoorde. Tegen de achterwand stond een grof in elkaar getimmerd bed. Hij stak zijn goudblonde hoofd om de hoek van de deur en het leek of de zon met hem mee verscheen; het deed haar denken aan een klein jongetje dat ze ooit gezien had en dat een nieuw goocheltrucje had laten zien met de zelfverzekerdheid van een rasartiest die indruk wil maken. De schuur zag er nu eerder uit als een zomerhuisje, groter dan ze zich herinnerde, groot genoeg voor één persoon om in te slapen en op een eigenaardige manier ook romantisch.

'We hebben water en ik zorg voor de rest.' Hij kwam terug met een beker met een sterk oranje gekleurd brouwsel. 'Als ik hier wat lampjes kan ophangen, wordt het een prima plekje voor zomerse avonden.'

'Ja.'

'Je vertelt het toch tegen niemand, hè?'

'Nee.' Hij gaf haar de beker in handen en sloot zijn eigen handen even om de hare, zo kort maar dat ze het nauwelijks opgemerkt zou hebben, ware het niet dat ze niet terugschrok van deze voorzichtige aanraking, die zo heel anders was dan het getrek en gepluk van oude beverige handen. Ze was zich half bewust dat ze zich alweer met een geheim had ingelaten, maar dit leek er niet zo toe te doen. De thee was sterk, precies zoals ze hem het liefst dronk, heel wat anders dan het bleke slappe goedje dat een gevolg was van het karige huishoudboekje van het klooster, en ze zat daar ongelofelijk lekker, tot de kat op de bank tussen hen sprong en dicht tegen Francis aan kroop, waar ze van schrok, tot ze dacht: maar waarom dan? De Heilige Franciscus was de heilige van de dieren, van de vogels; het was heel natuurlijk dat dit beest bij diens naamgenoot ging zitten. De indringer herinnerde haar aan een paar van de dingen waarvoor ze gekomen was.

'Francis, was jij degene die gisteravond in de tuin mijn zus betrapte?'

Hier kon hij niet onderuit.

'Ja, het spijt me, dat was ik.'

'Barbara vertelde me alleen maar dat íémand haar had gegrepen. Wat was ze in hemelsnaam aan het doen?'

'Ik wou dat ik het wist. Het had iets met bídden te maken. Ik weet het niet. Ik ging gewoon achter haar aan toen ze over de muur klom, ik dacht dat ze een inbreker was... Het spijt me, maar ze was dronken en ze sloeg gemene taal uit. En ze heeft erg lange nagels.'

Hij toonde haar zijn volmaakte profiel om de ergste van de langgerekte halen te laten zien en boog toen het hoofd. Goeie God. Anna was altijd heel zuinig op haar nagels geweest, een raar soort ijdelheid voor zo'n wildebras.

'Heb je haar pijn gedaan?'

'Nee, néé, ik zweer het je, nee. Ze is zo klein, het was helemaal niet nodig om haar pijn te doen. Ze blies in het begin van kwaadheid, dat wel, maar ze kon eigenlijk niks uitrichten en ze was heel kalm tegen de tijd dat ik haar veilig en wel thuis afleverde.'

Ze was hem op hetzelfde ogenblik onbeschrijfelijk dankbaar dat hij haar dit vertelde, want Barbara's verzekering dat Anna geen haar was gekrenkt vertrouwde ze niet meer en dit was heel belangrijk voor haar.

'Ik had met haar te doen,' zei Francis met zachte stem. 'En ik had ook wel bewondering voor haar. Ze vocht als een kat en ik hou van katten. Je moet ermee om weten te gaan, weet je.'

Therese wilde het er verder niet over hebben. Wat ze voelde waren alleen Anna's vernedering en boze machteloosheid, en als iemand Anna beschermde, had ze liever dat zij dat was of God de Heer.

'En met zuster Joseph heb je zeker ook te doen?' vroeg ze scherp. 'Dat je haar geld aanneemt en drank voor haar gaat kopen als zij je dat vraagt.'

Hij liet zijn hoofd hangen, zijn gouden krullen vielen voor zijn gezicht terwijl hij zuchtte; de volstrekt irrelevante gedachte kwam bij haar op dat het toch vreemd was dat dergelijk haar sommige mannen verwijfd stond en andere juist helemaal niet.

'Joseph was wanhopig, zuster. Ik dacht dat het meer kwaad dan goed zou doen, maar ze zette me het mes op de keel. Ik weet dat het verkeerd van me was. Ik zal het niet meer doen, maar dit is allemaal zo nieuw voor me, Therese, ik moet nog zoveel leren. Ik wist niet wat voor effect de drank zou hebben en ik dacht dat ik haar er gelukkig mee maakte. Ze is een krachtige vrouw. Hoe moeten we Joseph gelukkig maken?'

Dat hij haar naam zonder het voorvoegsel 'zuster' gebruikte en 'we' zei, als waren ze bondgenoten, gaf Therese een warm gevoel, het idee dat ze samen een last deelden en er iets aan gingen doen; ze had het gevoel dat ze in ieder geval gedeeltelijk in haar missie was geslaagd. Maar ze diende zich te verzetten tegen plezierige gevoelens. Ze dronk haar thee op, zette de beker behoedzaam neer op de bank en stond op om te gaan. Francis kwam ook overeind, met de montere hoffelijkheid van een ouderwetse heer.

'Jij mag als eerste het nieuwe *prieel* zien,' zei hij, nog maar eens buigend. 'En kom maar hierheen wanneer je er behoefte aan hebt.'

Ze draaide zich nog een keer om bij de eerste bocht in het pad. Het laatste beeld dat ze van Francis zag, net voordat het begon te motregenen, was dat van een goudblonde man met blote armen, die een rode kat stond te wiegen.

Ze wist dat ze hier terug zou komen. Ze zou terugkomen voordat iemand anders deze plek ontdekte, op een tijdstip waarop Francis, de verontrustend charmante Francis, naar huis was, want het klooster mocht dan veel te groot zijn voor hen allemaal, toch was er nergens een plekje waar ze volstrekt alleen zou kunnen zijn en ze vond dat ze er maar beter aan kon wennen. De schuur herinnerde haar ook aan een andere plek, een andere tuin, bij het huis waar ze eerst had gewoond.

Het was een bijna geluidloze regen, een aanhoudend vochtig gemiezer.

'Bedoel je,' zei Anna langzaam tegen Ravi, 'dat steeds als ik met God zit te bekvechten, ik het eigenlijk tegen mijn eigen vader heb?'

'Het zou kunnen.'

'Maar het kan ook psychologisch geneuzel zijn.'

'Dat zou ook kunnen, ja. Maar het zou heel natuurlijk zijn. Als je vader in de hemel is, waarom niet?'

'Ik denk dat hij eerder in de hel zit.'

Ze zaten in het houten schuilhokje bij de ingang van het park, de laatste klanten van de ijscokar, die die dag geen beste zaken had gedaan, en ook al leek het allesbehalve gepast om over God en de escapades van de ziel te praten terwijl je een ijsje met een topping van chocola zat te eten, Ravi had daar geen problemen mee. In mijn godsdienst, vertelde hij haar, geldt voedsel als een bron van vreugde. We bieden het de goden aan en dan eten we het op als eerbewijs. Voedsel is vaak heilig en in ieder geval nooit profaan.

'Denk je dat als wij onze heiligen te eten zouden geven ze er minder erbarmelijk aan toe zouden zijn?' vroeg ze.

Hij knikte, wilde niet praten met zijn mond vol. Hij was in alles zo verfijnd, dat ze het liefst elke beweging van zijn hand naar zijn mond zou willen bestuderen en ze moest moeite doen om hem niet op een onbeschofte manier aan te staren.

'Misschien wel. Maar ik denk niet dat ze met voedsel tevreden zouden zijn. Ze zijn allemaal zo dun. Ze zien er allemaal hongerig uit en ze zouden toch nog niet gelukkig zijn. Die heiligen, die goden van jou... het lijkt wel alsof ze in hun leven geen vervulling hebben gevonden. Een en al lijden, dat is wat je op hun gezichten ziet. Nooit de vreugde over hun geheiligde staat. Ze laten altijd de straf zien, nooit de beloning.'

Ze dacht aan de goden in de tempel die op poppen leken, prachtig aangekleed, overdekt met juwelen, hun missie volbracht en rustig genietend van hun voorspoed.

'En maken die van jou ruzie onder elkaar?' vroeg ze beleefd, alsof ze het over familieleden hadden.

'Nee.'

'Hoe weet je dat nou?'

'Ze zouden het me vertellen en trouwens, waarom zouden ze ruziemaken? Ze hebben hun voorbeeld al gegeven en kunnen verder in vrede leven. Ze zorgen voor ons en wij zorgen voor hen. Ze zijn er niet om te straffen; dat doen wij onszelf, door niet naar hen te luisteren. Heb jij ooit naar je eigen vader geluisterd?'

Daar moest ze over nadenken. 'Ja zeker. Hij maakte me vaak aan het lachen.'

'Om Ganesha moet je ook lachen en dat vindt hij helemaal niet erg.'

'Ravi, heb jij ook bidprentjes, zoals deze?'

Ze sloeg Judes oude, versleten missaal open. De rug vertoonde vele barstjes als gevolg van de vele prentjes die tussen de flinterdunne bladzijden waren gestoken. Prentjes van heiligen – Mattheus, Marcus, Ignatius, Bernadette, het Heilig Hart, maar vooral van Maria, de Moedermaagd. Kleine prentjes zoals ze bij bosjes verkocht werden, in gebruik als verjaardagskaartjes, aantekeningenkaartjes en kattebelletjes, met een blanco zijde en met voorop gebeden, afbeeldingen van symbolen of personen, in meerdere of mindere mate versierd en opgesmukt, eenvoudig of sentimenteel: een deel van de valuta van de katholieke devotie. Op elk ervan waren aan de achterkant aantekeningen gekrabbeld in Judes hanenpoten.

Bekommer u om de ziel van mijn nicht, Heer. Ik weet hoeveel kwaad zij uithaalt in Uw naam. Ze heeft van deze kinderen invaliden gemaakt, ze heeft ze gehersenspoeld en vergiftigd omdat ze de gedachte niet kan verdragen dat ze opgroeien en haar verlaten. Help hen, Heer. Ik sta machteloos.

'Wij hebben ook heiligenplaatjes,' zei Ravi. 'Maar van dit gebed begrijp ik niets.'

'Het is ook moeilijk.'

Hij keek op zijn horloge, verontschuldigend, hij keek haar vanuit zijn ooghoek aan om te zien hoe ze reageerde. 'Het spijt me, maar ik moet nu naar huis. Mijn ouders...'

'Ik weet het,' zei ze, heel vriendelijk. 'Bedankt hiervoor. Het gaat zo echt regenen. Ik zou maar rennen, anders word je nat.'

En toen zat er niets anders op dan zelf ook naar huis te gaan en haar angstige gevoelens te laten doorrommelen in de bus, waar ze de gezichten bekeek om ze te vergelijken met de hunne. Twee mannelijke gezichten, dat van Ravi en van haar vader, die verschrikkelijk anders waren, maar op de een of andere manier toch door elkaar liepen. Dat van Ravi, donker en ondoorgrondelijk, dat van haar vader verweerd en strijdlustig, en beide gingen op in de post-spitsuurgezichten van de mensen in het bovenste gedeelte van de bus. Vermoeide gezichten, levendige gezichten, een overschot aan gezichten van mensen van middelbare leeftijd die naar huis gingen voordat de andere generatie op pad ging om te stappen. Een mooi gezicht aan de andere kant van het gangpad, dat haar aan haar moeder deed denken, maar de herinnering was even vaag en verwrongen als het gezicht van haar moeder. Ze moest eens ophouden met staren, en als ze erop betrapt werd, moest ze glimlachen om duidelijk te maken dat ze er niets mee bedoelde.

Het had geen zin om zo naar anderen te koekeloeren. Er waren in gezichten toch nauwelijks sleutels tot de mysteries van het heelal te vinden. Een kunstenaar kon de duivel net zo fraai portretteren als een Jezus; een waanzinnige mollah kon eruitzien als een engel, en Goudlokje als een heilige, en die was slecht. Ze keek door het raam naar buiten en verbeeldde zich dat ze hem in de straat kon zien lopen, hem zag wachten om over te steken en de broze rust die ze in het park en met Ravi gevoeld had, vervloog zodra ze in de buurt van haar huis kwam. Ze rende naar haar eigen voordeur, ook al was het nog lang niet donker, en terwijl ze zich haastte om binnen te komen bedacht ze dat dat was wat hij had gedaan: hij had gemaakt dat ze bang was in het donker, en dat was ze nog nooit eerder geweest. En toen bedacht ze dat niet hij het was die haar bang had gemaakt. *De goden straffen ons niet, we straffen onszelf.* Ze klauterde snel de ladder naar het dak op voordat het licht aan zijn langzame herfsteclips zou beginnen.

Een onaangenaam licht, doordat het nu gestaag motregende, zodat de droge straten glanzend werden en glibberiger dan door een donderbui. Ze dacht aan de zompige paden die voorbij het beeld van de

Heilige Michaël verder de kloostertuin in voerden, met mos bedekt, zelfs in de zomer, ze dacht aan het vochtige gebladerte rondom Edmunds bank, en dacht, ten slotte, ook aan Goudlokje en wat die in godsnaam wilde. Misschien verlangde hij net als de duivel een offer. Door de regen waren de met lood beklede goten van het dak ook glibberig geworden, maar het voelde als warme nattigheid tegen haar voeten. Ze had het rugzakje meegenomen en in het afnemende licht haalde ze de dode vogel uit het papier, stopte het briefje in haar zak en wierp het lijkje in de tuin; ze mikte links van de bomen en uit de buurt van de bank, met een krachtige bovenhandse worp, keek het na en zag het tussen de struiken neerkomen. Daar hoorde het ook en daar kon het in vrede verder wegrotten, want daar was het ook aan zijn einde gekomen. Niemand anders dan Francis kon het haar gestuurd hebben. Tenzij Therese het had gedaan, om haar op een perverse manier een boodschap over te brengen, en dat was het ergste wat ze zich kon indenken; op een akelige manier bleef die gedachte bij haar hangen.

De regen veranderde in mist, maar ze kon toch nog tussen de bomen door kijken naar de nieuwe halve cirkel die uit de chaos rond Edmunds bank was gecreëerd. Goudlokje Francis moest intussen naar huis zijn gegaan, via de voordeur, zoals ieder ander. Ze keek op haar horloge: het was daar tijd voor het avondeten, het was nog warm, maar buiten was het wel nat. Ze kon de schoongemaakte bank zien, de geschilderde schuur, de gesnoeide struiken, de schoongeveegde grond en een licht dat in de schuur brandde.

Je bent nog knapper dan je zus.

Hij zet een val voor haar op. Hij was gisteravond ook in de tuin. Hij gaat niet naar huis.

Ach, nonsens.

Ze beet op een nagel, wilde zichzelf uitschelden omdat ze zich zo aanstelde. Er gebeurt helemaal níéts in dat klooster, dat is nou precies waar het daar om draait. Wie zit er nou op jou te wachten, Anna, en wat stelt die klere-Francis nou eigenlijk helemaal voor? Een klusjesman die zich een hoop verbeeldt, een boerenlul die zichzelf heeft opgeworpen als hun leidsman en daar heel gewichtig over doet, maar intussen is het doodgewoon een jongen die nergens anders heen kan, al ziet hij er nog zo fantastisch uit, een knaap bij wie het piepkleine beetje macht dat hij weet uit te oefenen in zijn onnozele goudgelokte bol is geslagen. Ze keek nog een keer op haar horloge. Het was daar nu beslist etenstijd. Ze proefde de restjes chocola en ijs, die als een snor rond haar lippen zaten. Naast de witachtige steen van de Heilige Michaël zag ze de in zwart gehulde gestalte van Matilda, voor ieder onzichtbaar, die vergeefs wuifde. Ze knipperde met haar ogen en toen was ze verdwenen. Anna klauterde de treden af en schoof de ladder terug op zijn plek. Ze zocht in haar geheugen naar het telefoonnummer van het klooster en belde het. Agnes had ongetwijfeld de instructie gekregen haar niet via de voordeur binnen te laten, maar ze konden haar niet beletten op te bellen. De telefoon bleef maar overgaan, zoals tijdens maaltijden vaker gebeurde. Ze begon te ijsberen. Ze probeerde het nog een keer. Weer geen reactie.

De druilerige regen had zijn soutane geheel doorweekt; die droeg hij altijd als hij op ziekenbezoek ging, alsof dit uniform hem geloofwaardigheid verleende en alsof het allemaal de moeite waard was. Pastoor Goodwin drukte verwoed op de bel, zachtjes in zichzelf vloekend: 'Verdomme, verdomme, verdomme.' Zijn schoenen hielden het vocht niet tegen, de zieken hadden in een soort coma gelegen en nu restte hem nog de noodzaak zijn plicht te doen. Hij belde nogmaals alvorens op zijn horloge te kijken, waarvan hij nauwelijks de tijd kon aflezen zonder zijn bril die hij voortdurend kwijt was. Verdomme, verdomme en nog eens verdomme. De kloosterdeur ging open en daar stond Barbara. Ze was nog aan het kauwen en dat maakte haar er niet aantrekkelijker op. Ze zou de deur weer voor zijn neus hebben dichtgedaan als hij niet langs haar heen was gedenderd en rechtstreeks via de zwart en wit betegelde gang doorliep naar de gastenkamer. Barbara volgde hem verstoord, zoals ze al bijna de hele dag aan een kwaad humeur had geleden, wat door de onderbreking van de maaltijd alleen nog maar kon verergeren. Het was om te huiveren zo koud in het vertrek. Ze deed één enkele lamp aan en ging een eind bij hem vandaan zitten.

'Dit testamént, moeder. Hebt u dan helemaal niet gezien wat het behelst? Het is een gevaarlijk document, dat is het... Het is een tijdbom... Het is chantáge. Hebt u dan helemaal niet door wat hij probeert te doen?'

Ze zat star als een standbeeld, net een basilisk op een Egyptische tempel.

'Hij wenst zijn kinderen naar de duivel, moeder. Kunt u soms niet lezen?'

Ze stond op en draaide de sleutel om van de middelste deur die naar de tuin leidde. De grendels voor de ramen ernaast, het traliehek ervoor, en ten slotte een hangslot aan het traliehek als laatste beveiliging voor de nacht, en wel zo vroeg als zij dat wenste. Toen liep ze achter zijn stoel langs, alsof ze liever niet bij hem in de buurt kwam, en ging weer zitten, meters bij hem vandaan. Ze had wel een megafoon kunnen nemen om hem toe te spreken. Geluid drong hier nauwelijks door. Er was niets van te merken dat hier vlakbij een kapel was waarin op zondag mensen zongen, en nog minder was er te merken van een groepje oude vrouwen die aan de andere kant van de gang zaten te eten.

'U vindt uzelf nou wel zo intelligent, Christopher Goodwin, maar waarom zou ik luisteren naar een priester die een zenuwinzinking heeft gehad?'

'Pardon?'

'U bent toch gek geweest, eerwaarde?'

Hij lachte onzeker. Wie was er aan het roddelen geweest? Hij herinnerde zich dat Barbara hier pas vier jaar was, al was dat ook lang zat.

'Jammer genoeg niet. Ik had een zenuwinzinking, dat wel, ja, dat wist ook iedereen. Dat was voor uw tijd, moeder, en het is eerder iets wat om medeleven dan om bezorgdheid vraagt, vooral omdat uzelf kennelijk hard op weg bent er ook een te krijgen.'

'Ach, wie weet, maar als ik instort dan komt het in ieder geval niet door seksueel misbruik van kleine jongetjes. Zoals bij u. Nee, geen denken aan.'

Hij hapte naar adem alsof ze hem geslagen had en begon toen te glimlachen, omdat van alles waarvan men hem ooit had beschuldigd dit wel zo ver bezijden de waarheid was dat het volstrekt belachelijk was. Kleine voetballende jongetjes? Wat een giller. Hij dacht aan Kay McQuaid en de kwelling van haar nabijheid, van zijn noodgedwongen ingehouden maar daarom niet minder gepassioneerde liefde voor vrouwen, aan hoe verschrikkelijk moeilijk hij het daarmee had gehad, en hij lachte en lachte, ook al wist hij dat dat het ergste was wat hij kon doen; pas toen hij merkte dat ze niet met hem meelachte, hield hij op.

'Jezus, mens, er zijn nog heel wat meer redenen voor een zenuwinzinking. Heb je helemaal geen fantasie? Het waren het geloof en de problemen die ik daarmee had die me dwarszaten, geen kleine jongetjes.'

'Dat is anders niet wat Francis zegt,' zei ze koppig. 'Hij vertelde me vanmorgen toen u weg was iets heel anders.'

Francis, Francis en nog eens Francis. Wat was er toch met die knaap? Was het soms de nieuwe Messias? Woede welde in hem op en hij barstte los.

'Wat weet die Francis er nou van? Die ijdele rotzak. Moet een priester soms ook voor hem vallen, zoals jullie allemaal, onnozele kippen? Heeft hij je soms voorgelezen uit een krant of zo? Weet hij het beter dan de officiële instanties? Godverdorie nog aan toe, je behandelt hem alsof hij met je neukt. Hoe kan hij godverdomme ook maar iets van mij weten?'

Hij kwam op haar af, zwaaiend met zijn vinger, met ogen die vuur schoten, het toonbeeld van een gevaarlijke gek. Ze gaf geen krimp.

'Hij weet ervan omdat hij bang voor u is. Hij weet ervan omdat hij als klein jongetje bij deze parochie hoorde en zijn moeder voor u schoonmaakte. Hij was een tiener toen u hier werd weggehaald en hij weet precies waarom dat was.'

Hij had zijn arm opgeheven en zou haar bijna een klap verkopen. Maar in plaats daarvan drong zich een besef aan hem op, dat hem trof als een mokerslag. Hij bracht zijn handen naar zijn gezicht en kreunde, één bonk schaamte. Ja, hij herinnerde zich de jongen.

'Was hij een van uw slachtoffertjes, eerwaarde? Ga me niet vertellen dat het er zoveel waren dat u de tel bent kwijtgeraakt. Een zenuwinzinking, hè? Wat een flauwekul. Ik weet hoe de bisschop dit soort zaken afhandelt. Zoals alle bisschoppen. Zoals alle mánnen met zoiets omgaan. Ze verbergen het.'

De klok tikte in de stilte.

Hij stond op het punt te zeggen dat haar inschatting van de hogere geestelijkheid zeker correct was, maar dat zelfs de meest uit de klei getrokken bisschop een pedofiel niet zou terugsturen naar de parochie waar hij zijn zonden begaan had, in ieder geval niet binnen twee jaar, maar hem in ieder geval ergens anders naartoe zou sturen. Maar hij wist dat als hij zijn mond opendeed hij zou gaan vloeken en tieren en dat wat hij ook zou zeggen toch vergeefs zou zijn. Zijn razernij was teruggezakt tot het peil van een woedende indigestie, maar nog steeds stikte hij er bijna van.

'Je zult hier nog spijt van krijgen, stomme trut.'

'Wou je gaan dreigen?'

'Waar is Francis, die vuile bastaard?'

'Waag het niet hem zo te noemen, smerige viezerik.'

'Thuis, neem ik aan.'

'Je wéét het niet eens, hè?'

Even zag hij iets van onzekerheid op haar gezicht en als hij nog een ogenblik langer bleef zou hij haar zeker slaan. Hij liet haar midden in de gastenkamer staan en smeet de deur achter zich dicht, hopend dat ze achter hem aan was gekomen en hem vol in haar gezicht kreeg. Het lawaai van de dichtgegooide deur echode door een gebouw waarin nooit met deuren geslagen werd en ook zijn voetstappen klonken agressief. En toen, voor hem uit, in het zwakke licht in de gang met de zwarte en witte tegels zag hij de onmiskenbare gestalte van Therese, die wegsnelde, terug naar de refter. 'Therese!' brulde hij haar na, maar ze zette het op een hollen en verdween.

Hij zag haar voor zich, zoals ze een minuut geleden aan de andere kant van de halfgeopende deur van de gastenkamer moest hebben gestaan, klaar om te kloppen en te vragen of het bezoek koffie of thee wilde, en alles had gehoord; en hij zag steeds weer voor zich hoe haar vertrouwen aan diggelen ging.

De regen omhulde hem als een mantel toen hij zwaar ademend met zijn rug tegen de voordeur aan stond. Van de lateibalk vielen dikke druppels op zijn dunnende haar, schokkend koud. De druilerige mist versluierde het licht van de straatlantaarns, zodat het leek of ze een halo hadden. Misschien zou Barbara of die goeie ouwe Agnes er wel voor op haar knieën vallen. Hij stak de straat over en keek om naar het gebouw, dat er aan de buitenkant fraai uitzag met zijn zachtroze baksteen en zijn ramen met verticale stijlen, een gebouw dat de o zo bedrieglijke indruk van kalme bezadigdheid wekte, een vredig toevluchtsoord in een stedelijk landschap, geïsoleerd door deze indruk en door de hoogte van de muren, die niettemin bestormd werden, van binnenuit en van buitenaf. De arme oudjes. Als hij nu wegging en weigerde nog terug te komen, zou hij hun laatste schakel met de buitenwereld zijn die werd doorgesneden. Hij gebruikte zijn trillende vingers om te tellen. Ze hadden de verstandige stem van zuster Jude verloren, die vanaf haar ziekbed stiekemweg heel veel invloed had gehad, een bedaarde raadsvrouwe voor iedereen, behoedster van geheimen en van de rede. En dan was er Edmund, met zijn verstokte eigengereidheid, de man die naar niemand luisterde. En Anna, met haar ogen die veel verder zagen dan anderen en die buitengewoon intelligent was, een vitale schakel tussen hun wereld en die van haarzelf. En nu hijzelf, nog niet echt verbannen, maar de geruchten zouden zijn functioneren onmogelijk maken. Hij zou de kapel missen. Vergeleken bij de moderne blokkendoosachtige kerk waar hij anders de mis opdroeg bezat die een soort magische charme en het was de enige plek die hij kende waar God niet zweeg.

Zoals hij nu wel deed, in het heilige licht van de straatlantaarns nog wel. Het was makkelijk zat om er nu vandoor te gaan, naar huis, de televisie aan te zetten, het zich in zijn Spartaanse omgeving zo genoeglijk mogelijk te maken en te hopen dat niemand zou aanbellen, maar zijn woede had hem goedgedaan. Hij wilde iemand wurgen en was zich er heel even spottend van bewust dat alle doelwitten die hij graag zou vermoorden, allemaal van zijn favoriete sekse waren. Kay McQuaid, moeder Barbara, zijn eigen dode moeder en zelfs die rare Therese, omdat ze was weggerend. En als hij hier nog langer in zijn soutane bleef staan, zijn vuisten openend en sluitend terwijl de regen zijn nek indroop, als iemand die op het punt stond naar een niet-aanwezige maan te huilen, dan werd hij nog gearresteerd. Christus nog aan toe, dat zou bijna een opluchting zijn. Zijn keel was droog van gespannenheid. Hij kon bij niemand terecht, behalve bij iemand die eveneens in staat van ongenade verkeerde. Als Anna hem niet wilde binnenlaten, zou hij bij haar op de stoep gaan zitten wachten.

'Calvert' naast de bel, hij wist precies waar het plaatje zat, al was hij nooit binnen geweest en had hij alleen maar naar boven gekeken als hij weer eens langs haar flat kwam, onnodig vaak. Hij had al langgeleden bij haar langs moeten gaan om haar te vertellen wat hij van de waarheid wist. Had moeten, had moeten, had moeten.

'Recriminatie,' zei hij luid in de intercom, 'betekent de dood voor elke onderneming.'

'Wát zegt u, eerwaarde?' Haar stem klonk zo iel dat hij van schrik bijna een sprongetje maakte. Hij hoorde krasserige achtergrondgeluiden.

'Mag ik bovenkomen?'

'Natuurlijk.'

Zelfs een man was in staat de teleurstelling in die stem te horen. Hij begon aan de lange klim de ontelbare slechtverlichte trappen op en dacht: hier is ze in ieder geval veilig.

Een soort van muziek kwam uit de bovenste flat toen hij zwaar hijgend de laatste trap op kwam. Het gejengel van sitars en het gebonk van drums deden hem bijna pas op de plaats maken. Hij was vergeten hoe jong ze was: met muziek als deze erbij hadden ze geen greintje kans om elkaar te begrijpen, maar ja, misschien was het geen wederzijds begrip dat ze nodig hadden.

De ruimte had voor hem iets poppenhuisachtigs, het leek weliswaar groter toen hij van de kleine woonkamer de kitchenette in keek, maar toch, veel te klein voor zoveel lawaai. Hij had het onderhand zo heet gekregen in zijn natte soutane en parka dat hij zich niet kon voorstellen dat hij lucht zou kunnen krijgen in zo'n kamertje, zelfs nu bleek dat het groter was dan hij gedacht had. Er slingerden geen kleren rond en ook geen andere jeugdige spulletjes; alles was functioneel, twee stoelen, twee prenten aan de muur, de stereo-installatie op de boekenplank en dat was het, alsof de ruimte steeds voor andere dingen nodig was. Anna zette de muziek uit – godlof –, maar in de plotselinge stilte wist hij niet wat hij tegen haar moest zeggen.

'Komt u me op mijn kop geven?'

'Nee. Ik ben hier om een model van was van Barbara en die schoft van een Francis te maken en er spelden in te steken.'

'Dan bent u van harte welkom.'

Hij ging zitten, ervan uitgaande dat dat wel goed was.

'Heeft dat ouwe secreet u er soms ook uitgegooid?'

'In zekere zin wel, ja. Ik prefereer te denken dat ik zelf ben weggegaan.'

'Bent u over de muur geklommen of zoiets?'

'Nee, ze denkt dat ik een pedofiel ben.'

'De schat,' zei Anna glimlachend, en toen was alles ineens in orde. 'Wilt u iets drinken?'

'Water,' zei hij. 'Een fles whiskey zou beter zijn, maar ik moet nog ergens anders heen.'

Een lange reis naar zee. Hij dacht eraan terwijl ze zijn water haalde, ongerust, in zijn geheugen zoekend naar de vertrektijden van de trein. Elk heel uur. Jawel, hij kon er voor middernacht zijn. Het donker was bedrieglijk, het was nog vroeg. Als een parochiaan er vanavond tussenuit wilde knijpen, zou hij of zij alleen moeten sterven. Ze keek met moederlijke bezorgdheid naar hem terwijl hij water dronk, wat eigenaardig aandeed omdat ze maar zo klein was.

'U bent dus een man die aan kinderen frunnikt. Ik zie het niet zo gauw voor me.'

'Eenzelfde beschuldiging werd tegen jouw vader ingebracht, herinner ik me. Dat hij zijn eigen kinderen zou misbruiken. Van mij wordt in ieder geval nog verondersteld dat ik kinderen van anderen gepakt heb.'

Ze stond volkomen roerloos. 'Daar is niets, maar dan ook helemaal niets van waar,' zei ze langzaam. Toen vermande ze zichzelf. 'Kunt u nog wat treetjes klimmen, eerwaarde?'

Zonder zijn antwoord af te wachten trok ze de ladder van achter zijn gordijn, klom erop en duwde het raam naar het dak open. Er sloeg een heerlijk zuchtje frisse wind naar binnen. Hij kwam haar onhandig achterna. Ze pakte hem vast met verbazingwekkende kracht en hielp hem het dak op; voordat hij zich zelfs maar kon afvragen hoe hij in hemelsnaam weer naar beneden moest komen, zag hij de sterren en begreep op hetzelfde moment waarom zij in zo'n claustrofobisch flatje wilde wonen. Hij zocht zijn balans op het glibberige lood en volgde haar een paar stappen, leunde net als zij met zijn armen voor zich gevouwen op het stenen muurtje, zo veilig als wat en volkomen op zijn gemak. Hij had het altijd al heerlijk gevonden om op grote hoogte te staan. Het verschil was nu alleen dat zelfs als hij vooroverleunde hij nog altijd een heel eind verder boven de balustrade uitkwam dan zij. Hij boog zich iets naar achteren om het verschil kleiner te maken, een reus naast een dwerg.

'Wat kwam u me nu vertellen, eerwaarde?'

'Ik ben het helemaal kwijt. Alleen dat God je echt zal vergeven, wat je ook doet.'

'Dat kan me niet schelen. Alleen Therese kan me schelen.'

'Oké dan, ik kwam omdat ik net als jij in ongenade ben gevallen en we dus met elkaar kunnen meevoelen. En ook omdat ik het gevoel heb dat jou en Therese groot gevaar boven het hoofd hangt. Het enige wat daar echt iets tegen kan uithalen, is de naakte waarheid. Je vaders testament...'

'Ach, laat dat maar zitten. Therese heeft het voor me verborgen gehouden, dat wist ik best en het kon me niet schelen. Wat was mijn vader voor iemand? Ik bedoel als man tussen andere mannen? U kende hem toch, in ieder geval een beetje?'

Hij zocht naar een sigaret. Hij had er geen bij zich.

'Ik kende hem een beetje en ik mocht hem erg graag. Hij was iemand die veel liefde in zich had en hij was ontzettend gek op jullie allebei. Maar door zijn liefde was hij ook nogal naïef en tegen jullie moeder kon hij beslist niet op.'

'Iemand die bij zijn gezonde verstand is kan ook niet op tegen iemand die gék is,' zei ze langzaam. 'Niemand kan tegen zoveel wilskracht op. Vooral niet als die gekleed gaat in de wapenrusting van engelen en het ontzagwekkende schild van de rechtschapenheid draagt.'

Pastoor Goodwin hield zijn adem in en merkte dat hij op het punt stond in tranen uit te barsten. Het ontbreken van bitterheid in haar stem greep hem het meest aan, het nuchtere constateren zonder enig verwijt; het breken van de spanning in hemzelf deed hem wankelen en hij moest zich met beide handen aan de balustrade vastgrijpen, waarbij het hem niet ontging dat ze haar arm had uitgestoken om hem voor vallen te behoeden. Een kind met een beschermend instinct dat sterker was dan wat ook, iets wat ze misschien, in een zuiverder vorm, van haar moeder had.

'Wanneer is dat tot je doorgedrongen?' fluisterde hij.

'Ik weet het niet. Ik wéét het niet. Niet in het begin, niet in het eerste jaar dat we ziek waren. Ik denk dat dat toen misschien wel echt zo was en dat hij ongelijk had. We hoorden ze op de achtergrond voortdurend tegen elkaar schreeuwen. En toen ging mijn vader weg en probeerde hij ons te kidnappen. En ik probeerde ook een keer weg te lopen, en o, er was zoveel, maar het is allemaal zo vaag. Ik was zo slap, weet u; ik was te slap om ook maar iets te doen, of zelfs maar te denken. Ik kon lezen, maar denken kon ik niet, of liever gezegd, ik kon wel denken, maar het was onmogelijk daar conclusies uit te trekken, want we waren medeplíchtigen, snapt u? We waren het met haar eens, we moesten wel, er was verder niemand, maar toch wist ik ergens, soms wist ik wat ze aan het doen was. Münchhausen of zoiets, toch? Ze dwong ons te geloven dat we ziek waren en dat geloofden we ook. Het werd een feit. Voor Therese geldt het nog steeds als een feit, maar geloof me, eerwaarde, het was niet nodig dat zuster Jude of uzelf mij liet merken dat die vier dode jaren iets anders waren dan de fixatie van die gekke moeder van me, dat ze liever had dat wij doodgingen dan dat we haar alleen lieten en naar de hel lieten lopen. Ze was doodsbang voor zichzelf en voor ons. Ik dacht altijd dat het door mij gekomen was, dat het begon omdat ik zo ondeugend was. Dat ze daardoor een idee kreeg van hoe erg het zou kunnen worden.'

'Nonsens.'

Ze strekte haar armen voor zich uit, met haar samengevouwen handpalmen buitenwaarts gericht en hij hoorde haar vingers knakken.

'Maar het duurde heel lang voordat ik het echt wíst, en nog langer voordat ik het wilde tóégeven. Ik las beter dan Therese. Ik was beter in het interpreteren van de symptomen in de boeken die we lazen, maar pas later begon ik me dingen af te vragen over de medicijnen. Heel gewone dingen. Valium, dat ze voor zichzelf haalde, benyline, waar je compleet door gevloerd kan worden, allerlei soorten voedingsmiddelen die enigszins giftig zijn. Ze was diëtiste en ze deed het tegenovergestelde van wat ze moest doen. Je kunt mensen erg ziek krijgen met bepaalde combinaties van voedsel en kruidenremedies. Vooral als je zorgt dat ze nooit helemaal beter worden. Verfdampen, ze was voortdurend met verf in de weer, wierookstokjes. Ik begrijp best waarom mijn vader wegging. Ik zou hem dankbaar moeten zijn dat hij haar advocaten op haar dak heeft gestuurd. Maar ik wou dat hij geschreven had.'

'Maar hoe had je zijn post dan ooit kunnen krijgen, lieve meid? Wie deed de deur open voor de postbode? Wie nam de telefoon op? Was er soms e-mail?'

'Hij had toch iemand kunnen sturen?'

'Dat was hem door de rechter verboden. Hij werd ervan beschuldigd dat hij jullie had misbruikt, en de rechterlijke macht werkt ontzettend traag. Hij is zes keer opgepakt voor jullie deur. Moeders hebben ontzettend veel macht. Hij stuurde mij, bange wezel die ik ben; hij stuurde zuster Jude... we kwamen er niet in; wij waren natuurlijk slappelingen.'

'Alle vlees is nu eenmaal zwak,' zei ze. 'Doet er niet toe. Ik wou dat ik het geweten had, maar ja. Ironisch is wel dat Therese voortdurend bezig is geweest om me te beschermen tegen elk spoor van hem, terwijl ik me altijd heb ingespannen om Thereses goede herinnering aan onze moeder toch vooral niet te bezwadderen. Het zou fijn zijn als ze die zou kunnen bewaren. Zelfs al is ze erdoor besmet met het geloof en heeft ze er die verdomde roeping aan overgehouden.'

'Theodores uiterste wilsbeschikking...' begon hij weer.

'Ik wil het er nu niet over hebben, eerwaarde, en het maakt ook niet uit. Ik kan er gewoon niet tegen en u moet toch ergens anders heen?'

Ze ging rechtop staan, en greep zich net zo stevig aan de balustrade vast als hij had gedaan. Zoals ze nu dicht naast hem stond, reikten haar schouders maar net tot aan zijn borst, maar hij wist wie van hen de sterkste was. De aandrang om te huilen bleef bestaan.

'Vertel eens wat u allemaal kunt zien,' vroeg ze.

Hij keek niet naar beneden, hij keek voor zich uit in de verte. 'Ik kan geloof ik het hele park zien, ik zie Knightsbridge. Ik zie een vliegtuig, o, Heer, ik zie allemaal lichtjes. Geweldig, ik zie...'

'Ik had me eerder moeten realiseren,' zei ze, weer op die droge, nuchtere toon, 'dat een grote man hele andere dingen ziet dan ik.'

Ze glimlachte met die verschrikkelijke wrangheid, die naar hij hoopte niet permanent zou blijken te zijn.

'Mijn vader was een reus, ziet u. Net zo groot als u. Althans, zo herinner ik me hem.'

Hij rende de trappen af, waarbij hij het gewicht voelde van de documenten in de zak van zijn parka, het was koeler nu, maar nog net zo nat, hij moest rennen om die rottige trein te halen. Hij had niet genoeg geld voor een taxi naar het station, niet voor sigaretten of iets te eten, maar hem restte nog net voldoende woede om er te komen. Zijn priesterboordje bezorgde hem op het station korting en terwijl hij op het perron op de trein wachtte bood een zielige ouwe vent hem een sigaret aan. God mocht het hem vergeven, hij nam er zelfs nog een aan voor later.

Moeder Barbara keek op van haar administratie in haar werkkamer naast de gastenkamer, gestoord door het geluid van voetstappen. Ze kwamen langs haar deur, maar de richting die ze uit gingen voordat ze wegstierven, naar voren of naar achteren, was niet duidelijk: gingen ze nu richting voordeur of niet, ze kon het niet uitmaken. Haar zenuwen hadden te lijden gehad, zo hield ze zichzelf voor, en tegelijk zat haar geweten iets dwars waarover ze nog niet wilde nadenken, zeker niet terwijl ze volop met cijferwerk bezig was. *Trippel, trippel, trippel*, zachtjes als een kat, vlak langs het licht dat onder haar kamerdeur door over de zwarte en witte tegels van de gang viel, en toen, ze wist zeker dat ze gelijk had, gingen de voetstappen weer de andere kant op, alsof de persoon niet verder durfde. Barbara stootte tegen haar zware kasboek, dat met een klap op de grond viel. Een hint dat ze het gehoord had en dat wie het ook was haar ongenoegen riskeerde.

Ze wachtte een minuut. Het was nu trouwens toch te laat om nog wat zinnigs te kunnen doen. Jongelui op kantoor werkten misschien wel tot na tienen 's avonds door, maar zij hoorde daar niet bij en ook al had ze nog geen slaap, de uren waarin ze het wakkerst was lagen al meer dan drie uur achter haar. En daar was niets mis mee.

Vanwege haar knagende geweten, of iets wat erbij in de buurt kwam, deed ze de deur van haar werkkamer heel stilletjes open en keek vervolgens eerst naar rechts en naar links. Niemand. Op haar kousenvoeten liep ze de gastenkamer in. Ze trok het traliehek open, controleerde de grendels, legde de sleutels terug in haar werkkamer. Mooi zo. Toen liep ze de gang door, de andere kant uit, naar de kapel.

De maan stond hoog achter de enorme ramen, fel afstekend bij de kale, roerloze boomtakken. Ze bleef er even naar staan kijken, bedenkend dat het al heel lang geleden was dat ze hier had zitten bidden, en spoedde zich weer weg. Voor vannacht veilig.

II

Vreest niet voor degenen die het lichaam doden,
en daarna niet méér kunnen doen

Matilda zag na het avondeten pastoor Goodwin met grote stappen door de zwart en wit betegelde gang lopen en probeerde hem tegen te houden, maar hij zag of hoorde haar niet. Vóór het avondeten, dat even saai als anders was, had ze Francis via de voordeur zien vertrekken, en hoewel ze niet woordelijk de tedere afscheidswoorden kon verstaan, vergezeld van de vermaning dat hij ook maar goed moest eten, die natuurlijk van Agnes kwamen, kon ze zich bij de gevoelens wel iets voorstellen. Het vervulde haar van boosheid en treurnis. Begoochelingen waren het handelsmerk van de duivel. Maar alles waar ze na een poos in de kapel te hebben doorgebracht aan kon denken was dat het was opgehouden met regenen en dat ze rustig nog een tijdje bij de Heilige Michaël in de tuin kon gaan zitten.

De gastenkamer was leeg toen ze erdoorheen sloop; ze draaide de sleutel van de deur naar buiten om en ging de tuin in, opgelucht en met haar offergaven bij zich. De laatste dagen had ze haar favoriete plekje nauwelijks durven opzoeken; ze had zich beperkt tot snelle, steelse bezoekjes, ze bleef nooit lang, maar zwaaide even met haar armen in de lucht, in de hoop dat het kleine figuurtje dat soms vanaf het dak aan de overkant de tuin in keek haar zou zien. Maar Anna was de toegang ontzegd: misschien zou de kleine Anna wel nooit meer komen en Matilda, altijd bereid tot vergeving, kon heel goed begrijpen waarom ze dat ook beter niet kon doen. Het was een onbesuisd, dapper kind, dat misschien ook had gezien wat zijzelf had gezien; had ze Francis immers niet proberen te verwonden en bij dat vergeefse streven zijn gezicht niet opengehaald, het arme kind? Maar niemand kon altijd maar dapper zijn. Dus restte haar niets anders dan bidden en hoewel het kil en vochtig was, zodat ze spijtig terugdacht aan de heerlijke warmte van een vriendelijk lente, vond ze het toch heerlijk om de Heilige Michaël weer te zien en op haar oude vertrouwde plekje te zitten. In haar lange leven had ze geleerd te genieten van kleine dingen. Elk moment van vrede was er een; spijt was even zinloos als de eeuwige vragen die een voortdurende bron van niet te stillen verdriet vormden.

De vraag bijvoorbeeld waarom God het leven zo had ingericht dat de mensen van wie je hield zich altijd aan trots bezondigden en hun lijden voor je verborgen voor het geval je het maar al te goed zou begrijpen. Waarom had Joseph, haar allerbeste vriendin, zich op zo'n bittere manier van haar afgekeerd, alsof ze haar zwakheden niet al-lang volledig had geaccepteerd? En waarom maakte de God van ver-geving en begrip nu juist deze deugden zo moeilijk aanvaardbaar voor trotse mensen? Schaamte was voor Matilda een vreemd begrip. Je deed wat je deed, je had er spijt van en je voelde je erdoor in ver-warring gebracht, maar dwalen was menselijk en dus was vergeving niet minder natuurlijk. Lijden was lijden, en daarvoor moest je troost aanreiken en de belofte doen dat het de volgende dag wel weer beter zou gaan, dat was alles. Ze zat plomp op de stenen bank bij Michaëls voeten, met haar rug naar hem toe, vol afkeer denkend aan de nood-zaak van het stellen van vragen, zonder je toevlucht te zoeken in doodgewone aanvaarding, wat immers de waarlijk deugdzame staat was. Twijfelen was zondig en vragen waren een gruwel.

Zoals de vraag of ze Edmunds dood had kunnen voorkomen. Op deze speciale vraag luidde het antwoord nee, aangezien God over de dood beschikte en het tijdstip volledig van Zijn wil afhankelijk was, en ze betwijfelde in alle oprechtheid of ze iets aan de manier waarop had kunnen veranderen. Francis was het instrument geweest; eerst had hij simpelweg naar de methode gezocht om Edmund in het hart te treffen en vervolgens had hij het gebroken door zijn vogels te do-den. Eerst het hart, toen zijn ziel en ten slotte zijn fragiele lijf. Die avond dat het kapelraam eraan ging had ze de *pop* van de luchtbuks gehoord, overduidelijk boven alle andere vage geluiden uit; de wille-keur waarmee haar beginnende doofheid nu juist dit geluid eruit had gepikt verblufte haar nog steeds. Maar nog afgezien hiervan: ze had de duivelse knaap ook gezien met zijn wapen en in zijn gewiekstheid – hij was langs haar heen gelopen terwijl ze daar zat, net zo rustig als het beeld van de Heilige Michaël – aanvankelijk nog geamuseerd vanwege de arrogante veronderstelling van de jongeman dat iemand die zou oud was als zij behalve half doof ook wel blind zou zijn, en concluderend dat hij, zoals jongelui wel vaker deden, haar simpelweg helemaal niet zág. Maar ja, zoveel mensen zagen haar over het hoofd. Ze had er ook van afgezien om Edmund te verzekeren dat het Francis was die de vogels doodde, want dat zou zijn hart nog eerder gebroken hebben, op een moment dat hij naar liefde van de jongen verlangde en hoopte die te krijgen. Hij zou niet geluisterd hebben, zoals nu ook niemand zou willen luisteren.

Behalve Anna, die waarschijnlijk precies wist hoe hij in elkaar stak, omdat zij immers leefde in een wereld waarin heel veel van deze boze types rondliepen en omdat Anna vanaf haar dak toekeek. Maar Anna was in ongenade gevallen en kwam misschien niet terug, en Joseph, haar lieve Joseph, had zich net als Barbara volledig door de jongen laten inpalmen. Ach, Heer, ach, Heer.

Het eten was vanavond niet best geweest. Koud vlees en brood, een niet-volwaardige maaltijd, die zwaar op de maag lag en een onbevredigd gevoel achterliet. Therese had helemaal niets gegeten en ook daarover maakte ze zich zorgen. Matilda had extra fruit van de schaal gepakt en ook nog een hompje kaas meegenomen, zoals ze ook altijd deed toen Edmund nog leefde en zij haar fruit met hem deelde in ruil voor biscuitjes. Druiven had hij het liefst, maar ze aten bijna nooit druiven, tenzij ze aan het klooster geschonken waren. Appels kregen ze daarentegen eindeloos, meest gerimpelde exemplaren, zodat ze geschild, met Edmunds fruitmesje, het best te eten waren; dat mesje had ze meegenomen van de plek waar hij het de laatste keer had laten liggen en ze hield het nu bij zich om de duivel op afstand te kunnen houden. Die duivel was Francis, daar was geen twijfel aan, en ze was zo bang voor hem dat ze het mesje in haar zak bewaarde, in haar zakdoek. Zuchtend pakte ze het stukje kaas dat ze in nog een andere zakdoek had verpakt, samen met de appel die er op de schaal het best had uitgezien en twee chocolaatjes, die ze heel erg graag wilde opeten; ze spreidde alles naast zich uit op de bank. Soms was een offer het enige wat overbleef.

'Wees een schat en help ons, lieve Michaël. Ik heb dit speciaal voor jou meegebracht. Als ik dit hier laat liggen en er niks van opeet, wil jij de Heer dan vragen nota te nemen van mijn honger en of hij die in iets goeds om wil zetten? Zoals dat Hij die jongen hier weghaalt, voordat hij ons allemaal vermoordt?'

Ze leunde naar voren, vastberaden wegkijkend van haar verlokkende offergaven, ze zou willen dat ze ogenblikkelijk werden weggegraaid, voordat zij ze kon terugpakken. Ze keek naar de donkerende hemel en stond op om die te groeten, waarna ze twee stappen verder het pad op liep om te kunnen zien of het badkamerraam aan de achterkant van Anna's flat verlicht was. Het kind sprong kwistig met elektriciteit om, zoals de jeugd nu eenmaal deed, en zijzelf was maar een rare ouwe vrouw die nog laat buiten was, treurend om dingen waaraan niets te veranderen was; er welde een vreselijke woede in haar op toen ze weer aan die knaap dacht. Hij wíst dat zij wist dat hij een slechterik was; ze had het gezien aan één ongeruste blik die hij naar haar had geworpen en het was ook duidelijk uit de opvallende manier waarop hij haar links liet liggen, omdat zij de enige was die niet uit zijn hand at. God had jaren nodig om een hart voor zich te winnen, maar de duivel speelde het in een paar minuten klaar.

'Eet het nu op, lieve Michaël, of geef het anders weg. Wie weet wat je verder in de hemel nog te eten krijgt.'

Ze ging weer zitten, diep nadenkend over dit alles; ze weigerde tegen de stenen voeten aan te leunen die eens zo warm hadden geleken, probeerde zich te verweren tegen een algeheel gevoel van machteloze droefenis, dat ze anders door haar montere optimisme wel op afstand wist te houden, wat er ook gebeurde, zelfs als Joseph zich van haar afkeerde. Toen stond ze weer op en liep de paar stappen naar de bocht in het pad, die altijd het begin had gemarkeerd van Edmunds domein en dat van de vogels, scherp luisterend. Als de lente op haar hoogtepunt was hoorde ze de vogels altijd 's ochtends; vorig jaar om deze tijd hoorde ze alleen hun schrille schrikgeluiden, maar nu hoorde ze helemaal niets. Nog een paar stappen verder had ze het beste uitzicht op het badkamerraam aan de achterkant van Anna's flat. Het pad was glibberig van de regen, die nog steeds in de lucht hing, met de dreigende belofte van meer. Matilda stak een hand voor zich uit om de weg te voelen die ze beter kende dan de weg naar haar eigen slaapkamer: ze had altijd gewenst dat haar gezichtsvermogen eerder was verdwenen dan haar gehoor met zijn verfijnde nuances, tenminste als ze voor het een of het ander had mogen kiezen. Haar hand stuitte op de draad die over het pad gespannen was. Achter zich hoorde ze geritsel.

Als ze in de hemel zou zijn, dan was het de Heilige Michaël die zijn voedselgave tot zich nam, maar ze wist dat het de kat was. Ze greep de tot haar middel reikende draad, die dun, koud en nat aanvoelde. Wie was de heilige ook weer die met een wurgkoord was vermoord? De Heilige Agnes. Ze trok aan de draad; het was nog een val voor de vogels, alsof hij ze niet al allemaal de dood had ingejaagd, de schoft. Het was een waarschuwing: blijf hier weg! Het was verschrikkelijk en het bleef stevig zitten. Het geritsel achter haar duurde voort. God in de hemel, deze draad zou om de nek van die moorddadige kat moeten zitten. Matilda gaf er een ruk aan. Hij schoot plotseling los, waardoor ze door haar eigen gewicht werd onderuitgehaald, ze viel naar achteren terwijl haar voeten onder haar vandaan schoten, maar bleef half overeind zitten doordat ze nog steeds de draad vasthield, die ze verder lostrok, als was het een woekerplant. Ze was buiten adem van inspanning en geschokt doordat ze onderuit was gegaan.

Dunne, onschadelijke draad die alleen een dwerg die er in volle vaart tegen aanliep zou kunnen tegenhouden. Ze wierp hem opzij, zich bewust van haar verschrikkelijke vermoeidheid, het duister, de zinloosheid van haar gewuif naar dat verre lamplicht, en begon met onvaste stappen terug te lopen. Ze zag het vertrouwde silhouet van het beeld van de Heilige Michaël en had het gevoel alsof ze ernaartoe waadde. Ze ging zitten, zodra ze er was, en draaide zich toen om om haar handen op zijn voeten te leggen. Ze had dit al ontelbare keren gedaan, met haar handen op zijn met mos bedekte tenen vredig zitten dutten, verzekerd van goed gezelschap. Ze bleef zo een minuut lang zitten, in een poging de vredigheid van de voorbije zomer op te roepen. Toen bemerkte ze de nattigheid tussen haar vingers, richtte haar hoofd op en bestudeerde het zeepachtige spul dat tussen haar vingers droop en een eigenaardig gevoel veroorzaakte.

Ze kon net zo'n beetje zien dat de voeten van de Heilige Michaël met een schuimige substantie bedekt waren, die tot aan zijn mannelijke kuiten reikte. Mompelend van afkeer trok ze haar handen ervanaf en keek uit naar iets om ze aan af te vegen, maar vond niets anders dan de zakdoek die ze naast haar offergaven had laten liggen. Ze begon haar handen ermee te wrijven tot ze begonnen te tintelen en vervolgens te branden, waarop ze ze verwoed aan haar habijt probeerde af te vegen, tot ze aan de stof bleven kleven, nog steeds brandend alsof ze in de fik stonden. Ze veegde ze af aan haar borst, spuugde erop, veegde nog eens en strompelde toen bevend naar het terras waar het licht was en misschien water zou zijn. Ze gleed uit over het glibberige pad; de koude steen was als een zegen voor haar brandende handen en ze kroop nu voort. Ze kroop naar de deur van de gastenkamer, met de kille vochtige stenen van het terras als enige verlichting voor de pijn aan haar handen, en toen ze er eenmaal was hief ze haar voeten op, omdat ze er niet aan moest denken haar handen van de grond te halen, en trapte tegen de deur. Geen reactie. In het licht van het beveiligingslampje zag ze het gesloten traliehek en de gordijnen die waren dichtgetrokken.

Matilda kroop naar de bloembak aan de zijkant en begroef haar handen in de vochtige aarde; en ondanks haar extreme, doffe pijn zag ze kans de strengheid te vervloeken van een regime van gehoorzaamheid en stilte dat zoveel moeite deed om mensen buiten te sluiten dat het vergat hoe belangrijk het was om ze binnen te laten. En terwijl ze probeerde op te staan, haar voeten onder zich vandaan voelde glijden en met een doffe klap met haar hoofd tegen de zijkant van de bloembak sloeg, vroeg ze zich af wat ze de Heilige Michaël had misdaan dat hij haar zo van zich wilde afstoten dat hij zijn voeten in zuur gedompeld had. Ze herinnerde zich nog dat ze Edmund gevraagd had het mos te verwijderen en wenste nu allerhevigst dat ze dat nooit had gedaan, riep zachtjes Joseph om haar te helpen, en hoorde niets.

Anna was heel hard aan slaap toe, maar door onrust geplaagd klom ze in haar pyjama weer het dak op. Aan de drukke kant van het uitzicht passeerden auto's en heerste er topdrukte in de Oppo Bar, die nog lang niet ging sluiten; enkele dappere bezoekers zaten buiten onder de luifel om het einde van de regen en het einde van de zomer te vieren. Aan de kloosterzijde zag de tuin er zwart uit, tot ze er langer naar keek en de vertrouwde vormen begonnen op te doemen, duidelijker dan anders door de bladerloze bomen. Het contrast tussen deze zijde van het gebouw en de andere was bijna bizar, aan de ene kant livemuziek en druk verkeer en aan de andere een oord waarin niets gebeurde omdat iedereen er zo belachelijk vroeg naar bed ging. Het was niet zozeer hun levensstijl die de zusters van de rest van de mensheid isoleerde, dacht ze, maar veeleer hun starre vasthouden aan een slaap- en eetschema dat geschikt was voor kinderen onder de acht. Wat deden ze toch met al die verspilde uren? Kon je slaap aan God opdragen?

De vredigheid van de tuin en de duisternis in het gebouw maakten haar razend: ze verdienden het niet.

Door de kaalheid van de takken kon ze nu tot op het terras kijken, dat zwak verlicht werd door het beveiligingslicht dat nog maar een week geleden een betekenisloze twinkeling tussen het gebladerte was geweest. Ze was te ver weg om details te kunnen onderscheiden en wenste dat ze zo lang was als pastoor Goodwin, want dan zou ze veel meer kunnen zien; toch zag ze wel dat er iets veranderd was aan het terras sinds ze er de laatste keer naar had gekeken, samen met hem, een uur of zo geleden. Weliswaar geen grote verandering: een grote zwarte zak die nu voor de deur lag.

Wat wilde zeggen, zo redeneerde ze met haar vermoeide geest, dat iemand die daar had neergelegd. Dat er misschien iemand in de tuin aan het werk was geweest op een tijdstip dat volgens hun normen heel laat was en die gedachte bracht haar in paniek, want die iemand was natuurlijk Francis, die kwam en ging zoals het hem uitkwam, bezig met het beramen van dingen waarmee hij hun leven kon ontwrichten. De paniek volgde op de woede vanwege hun stompzinnige slaapzucht en op de paniek volgde weer woede. Waarom nam Barbara de telefoon niet op en waarom zou zij wél mogen slapen? Anna glibberde weer naar beneden, pakte de telefoon en toetste het alarmnummer in. Ze dacht eraan haar eigen nummer niet te geven en was een toonbeeld van beknoptheid terwijl ze haar verhaal afdraaide. Ze woonde vlak bij het Klooster van het Heilig Sacrament aan Selwyn Road, vertelde ze de rustige stem die haar vroeg welke nooddienst ze moest hebben: ze had drie personen over de muur aan de achterkant zien klimmen en wist dat in het gebouw iedereen vast in slaap zou zijn. Er woonden alleen maar hulpeloze oudjes. Of ze er heel snel iemand op af wilden sturen. Ze zouden heel lang en heel hard op de voordeur moeten bonzen om binnengelaten te worden, want die arme oude zielen dachten nooit aan gevaar en nee, ze wilde haar naam niet geven.

Toen ze dit gedaan had, zette ze de dakladder weer tegen de muur en trok het gordijn eromheen, zodat het net leek of daar een geïmproviseerde klerenkast voor een student was, en deed het licht in de badkamer uit. Misschien maakte dit laatste staaltje van ondeugd dat ze kon slapen, maar o, God, ze had alweer iets uitgehaald, stom van haar, dus ging ze niet kijken wat er gebeurde. Ze zou zich ermee verraden en haar kinderachtigheid nog eens onderstrepen, maar ze hoopte dat ze hem zouden pakken. Met haar donzen dekbed tot boven haar hoofd opgetrokken probeerde ze zichzelf tot slapen te dwingen; ze betreurde haar telefoontje nu, want dit was iets wat ze de hele tijd deed: op iets reageren zonder eerst na te denken en er dan spijt van krijgen. Andere mensen dachten na voor ze iets deden, terwijl zij moest leven met de leemten in haar leven, vocht tegen de conclusies die ze trok, als een modderworstelaar, en zinloze dingen deed terwijl ze doelloos rondspartelde; ze was het zat om steeds maar weer in het wilde weg dingen te doen in plaats van ze te plannen, maar ze wist niet wat ze anders moest doen, behalve huilen, om haar moeder, om haar vader en om Therese, niet noodzakelijkerwijs in die volgorde, en dan moest ze proberen te slapen, want wat er verder ook aan de hand was, morgen moest ze werken en dat was het enige wat zeker was. Morgen zou er een metamorfose plaatsvinden. Ze zou wakker worden als een verstandiger meisje en plannen gaan maken... En intussen ging maar steeds de zoemer van de intercom.

Net een wesp die in haar kamer gevangenzat, en hoewel ze hier al een hele tijd woonde was het, doordat ze net zo weinig bezoek kreeg als ze vrienden had, nog steeds een niet-vertrouwd geluid, vooral omdat de zoemer ging terwijl de muziek die ze altijd zodra ze thuiskwam keihard aanzette, ontbrak. In de stilte was het een dwingend geluid dat haar geen keuze liet. Het druiste volledig tegen al haar instincten in om níét op het geluid te reageren en de deur niet open te doen, want het zou Therese immers kunnen zijn; of misschien was het pastoor Goodwin weer. Maar het kleine beetje logica dat bij haar opkwam zei haar dat het – hel en verdoemenis – de politie moest zijn, want dat dat de consequentie was van wat ze had gedaan en dat ze die onder ogen moest zien. Gelaten drukte ze het knopje op de console in; een simpele, automatische reactie, gevolgd door maar één gedachte: dat het misschien wel stom van haar was.

Stom, om elf uur 's avonds, terwijl ze doodmoe en verward was en dus alleen maar in staat zou zijn tot een belachelijke verklaring voor haar idiote gedrag. Ze had tijd genoeg om te overwegen of ze, als het inderdaad een smeris was die kwam informeren waarom ze hen voor de donder gebeld had, niet gewoon haar schouders zou ophalen en Hoezo? zou zeggen, zich zou gedragen als een dommig kind dat ze liever niet wilden arresteren. Ze móést morgen naar haar werk, dat móést: het was de enige vastigheid in haar leven die ze bezat en daaraan had ze behoefte. Maar toen dacht ze: nee, ze ging zich niet als een kind gedragen en ze ging niet profiteren van haar geringe lengte; dat had ze al vaak zat gedaan. Ze zou zich opstellen als een eerlijke volwassene en precies vertellen hoe het zat.

Uit de flat onder de hare kwam muziek, een troostrijke herinnering aan het feit dat er mensen in de buurt waren en tevens aan het feit dat ze nooit haar best had gedaan om met ze in contact te komen. Ze deed haar deur halfopen, zich schrap zettend voor de onheilspellende voetstappen van een politieman die het een en ander van haar wilde weten. Het geluid van snellere voetstappen bereikte haar vanuit het trappenhuis en toen zag ze hem met sprongen de laatste trap op komen met zijn blonde haar en op hetzelfde moment stond ze daar als verlamd, tot Francis er was en met zijn gigantische laars de deur verder openduwde. Goudlokje, met zijn glanzende engelenogen.

'Ik kom mijn verontschuldigingen aanbieden,' zei hij.

In de verte hoorde ze loeiende sirenes. Niets gebeurde ooit in de juiste volgorde. Hij zou in de tuin moeten zijn, om hen op te wachten. Maar nu was hij hier, een en al glimlach terwijl beneden de muziek verder dreunde – *bonke, bonke, bonke* – die haar geen bescherming bood, nergens tegen.

Christopher Goodwin kende de weg van het station naar Kays huis als zijn eigen broekzak, een uitdrukking die hij vaak gebruikte en waar hij nu ook weer aan liep te denken, in de wetenschap dat het eigenlijk een belachelijke vergelijking was omdat hij vrijwel nooit precies wist wat hij in zijn zakken had zitten. Er verzamelden zich allerlei spullen in, met het gemak waarmee stof zich ophoopte, maar groter van omvang, zoals ballpoints, papiertjes, kassabonnetjes, een paraplu, de kruimelige resten van sigaretten, onbeantwoorde brieven en een nutteloos nagelschaartje waar zijn vingers in grepen als hij kleingeld wilde opdiepen. De zak van zijn soutane en de ruime zakken van zijn parka waren zo ongeveer het equivalent van een flinke handtas van een vrouw en toen hij op het goede station was uitgestapt en er de sokken in zette, had hij een visioen van zichzelf met zo'n ding, in plaats van met de gebruikelijke reclame-uiting: een lelijke oude plastic tas.

Hij wandelde langs de zee, die aanvankelijk niets anders was dan een koude, donkere achtergrond, en maakte onderwijl Kay McQuaid uit voor alles wat mooi en lelijk was. Als ze niet thuis was, zou hij een bom onder het huis leggen, maar door die gedachte kwam hij meteen weer uit bij zijn eigen machteloosheid. Nou goed, hij zou kiezels pakken van het strand waarop Theodore Calvert was aangespoeld en al haar ruiten aan diggelen gooien. Eigenaardig genoeg had het hem geen moeite gekost zijn woede in stand te houden tijdens de reis van anderhalf uur in een koude trein. Hij hoefde alleen maar te denken aan het weerzinwekkende testament en de zielige kladversie die erbij zat, aan het groepje dronken jongeren aan de andere kant van de coupé, aan moeder Barbara en die knul, Francis, om zo aan het hyperventileren te slaan dat hij het bijna uitschreeuwde en met zijn armen voor zijn borst gekruist heen en weer schommelde. Begrijpelijkerwijs had niemand in de trein zich met hem bemoeid en ook op deze weg langs de zee zou niemand hem lastigvallen; het was een soort promenade met lantaarns die hun licht wierpen over het natte beton, en onder aan het kiezelstrand spatten de krullende golven in schuim uiteen en leken hem te bespotten met hun geduldig herhaalde patroon. Hoe is het om dag in dag uit hetzelfde te doen, vroeg hij aan de golven, terwijl hij even halt hield om naar een stuk wrakhout te kijken dat sloom op de stroming bewoog, vooruitdrijvend en dan weer zijwaarts in de richting van het schuim, en zich afvroeg hoe ver het nog zou reizen voor het aanspoelde. Gedurende de korte tijd dat hij stond te kijken, bedenkend dat zijn eigen Christoforus de golven zou inwaden om het te redden, bewoog het zich een heel eind naar rechts tot het bijna niet meer te zien was, en kwam toen weer dichterbij, ronddraaiend in een bescheiden dansje. Zelfs een kapotte krat kon zeer elegant bewegen, vechtend tegen de krachtige stroming. Hij huiverde bij de gedachte aan Theo Calverts lijk, dat hier met veel minder beleid was afgeleverd. De man die door Anna haar reus van een vader genoemd werd.

Kay McQuaid was niet iemand die vroeg naar bed ging of schrok als iemand tegen middernacht bij haar aanklopte, ook al woonde ze in nog zo'n respectabele en slaperige omgeving. Hij liep naar de achterkant van het huis, waar licht door de glazen keukendeur naar buiten scheen en klopte stevig op de deur. Als je zachtjes klopte, werden mensen daar eerder nerveus van. Er zat een nieuw slot op de deur, een joekel van een slot, een ding zoals veel van zijn rijke parochianen bezaten, hoewel er bij arme mensen gemeen genoeg vaker werd ingebroken. Hij zag een felgekleurde kamerjas achter de deur schemeren.

'Opendoen!' brulde hij. 'Schiet op, mens, het is de pastoor maar!'

Ze deed traag de deur open en hij kreeg haar vermoeide gezicht te zien, waarop de aanwezigheid van opluchting en de afwezigheid van make-up dadelijk opvielen. Ze vertoonde zich in een kamerjas die hij nooit eerder gezien had, met een vlek op de satijnen voorkant, en zonder enige uiting van verbazing in haar houding, alleen iets van berusting. Christopher Goodwin begreep dat zijn oude vriendin enigszins aangeschoten was. Mooi zo.

'Hallo, Kay. Wat een verrassing, hè?'

'Niet echt,' zei ze sloom. Ze liet hem binnen met het enthousiasme waarop ze bijvoorbeeld een meteropnemer zou kunnen vergasten en hij volgde haar via de keuken naar de woonkamer, waarin de ezelkar met drank en de in de open haard zittende boeddha, die eruitzag alsof hij elk moment kon gaan boeren, nog steeds de opvallendste elementen vormden. Hij zag dat voor de deuren naar de tuin gordijnen hingen, zodat die was buitengesloten, als was dit een aankondiging dat het leven zich naar binnen had verplaatst en de zomer nu officieel ten einde was. Ze hield de dingen liefst zo veel mogelijk in de hand, dat was altijd al zo geweest, en als het kon zou ze ook het weer naar haar hand zetten; ze sloot zich ervoor af als het haar niet beviel, bracht veranderingen aan op haar gezicht om een slechte stemming te verdrijven, en verkleedde zich de laatste tijd ook als middel om het uur van de dag in de gaten te houden. Ze was me er een, Kay McQuaid, maar zelfs bij het elektrische licht kon hij zien dat haar ogen rood waren en dat ze geen zorg had besteed aan haar wenkbrauwen, zodat die er nogal woest uitzagen, en zelfs de kamer was net iets minder netjes dan anders. Het was nog niet de huiskamer van iemand die het helemaal niet meer zag zitten, maar wel de kamer van iemand die al langer dan een dag vrijwel niets had uitgespookt.

'Pak maar wat,' zei ze, terwijl ze zich neerliet in een fauteuil die zo te zien al urenlang haar gewicht had getorst, zonder de obsessief geklopte kussens die voor haar gebruikelijk waren. Hij pakte de Jameson's, opgelucht constaterend dat verder niemand eraan had gezeten, nam er met veel gehum en ge-ah de tijd voor en ging een schoon glas halen om haar de kans te geven zichzelf op orde te krijgen, de vlek op haar kamerjas te verbergen of wat dan ook. Hij vond een korst oud brood op een bord vol kruimels en at het op. Toen hij zich eindelijk met zijn glas in de stoel tegenover haar had geïnstalleerd, legde hij de vochtige envelop met documenten tussen hen in op de glazen tafel vol vegen die tussen hen in stond.

'Laat maar,' zei ze. 'Ik ben nooit zo goed geweest in lezen.'

'Wat kan jij liegen, Kay,' zei hij goedmoedig. Hij nestelde zich dieper in zijn stoel en wenste dat hij niet zo'n honger had; hij dacht eraan om naar de keuken terug te gaan om het geopende pakje pinda's te halen, dat hij daar op de grond had zien liggen met wat pinda's ernaast. 'Jij was heel goed in brieven schrijven. Je hebt een puike opleiding gehad, ergens, ooit. En in schrijven was je altijd erg goed. Vooral in handtekeningen.'

Ze kreunde en glimlachte verstrooid naar hem, een lege glimlach die zich over haar gezicht verspreidde. En toen rolden er evenwijdig aan elkaar tranen over haar beide wangen. Mollige wangen, zoals alles aan haar mollig was, de botten verscholen in een bol gezicht, dat hij er voorheen altijd zo levendig vond uitzien. Schoonheid was een momentopname.

Een litteken onder de rommelige wenkbrauw, waar anders nooit iets van te zien was.

'Ik moet je iets vertellen,' zei hij. 'Jouw Jack werkt in de kloostertuin, zeg maar in het klooster zelf, en heeft alle nonnen tot uiteenlopende staten van opperste adoratie gebracht. Hij noemt zich Francis tegenwoordig. Blond, mooi en bloedgevaarlijk. Heb jij enig idee wat hij van plan is daar uit te halen?'

Ze schudde kermend haar hoofd.

'Natuurlijk wel,' vervolgde hij op effen toon, al kostte het hem moeite.

'Volgens Theodores testament gaat zijn hele bezit naar zijn dochters, op voorwaarde dat ze niet zóndigen. Zouden ze weggelokt worden van de paden der deugd, die hij zo vreselijk was gaan haten, dan zou hij alles nog liever aan de duivel nalaten. Ook bekend als Jack McQuaid, zonder tussenpersoon zogezegd. Wie heeft hem er in godsnaam toe overgehaald om zoiets te schrijven? Nou? Jij soms, schat?'

Ze kwam in beweging.

'Néé.'

'Maar jij weet ervan. Je hebt je handtekening eronder gezet.'

'Ik heb ondertekend wat Theo me vroeg te ondertekenen.'

'Ach, ja. Zo gaan die dingen. En heb je een afschrift hier liggen?'

'Ja.'

'En heb je ook de ontwerpversie met de aantekeningen?'

'Nee, die heb ik nooit gehad.'

Hij wachtte. Ze kwam verder overeind in haar stoel en streek met haar wijsvinger haar wenkbrauwen glad. Helaas, dacht hij. Dronken, maar niet dronken genoeg. Jammer. Hij luisterde het liefst naar biechtelingen die met dubbele stem praatten – Help mij, eerwaarde vader want ik heb gezondigd – die voldoende van de drug alchohol gehesen hadden om in de lorum te zijn en hem een benadering van de waarheid voor te schotelen of op zijn minst het maximum waarmee biechtelingen kwamen aandragen. Hij roffelde met zijn hakken op de vloer. De vibraties leken weerklank te vinden op haar stoel. De besloten ruimte deed hem denken aan de gastenkamer en hij constateerde tot zijn opluchting dat hij weer net zo kwaad was als eerst.

'Francis' – ze sprak het zorgvuldig uit, als was ze niet vertrouwd met de lettergrepen, en ze sliste erbij – 'heeft hier drie jaar gewoond. Theodore behandelde hem alsof hij zijn zoon was. Maar al lang voor die tijd, al vanaf dat hij heel klein was, was hij er al van overtuigd dat hij Theo's zoon was. Hij begon dat te geloven toen ik bij jou wegging om bij de Calverts te gaan werken. En het is hem niet uit zijn hoofd te praten.'

'Op wat voor gronden, schat? Waarom zou hij dat nu denken, voor de duivel?'

Ze wist zich geen raad in haar stoel, keek naar haar gin-glas. Leeg. Hij schoot overeind, sneller dan hij zelf voor mogelijk hield, en schonk haar nog eens in, in een schoon glas. Het glas dat voor haar stond had al veel te lang dienst gedaan en aan glazen was er geen gebrek. Ze nam een gulzige slok. Christopher Goodwin schaamde zich een beetje.

'Ik weet niet precies waarom. Hij vroeg er steeds naar en ik zei er niets over. We werden allebei knettergek van dat gevraag. Ik nam hem mee naar de meisjes toen ik voor de Calverts werkte. Hij was helemaal gefascineerd, ze waren zo klein en zo snoezig. Petíte,' snauwde ze. 'Van die tere kleine in de watten gelegde poppetjes. En hun moeder gooide hem er gewoon uit, het secreet. Ze kon niet tegen ruige mannen, zelfs niet tegen eentje van twaalf, al had hij nota bene een kruisje om zijn nek. Ha, ha.'

'Droeg hij een kruisje?'

'Ik deed het 'm om toen hij nog heel klein was. Om het boze oog af te weren. Hij was er gek op.'

Ze kwam traag overeind en liep naar het toilet. Hij hoorde haar voetstappen zich verwijderen en even later weer terugkomen. In dit huis was beneden en boven een zeer luxueuze badkamer met toilet, voorzien van nieuwe tandenborstels, zeep, talkpoeder, bloemen enzovoort, voor het geval er ooit gasten zouden komen; het waren de kompasstreken in dit huis waar ze alles nog steeds zo hield als Theodore het zich gewenst had. Toen ze haar plaats weer innam wees Christopher haar er niet op dat hij tijdens haar afwezigheid haar kussens had opgeschud en goed gelegd, zodat ze lekkerder kon zitten. Toch stak het hem een beetje dat ze het niet merkte. Vrouwen hoorden dit soort kleine attenties te appreciëren, ook al verscholen zich er duistere bedoelingen achter. Misschien was hij uiteindelijk toch niets anders dan een ouderwetse plurk.

'Nou?'

'Misschien heb ik hem wel in de waan gelaten.'

'In welke waan?'

'Dat Theodore de vader was die hij zo lang had moeten missen en dat de meisjes zijn jongere zusjes waren. Dat liet ik hem denken, want ik verdomde het om te vertellen wie zijn vader wel was. Dát wilde ik hem niet vertellen, nóóit. Hij kwam helemaal uit zichzelf op het idee dat Theo zijn pappa was. Ik weet niet wanneer hij het echt begon te geloven. Toen ik hem het huis van de Calverts had binnengesmokkeld? Of was het pas later, toen ik hier ging wonen en hem meenam. Het moet hem het idee hebben gegeven dat Theo er eindelijk voor uitkwam dat hij zijn vader was. Dat hij zijn zoon in huis nam en voor zijn toekomst ging zorgen, om goed te maken wat er daarvoor gebeurd was. En Theo worstelde met die enorme, bittere leegte in zijn bestaan. Hij wilde zich maar al te graag ontfermen over zo'n jong kind. Zijn substituut-dochter. Hij was ongelofelijk aardig tegen Jack. Hij verwende hem ontzettend. Dat had ik nooit gedaan, ik kon het gewoon niet. Jack moet het gevoel hebben gehad dat hij in de hemel was beland.

De whiskey was onderhand warm en smaakte scherp. Kay had zich een beetje opgeknapt in de badkamer, zodat haar gezicht er nu roze glimmend uitzag en het praten haar beter afging. Christopher wist niet of dit goed of slecht was. Ze moest zich inspannen om duidelijk te praten. Ze verviel in zwijgen.

'Maar je hebt hem toch zeker wel verteld dat dat flauwekul was? Dat hij gewoon mazzel had dat hij in een huis als dit mocht wonen en dat er iemand was die voor hem wilde zorgen...'

'Jack, ik bedoel Francis,' snauwde ze, 'had niet genoeg aan mazzel. Wat hij wilde was zijn geboorterecht. Hij wilde het récht hebben om onbezorgd in een groot huis te wonen. Toen hij klein was wilde hij al naar een deftige school, hij wilde zo'n jong zijn in schooluniform met in elke zak een mobieltje voor het geval pappie zich ongerust maakte. Francis wilde gewoon alles hebben. Ik vertelde hem dat Theo zijn vader niet was. Hij wilde er niets van weten. Hij haatte me.'

'Maar toch ging hij weg. Dat heb je me verteld. Hij liet het idee schieten om naar de universiteit te gaan en ging in plaats daarvan naar Londen om een baan te zoeken. Als hij het zo naar zijn zin had, waarom ging hij dan weg?'

Ze stond weer op, schonk een sloot gin in haar glas en deed er tonic bij, waarbij ze morste. Ze haalde haar sigaretten uit de zak van haar kamerjas, stak er een op en gooide hem het pakje toe. Een oude vriendschap geef je niet zomaar op.

'Hoe kom je erbij dat hij zomaar vertrok? Ach, natuurlijk, dat idee heb ík je gegeven. Nou, het kon natuurlijk niet uitblijven dat hij zich tegen zijn weldoener keerde. Jack was door en door verrot, dat was hij al vanaf zijn geboorte. En tegen die tijd kon ik hem met geen mogelijkheid meer van het idee afbrengen dat Theodore zijn vader was, wat ik ook geprobeerd zou hebben, maar toch wilde Jack zich op de een of andere manier indekken. Hij zag dat Theo helemaal aan het doordraaien was, die was maar met één ding bezig: voor elkaar krijgen dat zijn dochters bij hun moeder werden weggehaald. Verder interesseerde hij zich nergens meer voor... al zijn liefde ging naar hen uit en hij zat voortdurend over hen in, hij ging eraan kapot... Al moet ik zeggen dat hij nooit meer naar de fles heeft gegrepen, God zij hem genadig. Hij wilde gezond blijven, voor hen.'

'Maar schiet nou toch op, mens. Heeft Francis dan nooit bewijs geëist dat Theo zijn vader was? Simpel toch? Een DNA-test of zo? Dat is tegenwoordig toch heel normaal, ik zie het bij mij in de parochie. Of nou ja, dat weet ik eigenlijk niet, maar ik krijg er wel vaak vragen over.'

Kay keek hem smalend aan. Wat was hij toch traag van begrip. 'Je vraagt niet om bewijs als je niet twijfelt. Zou jij je ouders om bewijs vragen?'

Hij dacht aan zijn goedaardige vader en bedaagde moeder, die het liefst veel meer kinderen gehad zouden hebben en de kinderen die ze hadden met ijzeren hand opvoedden, hun roeping voor hen bepaalden.

'Nee, dat zou nooit bij me zijn opgekomen.'

'Zie je nou? Bij hem kwam dat ook niet op. Maar voor het geval zijn vader hem toch zou afwijzen, bedacht hij iets anders om hem nog sterker aan zich te binden. Seks. Ik zei toch dat hij door en door verrot is. Hij was volgens mij al op zijn tiende geen maagd meer, deed het met een of andere ouwe kerel. Al voordat we uit Londen weggingen deed hij voor geld aan seks. Hoe jong hij ook was, hij zag dat die arme Theo ernaar hunkerde en dus probeerde hij hem te verleiden.'

De spiraal van rook die uit de sigaret in Christophers hand opsteeg, beefde. Hij nam een diepe haal om zijn geschoktheid te maskeren. Stel je niet aan, man, je hebt heus wel ergere dingen gehoord en misschien zit ze wel te liegen, maar dat dacht hij eigenlijk niet.

'Wel raar om zoiets met je eigen pappa uit te halen,' merkte hij op een heel normale toon op.

'Helemaal niet,' zei ze, op dezelfde toon. 'Pappies doen het voortdurend met hun kleine kindjes, dus waarom zou het andersom niet gebeuren? Theo is diep ongelukkig en ligt half te slapen en Francis kruipt bij hem in bed en gaat aan de slag. Foutje. Hij kwam er niet ver mee. De volgende dag was hij weg, met wat centen op zak, dat wel, maar toch, weg was hij.'

Pastoor Goodwin drukte zijn sigaret uit. Hij wist niet goed wat hij moest zeggen. Toen zuchtte hij.

'Nou, de jongen weet in ieder geval waar zijn seksuele voorkeur naar uitgaat. Zijn geaardheid...'

'O, dacht je dat? Daar zit je flink naast. Francis zou zijn eigen moeder neuken als hij dacht dat hij daar wat mee opschoot. Het maakt Francis geen moer uit. Vrouwen. Honden, het zou me niets verbazen. Je kent vast wel meer van dat soort jongens.'

Dat was waar, van die roofdierachtige wezens, uit een vroegere parochie, ruige kinderen uit het weeshuis.

'Zou het niet iets hebben uitgehaald als je hem had verteld wie zijn vader dan wel is? Zou dat zijn trots geen goed hebben gedaan?'

Ze lachte. Ze lachte tot ze er bijna in stikte, waarop hij naar haar toe liep en op haar rug begon te kloppen. Het deed hem goed haar tussen haar schouderbladen te slaan, hij raakte er iets van zijn eigen spanning door kwijt, het maakte niet uit hoe hard hij mepte. De tranen stroomden haar over de wangen. Hij zag nu, vanuit de kilte van zijn gemoed, waarom het verstandig van haar was om geen poeder op haar gezicht te hebben, want haar tranen zouden er allemaal sporen door trekken en de boel verruïneren; hij probeerde zich er niet door van de wijs te laten brengen en ging weer zitten, een eindje van haar vandaan. Ze waren nog niet waar hij wezen wilde.

'Je vertelt een kind niet dat hij het product is van een groepsverkrachting in een Ierse boerenschuur. Dat je niet weet wie zijn vader is, dat hij misschien voortkomt uit een bedorven mengsel van alle inteelt in een klein gat. Dat hij geaborteerd zou zijn als de ouders van zijn moeder naar meneer pastoor hadden geluisterd. Ik lag alleen maar haat uit te schreeuwen toen hij geboren werd, eerwaarde. Wat valt er nog meer over te vertellen? Is het een wonder dat ik nooit van hem heb kunnen houden?'

Hij was vastbesloten niet in medelijden te vervallen. Daarvoor ontbrak de tijd. Het was laat, hij had haar aan het vertellen gekregen en wie weet hoe ze morgenochtend zou zijn. Zijn medelijden bewaarde hij voor een andere keer. Een goede priester, zelfs een die het allemaal niet kan schelen, leert mededogen in rantsoenen te verdelen. Hij ging koffiezetten in de keuken, terwijl zij met nietsziende ogen bleef staren naar de patronen van de gordijnen, die de nacht buitensloten; hij kwam terug met de koffie, schoof zijn stoel dichterbij en legde een exemplaar van het testament van Theodore Calvert op de salontafel tussen hen in.

'Ik neem aan dat je al wist dat Francis in het klooster werkte?'

'Dat wist ik niet, dat zweer ik. Ik weet het pas sinds kort.'

'En heeft hij het testament van Theodore gezien?'

'Dat zou kunnen. Ik heb hem geschreven toen Theo... gestorven was. Ik schreef hem dat hij nergens op hoefde te rekenen. Hij geloofde me vast niet.'

'Maar hij heeft dít wel gezien.' Hij klopte met zijn vinger op het officieel uitziende testament, niet op het document waarop allerlei aantekeningen stonden.

'Ja. Hij is hier waarschijnlijk terug geweest... verschillende keren zelfs.'

'Dus heeft hij het gezien.'

Hij nam nog een sigaret van haar. Slaagde er door het trillen van zijn vingers pas na drie keer in hem aan te steken. Ze dook weer ineen op haar stoel.

'Dus weet hij dat als hij het voor elkaar krijgt om Theo's dochters van het pad der deugd af te brengen, als hij hen laat zóndigen, op een manier die volstrekt duidelijk is, dat hij dan erft.'

'Ja.'

'En wat voor betere zonde zou de knaap kunnen bedenken dan een meisje incest te laten plegen? Hij gelooft dat deze meisjes zijn zusjes zijn, zijn naaste bloedverwanten. Je door je bróér laten verleiden, als dat geen zonde is... Je door hem tot het kwaad laten verlokken, welke ergere zónde zou hij kunnen bedenken? Of verbeeldt hij zich soms dat hij hen op een andere manier tot zondigen zou kunnen brengen? Hen net zo verdorven zou kunnen krijgen als hij zelf is?'

Ze kromp nog verder ineen en mompelde iets.

'Wat?'

'Ik zei dat Francis dat alleen al zou kunnen omdat hij hen haat. Dat zou voor hem al voldoende reden zijn. Zij hadden alles waarvan hij vindt dat hij het had moeten hebben.'

Christopher Goodwin boog zich naar voren, pakte de kopie van het testament op en scheurde hem doormidden. Het geluid van het scheurende papier leek abnormaal luid.

'Dit zogenaamde document stelt helemaal niks voor. Er mogen dan handtekeningen onder staan, maar het is niet meer dan een kladversie. Het is niet meer waard dan een stukje toiletpapier. Voorwaarden als deze mag je helemaal niet opnemen in een testament. En jij hebt het als getuige ondertekend. Een begunstigde kan helemaal geen getuige zijn. Het is gewoon kul.'

'En dat Jack gelooft dat Theo zijn vader is, is ook KUL!' schreeuwde ze. 'Maar het punt is dat hij het wel gelóóft.'

Christopher stelde zich voor dat iemand die dit testament bekeek het heel overtuigend zou kunnen vinden vanwege het juridische taalgebruik. Het gebruik van terminologie als beredderaar, legateren en discretionaire bevoegdheid maakte het geloofwaardig, zelfs als je het nog een keer overlas. Het leek erg overtuigend.

Ze liet haar sigaret vallen en drukte hem vegend met haar slipper op het tapijt uit.

'Nou, wat is er zo raar aan dat hij dit allemaal gelooft? Godsiedorie, eerwáárde, jij zou daar alles van moeten weten. Jij bent expert in geloven in het ongelofelijke. Hoe ongeloofwaardiger iets is, hoe harder je erin gelooft. De Wederopstanding. De Heilige Maagd. Geloof zonder ruimte voor twijfel. Hoop? Dat is wat jullie etterbakken gelóvig noemen. Francis is ook gelovig, maar op zijn eigen manier.'

12

Gij zult tegen uw naaste niet vals getuigen

Ze wist dat ze doodsbang voor hem was, ze was banger dan ze ooit in haar leven geweest was. Haar kruin was op gelijke hoogte met zijn borst en terwijl ze naar hem opkeek, bleven haar ogen rusten op het gouden kruisje om zijn nek. Edmunds kruisje, waarvan het kettinkje gerepareerd was. Het was geen eenvoudig kruisje maar een echt crucifix, vanwege het kleine figuurtje dat eraan hing. Het kruisje zelf was te klein voor een sieraad en het kettinkje was te dun voor Francis' brede nek, maar toch leken ze bij hem te passen alsof hij nooit iets anders gedragen had. Ze bleef er gebiologeerd naar kijken toen hij beschroomd de kamer in liep en op een van haar twee stoelen ging zitten. Zij liet zich in de stoel tegenover hem vallen. Toen hij zich naar voren boog met zijn ellebogen op zijn knieën, waren hun ogen bijna op gelijke hoogte, maar zij bleef maar kijken naar het petieterige figuurtje dat tussen de openstaande boord van zijn overhemd zichtbaar was.

'Herken je me nog?' vroeg hij serieus, de leiding nemend, maar niettemin verlangend haar gerust te stellen. Ze was gedwongen hem aan te kijken; heel even keek ze hem in de ogen, maar meteen daarna weer naar zijn gouden kruisje.

'Herken je me nog van een hele tijd geleden, bedoel ik?'

'Nee.'

'Nee? Maar wij lijken toch op elkaar? We hebben hetzelfde haar. Is je dat niet opgevallen?'

'Nee.'

'Nou, misschien verbeeld ik het me dan. Maar we zijn allemaal broeders en zusters in Christus.'

'Blèh.'

Hij ging naar achteren zitten. Ze keek naar zijn voeten, zijn enkels, zijn knieën, zijn middel. Mooie schoenen, een broek van zachte kakistof, kleren die hem nog intimiderender maakten, al was de nonchalante manier waarop hij zat nog het ergste; de manier waarop hij geen moeite deed om te zorgen dat ze bleef waar ze was, omdat dat dat niet nodig was. Ze probeerde zich te herinneren of de deur achter haar nu wel of niet dicht zat, of hij hem had dichtgetrapt, keek even opzij. De laatste keer dat ze hem gezien had, haatte ze hem in plaats van bang voor hem te zijn. Nu leek het of hij haar gedachten kon lezen.

'Denk nou niet aan wegrennen. Ik wil niet dat je voor me wegrent. Dat zou niet goed zijn. Je bent hier in je eigen huis. En je hebt me toch uitgenodigd om binnen te komen?'

'Nee.'

'Nee? O, neem me niet kwalijk. Was het dan soms iemand anders die de deur voor me opendeed en hier op me wachtte? Ik ga wel weg, hoor, als je wilt. Je woont hier mooi, je hebt het hier echt leuk gemaakt. Ik ben steeds op zoek naar een eigen woning. Hoe is het om op jezelf te wonen? Is het duur? Alsjeblieft, kijk me niet zo verschrikt aan. Ik vind het geloof ik leuker als je lelijke gezichten tegen me trekt.'

Ze voelde dat haar wangen rood werden. Tot haar laatste snik zou ze het betreuren dat ze zo kinderachtig tegen Barbara had gedaan, maar ze had nu opeens de idiote neiging om hetzelfde nog eens te doen, en hierdoor vond ze haar tong weer terug. Ze omklemde de stof van haar pyjamajasje met beide handen en sprak met duidelijke stem. Ze was meteen kwetsbaar als iemand zei dat hij haar kamer mooi vond, ze voelde zich gevleid. Ze richtte haar blik weer op zijn nek. Een elegante nek, het enige aan hem dat kwetsbaar was.

'Waar heb je dat kruisje vandaan?'

'Dit?' vroeg hij verbaasd, ernaar grijpend. 'Dat heb ik van mijn moeder gekregen. Waarom vraag je dat?'

Hij had het van zijn moeder gekregen.

'Wat wil je?'

'Ik wil dat wij vrienden worden.'

Het *bonke, bonke, bonke* van de muziek beneden hield ineens op, waardoor zijn stem luider klonk en wat hij zei op een aankondiging leek.

'Wát?'

'Ik wil dat wij vrienden worden.'
'Ha, ha, erg grappig.'
Ze maakte de onderste knoop van haar pyjamajasje los en weer vast om maar iets te doen te hebben, blij dat haar nachtkleding was zoals ze die haar hele leven al gedragen had. Zedig, allesbehalve sexy, een jongenspyjama met streepjes, het soort pyjama waaraan ze gehecht was. Ze had het plotseling koud en ze begon te klappertanden. Het was een ander kruisje dat hij droeg. Hij had het van zijn moeder gekregen. Hij was erin gegroeid en nu was het te klein.
'Vrienden? Doe niet zo achterlijk. Je hebt me in elkaar geslagen, je hebt staan líegen over mij... Sodemieter toch op, éngerd.'
'Ik heb niet gelogen,' zei hij, lichtelijk verontwaardigd. 'Ik dacht echt dat jij een inbreker was en ik kon niet anders dan zeggen dat jij de ruit gebroken had. Toen ik dat zei, dacht ik dat het zo was. Ik had je eerder gezien, maar ik wist niet wie het was in het donker en ik had er ook geen idee van hoe klein je wel niet was. Als ik je onrecht heb aangedaan, wil ik het graag weer goedmaken, echt waar.'
Toen ze naar hem opkeek en zijn ogen ontmoette, zag ze hoe die schitterden en zag ze ook, tot haar verbijstering, een waas van ingehouden tranen. Weer liet ze haar ogen zakken naar het kruisje om zijn nek. Die tranen brachten haar van haar stuk: ze wist nooit hoe ze op tranen moest reageren behalve met medelijden en toen ze terugdacht aan de manier waarop hij haar tegen de grond had gegooid, met een mengeling van nonchalante kracht en afgewogen beheersing, wat verhinderd had dat ze zich echt pijn deed, wist ze het ineens allemaal niet meer zo goed, de details werden vaag zodat het leek alsof ze zich alles maar verbeeld had. Hij had haar nek kunnen breken, maar had dat niet gedaan. En dat hij dat niet had gedaan kwam haar nu voor als een vriendelijke daad. Ze legde haar handen op haar knieën, voelde de schrammen onder de stof van haar pyjama om zichzelf eraan te herinneren en vermeed het naar de halen op zijn gezicht te kijken.
'Ik denk,' zei Francis gehaast, alsof hij een beschamende bekentenis deed waar hij zo snel mogelijk van af wilde zijn, 'dat ik indruk wilde maken op moeder Barbara. Je weet niet hoe belangrijk deze baan voor me is. Het betekent voor mij mijn redding en zij kan me elk moment ontslaan. Ik wilde een held lijken. Ik heb deze baan echt nodig. Ik weet niet of je dat wel kunt begrijpen. Het is voor het eerst

van mijn leven dat ik me veilig en op mijn gemak voel.'

Ze keek hoe hij zijn vingers ineenstrengelde, met zijn hoofd gebogen zodat ze zijn dichte wirwar van blonde krullen zag, die heel schoon en fris roken, waardoor ze zichzelf een beetje vies voelde.

'Ik heb het gevoel dat ze me nodig hebben en dat is iets waaraan ik niet gewend ben. Ze zijn goed voor me. Het is me een beetje naar het hoofd gestegen als je snapt wat ik bedoel. Ik wilde ze echt beschermen. Ik wil dat ze bewondering voor me hebben. Ik ben een beetje te ver gegaan.'

Ze keek naar het kruisje dat om zijn nek glinsterde. Dat kruisje zat haar op de een of andere manier dwars; ze verwonderde zich erover en tegelijk hielp het haar haar kalmte te bewaren. Ze keek met vaste blik naar het symbool van opoffering, het hulpmiddel voor contemplatie, het kleine figuurtje van de gekruisigde Christus. Ze keek ernaar en ze wenste dat het kettinkje zou opzwellen zodat hij stikte, ze keek er intens naar, en haalde zich het rijkbewerkte kruisbeeld in Westminster Abbey in miniatuur voor de geest en het schitterende sussende geluid van honderden schuifelende mensen die in beweging kwamen om te knielen en vervolgens weer op te staan, bespeurde de tochtstroom van hun beweging in de lucht, die haar kalmeerde.

'Ja,' zei ze met tegenzin, 'dat snap ik wel.'

Hij zat heftig te knikken, dwaas, net een jongetje, een toonbeeld van berouw.

'Luister, ik weet wel dat je niet op mijn levensverhaal zit te wachten, maar ik kan je vertellen dat het niet erg gelukkig was. Ik ben grootgebracht met het idee dat ik door en door slecht was. Toen kwam ik Edmund tegen en kwam ik erachter dat dat helemaal niet waar is. En via hem ontmoette ik nog een heleboel andere mensen die mij ook niet slecht vinden. Het duurt even voordat je aan dat idee gewend raakt.'

'Wie heeft de ruit gebroken?' onderbrak ze hem.

Hij liet zijn hoofd nog verder hangen, zodat ze zijn gemompel bijna niet kon verstaan.

'Edmund. Hij schoot op een ekster, maar dat kon ik toch tegen niemand vertellen? Dat zou niet aardig zijn nu hij dood is. Ik denk niet dat hij echt wist dat hij het gedaan had. Ik heb zijn luchtbuks gisteren pas in de schuur gevonden. Ik ben grote schoonmaak aan het houden voor de herfst, zie je.'

Ze dacht opnieuw aan de geluiden in de kathedraal en hoorde in haar gedachten ook het breken van het glas in het raam; ze vond het gemakkelijker om naar hem te luisteren als ze zich in zichzelf terugtrok. Hij was haar hart aan het bespelen en ze wilde dat hij daarmee ophield, want in deze wankele situatie voelde ze de aantrekkingskracht van zijn schoonheid en begreep ze heel goed hoe het kwam dat alle zusters uit zijn hand aten, zoals de vogels uit de tuin bij Edmund deden. En er was nog iets: een aantal feiten die haar ontglipten, een rekensom die niet klopte, een kruiswoordpuzzel die niet af was en die ze niet kon afmaken zolang hij in de buurt was. Ze luisterde, dat wel, maar er was iets dat ze niet kon horen. Ze wilde altijd het liefst dat vergiffenis uit vrije wil geschonken en ontvangen werd; ze wilde dat nu ook.

'En vanavond ben ik hierheen gekomen,' zei hij, 'omdat dat moest van Therese. Ze zag wel dat ik me zorgen maakte, en zij was ook ongerust. Ze heeft me naar het adres waar jij werkt gestuurd om dat cadeautje voor je af te geven.'

Het draaide haar voor de ogen. Onwillekeurig laaide er hevige jaloezie in haar op en ook een geweldige drang om haar zus te beschermen. Het was onverdraaglijk om zich deze man, deze jongen, naast haar zus voor te stellen, maar tegelijk, bij het noemen van Thereses naam, voelde ze zich volkomen weerloos en begon haar hart traag te bonken van angst, zo hard dat ze dacht dat hij het wel moest horen. Had Therese haar die dode vogel gestuurd? Had Therese haar de tekst uit de Heilige Schrift gestuurd? Die angst was nog het ergst: Therese die door iets wat haar angst aanjoeg uit het lood was geraakt, net als haar moeder. Therese was gek aan het worden. Of was zij gek aan het worden? Ze móést Therese zien, voordat het te laat was. Zijn stem bereikte haar als van verre.

'Zij en ik praten vaak met elkaar, weet je, al vanaf de eerste dag dat ik daar ben. Ik denk omdat we zo'n beetje de enige jonkies zijn, behalve die vrouw van de keuken.' Hij haalde diep adem. 'Therese wil je heel graag zien, maar ze zegt dat dat alleen maar kan als het mag van moeder Barbara. Ze vraagt of je begrip kunt hebben voor de regel van gehoorzaamheid. Hoor eens, ik weet dat het arrogant klinkt, maar ik denk dat ik Barbara misschien wel zo ver kan krijgen dat ze het goedvindt, als er iemand is die dat kan ben ik het, vooral als ik tegen haar zeg dat jij en ik nu vrienden zijn. Ik moest je trouwens van Therese alle liefs overbrengen. Ze is een ontzettend lieve meid, hè? Ze weet dat je de kapel mist. Ze is het liefste meisje dat ik ooit gezien heb. Ik wou dat ze mijn zusje was. Ze leert me om niet meer te liegen.'

Anna was sprakeloos.

'Dus heb ik haar verteld dat ik jou gekust heb toen ik je naar huis bracht. Ik weet dat het verkeerd van me was, maar ik kon er niets aan doen, je bent zo ontzettend knap. Ik had je al eerder gezien, weet je, eerder dan jij mij zag, en nóg een keer, in de mis, ook al herkende ik je in het donker niet.'

'En wat zei Therese daarvan?'

'Ze vond het een belediging en vond dat ik mijn hoofd moest laten nakijken.' Hij zweeg even. 'Maar ze zei ook dat het tijd werd dat jij een aardige, katholieke jongen vond. En ze vroeg of jij en ik alsjeblieft alles zouden vergeven en vergeten en áárdig konden zijn tegen elkaar, om haar een plezier te doen.'

Dit klonk echt als Therese, zelfs zo dat ze alleen maar kon lachen en tranen achter haar ogen voelde prikken, net als van Francis. Ze veegde haar neus af aan de mouw van haar pyjama.

'Wij hebben veel met elkaar gemeen, jij en ik,' zei hij. 'De zusters bijvoorbeeld, wat wij allemaal zouden kunnen doen om hun leven aangenamer te maken. We zouden zoveel kunnen doen, weet je. Zonder mensen als jij en ik redden ze het niet. Ze hebben geen spiegels, ze zien zichzelf niet eens. Maar goed, Therese vraagt dus of je het wilt proberen.'

Ze bleef zwijgen. Ze ergerde zich aan de kreet *mensen als jij en ik*, maar was desondanks ineens weer vol goede hoop. Therese dacht aan haar. Therese praatte over haar. Therese werd misschien wel gek zonder haar. Therese had haar nodig.

Hij stond op, onhandig en met een bezorgd gezicht. 'Het spijt me. Het is al laat en ik ben veel te lang gebleven. Ik zou wel gebeld hebben – ze gaf me je nummer, maar ik dacht dat je de hoorn wel meteen op de haak zou gooien. En dus heb ik het maar geriskeerd. Bedankt dat je naar me geluisterd hebt.'

'Wacht.' Hij wachtte.

'Wat voor soort vrienden wil je dat we worden?'

Zijn glimlach was uiterst raadselachtig. Hij zou er miljoenen mee kunnen verdienen. Een verbijsterende mengeling van de glimlach van een heilige, de grijns van een onschuldig jongetje dat vraagt om vertrouwen en het hoopvolle lachje van een vrijer met de lippen en tanden van een knappe popster.

'Wat jij wil. Wat dacht je ervan om morgenavond samen iets te gaan doen? Om zeven uur? Na het werk? Ik zou bloemen voor je mee kunnen brengen en dan beginnen we helemaal opnieuw.'

'Zo'n soort vrienden dus?'

Zijn ogen gleden langs haar lijf en toen weer terug naar haar gezicht. De ogen van iemand die alles al gezien had.

'Ja, zo'n soort. Morgen zie ik Therese. Als twee mensen elkaar op een foute manier ontmoeten en het dan toch goed komt, heeft dat iets heel romantisch, vind je ook niet?'

Ze kromp ineen van afschuw en probeerde te glimlachen. Hij kon er toch niets aan doen dat hij zo schutterig deed? Hij mocht Therese graag, en hij wilde ook graag dat het met haar goed kwam, hij was gewoon een verdoolde ziel die fouten maakte. Als hij dat kruisje maar niet droeg.

'Goed. Oké, wat je wilt. Doe haar de groeten.'

Zijn voetstappen verwijderden zich galmend op de trappen. Zijn gefluit bleef een tijdje in de lucht hangen. Dat hij floot, verontrustte haar op de een of andere manier. Het klonk nogal triomfantelijk. Anna poetste haar tanden, en na een halfuur van koortsachtige activiteit, schreef ze een paar zinnen in haar aantekenboekje en huilde zichzelf in slaap, ten prooi aan radeloze verwarring. Het gevoel dat hij haar bovenal bezorgde was dat ze ondankbaar was.

Christopher Goodwin zorgde dat Kay McQuaid haar tanden poetste voordat hij haar in haar eigen bed instopte met de geruststellende verzekering dat alles wel goed zou komen, in de wetenschap dat hij zich door deze optimistische voorstelling van zaken net zo aan leugens bezondigde als zij deed. Want Kay kon nog steeds verstoppertje spelen, ook al was ze op het moment nog zo ver heen, waarmee hij bedoelde dat ze de vragen die hij haar stelde wel beantwoordde, maar niet de vragen waarvan hij niet wist dat hij ze moest stellen. Hij ging niet naar de logeerkamer waar hij anders sliep als hij de laatste trein had gemist, wat niet vaak voorkwam, maar ging naar Theo's kamer omdat hij het prettig zou vinden om vanuit bed naar de maan achter de deur van het balkon te kijken. De maan was rustgevend en hij moest iets hebben om naar te kijken als hij pogingen deed om in slaap te komen.

Voldoende tot rust komen om te kunnen slapen was moeilijk genoeg en al helemaal in een kamer die bedoeld was voor iemand anders. Het was een vreemde sensatie en het gaf hem het gevoel dat hij niet alleen was. Hij opende de deur van een fraaie kledingkast om zijn jasje op te hangen en ontdekte toen dat die nog helemaal gevuld was met Theodores kleren: ouderwetse tweedcolberts, veelgedragen, keurig gestreken overhemden en een zware winterjas. In het hiernamaals had hij dit allemaal niet nodig en hij vroeg zich gedurende een kort moment af welke reis Theodore Calvert na zijn dood had gemaakt: naar de hemel, de hel of het vagevuur. Een ding was wel zeker, namelijk dat hij geen vergiffenis voor zijn zonden had gevraagd, ook niet op het eind. Er lagen dekens maar geen lakens op het bed. Christopher kroop er in zijn ondergoed onder, wensend dat hij zich de man wat beter kon herinneren of dat hij hem goed genoeg had gekend om te kunnen volgen hoe zijn gecompliceerde geest werkte. Een man die een machtsspelletje speelde en dol was op alle spelletjes, maar anders dan hij; hij hield er alleen van om ernaar te kijken.

Het was een goed bed. Alles in dit huis, afgezien van wat Kay eraan toegevoegd had, was van goede kwaliteit. Het waren ook goede dekens, ze waren zacht en ze roken heel schoon. Ze was een goede huishoudster, wat voor iemand ze verder ook was. Oordeelt niet opdat gijzelf niet geoordeeld wordt. Mensen namen altijd maar aan, zei hij bij zichzelf, dat een priester die zich aan het celibaat hield vrijwel niets begreep van de speciale band tussen kinderen en ouders, een liefde die een rustige vrouw in een helleveeg kon veranderen en een vader in een moordlustige beschermer, de liefde die alle andere geboden en overwegingen in het niet deed zinken. Hij hoorde in gedachten wat wanhopige moeders uit zijn parochie hem vaak in het gezicht slingerden – dat hij er niets van begreep – maar hij meende dat dat toch wel zo was, zij het tot op zekere hoogte. Het was een beschuldiging die hij als een belediging voor zijn voorstellingsvermogen opvatte, want hij kende het gevoel van een kind dat in zijn armen lag en wist, als zijn eigen Christoforus, dat hij liever dan het te laten vallen zou doorgaan het te dragen tot hij erbij neerviel of verdronk. Ach, Heer, wat zou ik graag een kind hebben gehad, verzuchtte hij, en met die treurige gedachte viel hij in slaap.

En ontwaakte, volledig gedesoriënteerd door de vreemdheid van de koele kamer, terwijl achter de ramen de dageraad gloorde die hem tussen de halfgesloten gordijnen door wakker porde. Hij waste zich in de badkamer, geïrriteerd omdat hij geen scheerapparaat of tandenborstel bij zich had, tot hij alles wat hij nodig had aantrof op de plank boven de wastafel en hiervan gebruikmaakte met een schuldig gevoel, alsof hij op een rare manier in de schaduw van een andere man was gaan staan en profiteerde van het feit dat de huishoudster van die man verzuimd had diens spullen na zijn dood te verwijderen. Ze kon óf het karwei niet aan óf ze rekende het niet tot haar taak. Het enige waarover hij zich beklagen kon was dat de spiegel te laag zat, zodat hij zich moest bukken om zijn kin te kunnen zien, wat hem overigens dermate afleidde dat hij zijn toilet wist te voltooien zonder zich ook maar één keer te snijden. De woede huisde intussen nog ergens in zijn binnenste, als een indigestie die erop wachtte in alle hevigheid toe te slaan als de drug slaap volledig uitgewerkt was. Hij zou lopend naar het station gaan om de eerste trein te halen, en aan zee zijn hoofd laten uitwaaien. In de huiskamer pakte hij de documenten die hij had meegenomen bij elkaar, waarbij hij zich afvroeg hoeveel documenten zij nog had en waar die lagen, maar hij besloot haar er niet voor wakker te maken. Hij had niet eens behoefte aan meer. Het was aardiger om haar te laten liggen. Dus liet hij een briefje achter en liet zichzelf via de achterdeur uit.

Op een ochtend als deze begreep hij wel waarom Theodore Calvert ervoor gekozen had zo dicht bij zee te gaan wonen; de zee stroomde en golfde met een opgewekte bedaardheid en nodigde zelfs uit tot de volledige onderdompeling zoals Johannes de Doper die de nieuwe volgelingen van de Messias in de Jordaan had laten ondergaan. Deze zee leek wel wat op een rivier die gemakkelijk kon worden overgestoken. Het was water om over te lopen, glinsterend in het zonlicht en zich oplossend in een nevelige horizon. Pastoor Goodwin bleef ernaar staan kijken en bad dat zijn ziel tot rust zou komen en hij inspiratie zou ontvangen voor wat hem te doen stond, want op dat moment, tussen slapen en waken in, zag hij zo gauw niets anders dat hij moest of kón doen als hij in zijn verwaarloosde parochie terugkeerde dan het begaan van moorden. Over de te verkiezen volgorde waarin deze moesten plaatsvinden was hij het nog niet met zichzelf eens: eerst Barbara of eerst Francis. Hij zou de hele kwestie kunnen voorleggen aan de vicaris van het bisdom en een gesprek met Therese kunnen eisen, voorzover er iets te eisen viel, maar de rechten en plichten van een priester waren slechts vaag omlijnd. Misschien was hij zoiets als een toevallige substituut-ouder voor de twee wezen, met genoeg liefde voor hen om zich van deze taak, een verschrikkelijke verantwoordelijkheid, te kwijten, maar van rechten was geen sprake. Het was een ingewikkelde zaak, om het nog zacht uit te drukken, zelfs als je de onberekenbaarheid van Satan buiten beschouwing liet. Wat had Theodore Calvert er in hemelsnaam toe bewogen een pact met de duivel te sluiten? Was hij soms dronken geweest toen hij dat testament bedacht, een laatste delirium van een man die dood wilde, zonder enig besef van de consequenties? Christopher Goodwin keek naar de zee, stelde zich voor dat deze uiteen zou splijten om twee torenhoge muren van water te vormen om de stammen van Israël door te laten, aangevoerd door Mozes. Het was het treffendste beeld dat hij aan het Oude Testament had overgehouden, het enige dat hem als jongen vermocht te imponeren. Dé scène die hem overtuigde van de macht van de goede God, samen met de weergave van de volgende scène door Cecil B. De Mille, waarin het water weer omlaagstort en het leger van de Egyptenaren de verdrinkingsdood vindt. Waarom wachtte Hij tot die Egyptenaren halverwege waren? Waarom liet Hij ze niet achter op de andere oever? De God van de Israëlieten was uiteindelijk een moordenaar, die selectief genocide pleegde. Dat was precies het probleem met godsdienstige kennis. Het creëerde een geweldige berg aan beelden, die elk uitzicht belemmerde en voorkwam dat men simpelweg keek naar wat er echt was.

Terwijl hij zo stond te kijken en probeerde zich te concentreren op wat er werkelijk was, de dreigende wolken zag die zich aan het verzamelen waren, zich verheugde over de aanblik van het felle licht op het water, zag Christopher weer wrakhout drijven. Aanvankelijk zag het er precies zo uit als het stuk hout dat hij de vorige avond, staande op vrijwel dezelfde plek, op de golven had zien dansen. Toen hij beter keek, er door zijn samengeknepen ogen naar tuurde, wensend dat hij zoiets als een zonnebril bezat, zag hij dat dit iets anders was, een groene ton of zoiets, in ieder geval iets dat rond was en zwaarder; het deinde zachtjes maar had veel vaart. Hij liep ermee mee, voelde zich net een spelende hond die weldra zal gaan blaffen naar een stok, probeerde zijn passen af te stemmen op het tempo van het wrakhout en merkte dat hij hiervoor harder moest gaan lopen. Ondanks zijn erbarmelijke stemming en de onverteerbare spanning die eraan ten grondslag lag, had hij plezier in dit spelletje tot de weg naar het station zich van de zee afboog en hij ermee op moest houden. Van spijt hield hij zijn pas in om vervolgens volledig tot stilstand te komen.

De geweldig sterke stroming langs deze kust. Als Theodore Calvert was gaan zwemmen op het strand dicht bij zijn huis en verdronken was, dan zou hij in geen miljoen jaar naar hetzelfde stuk strand hebben kunnen terugdrijven. En als Theodore Calvert een neptestament als lokmiddel had achtergelaten, waar was het echte dan?

De groene ton verdween uit het gezicht. Hij keek het na, het licht verblindend aan zijn ogen. Hij aarzelde, heftig knipperend. Toen draaide hij zich om en liep terug naar het huis. Hij zou haar wakker maken en haar door elkaar schudden tot ze rammelde. Hij zou niet welkom zijn. Hij sloop langs het raam van de keuken, kwaad en onzeker, en maakte zich gereed om op de deur te bonken. Toen zag hij haar binnen aan de telefoon staan, gekleed in een andere kamerjas.

De dageraad schreeuwde haar tegemoet als een vloek en ze lag naakt in haar eigen bed, licht meegevoerd op een getij van slapeloosheid. *Mijn naam is Anna Calvert*, had ze in haar aantekeningenboekje geschreven. *Ik ben een wees en morgen moet ik werken.* De dienst van acht uur 's morgens tot twee uur 's middags, dat was alles wat ertoe deed. Klamp je vast aan zekerheden. *Ik heb deze baan nodig.* Ze kroop naar het andere eind van het bed en hield zich aan haar voeten vast, hopend dat het ochtendlicht alles duidelijk zou maken. Het gekrabbel in haar notitieboekje, iets dat ze van haar vader had geleerd, om woorden duidelijk te krijgen. *Haat je die jongen bij jou op school?* vroeg haar vader haar bijvoorbeeld. *Als het zo is, schrijf het dan op. Ik haat hem, en kijk wat er gebeurt. Misschien haat je hem dan lang zo erg niet meer. Je schrijft om je emoties helderder te krijgen.*

De kamer was keurig netjes en het was er koud. Een stoel was onder de knop van de deur vastgezet, als ijdele voorzorg tegen een indringer. De wind rukte aan het raam, dat ze wijd open had gedaan om de geur te verdrijven. De stoel waarop hij had gezeten, was in de hoek geschoven, uit het zicht; het kussen was eraf gehaald, doormidden geknipt en in de vuilnisbak in de keuken gepropt, samen met de kapotgescheurde pyjama. Het kleed was vochtig doordat ze de plekken waar hij had gelopen had geschrobd. Ze keek de kamer rond, gereinigd door haar mysterieuze hyperactiviteit in het holst van de nacht, en de afschuwelijke gedachte overviel haar dat als Francis hier weer zou komen hij zou denken dat ze dit allemaal voor hem had gedaan. Hij zou terugkomen en zij zou hem binnenlaten. Waarschijnlijk. Vrijwel zeker. Ze was in haar geheugen alles nagegaan wat hij gezegd had en had zich de taferelen voor de geest gehaald waarbij hij haar volledig en moeiteloos had overweldigd, niet een keer, maar twee keer. Waardoor ze, na de eerste keer, een hele tijd onder de douche had gestaan om zijn aanrakingen weg te schrobben en haar lange nagels kort te knippen voor het geval er nog sporen van zijn huid onder zaten. En dan de tweede keer waarbij ze even effectief door hem ontwapend was en waarna ze als een razende aan de slag was gegaan, ondanks haar uitputting, om de kamer te ontsmetten alsof hij een besmettelijk ziekte had.

Francis – Goudlokje – wist alles wat zich in het klooster afspeelde. Hij was de enige acceptabele buitenstaander, haar enig overgebleven schakel met Therese, waardoor hij macht over haar had. Hij was de sleutel tot de tuin en op een vreemde manier wilde hij haar, want dat was de boodschap die in zijn ogen te lezen stond. Nou goed, als hij de schakel was, het zij zo. En als hij haar waardeloze, ondermaatse lichaam wilde, dan kon hij het krijgen ook. Luister nu eens naar jezelf, vermaande ze zichzelf, iemand biedt je zijn vríendschap aan, maar het enige waar jij toe in staat bent is wantrouwen. Wat ze echter voor alles wilde, was ophouden met vechten. Dat was ze spuug- en spuugzat. Maar tegelijk wilde ze niet ophouden met vechten omdat ze zich zo machteloos voelde, alsof ze geen enkele troef in handen had, en dat op een moment waarop ze het gevoel had dat haar hersens één trage brij vormden.

Om half zeven 's ochtends pakte ze de ladder en ging het dak op. Als ze vanuit de kloostertuin omhoog zou kijken, zou het enige dat zij, net als ieder ander, van haar gebouw zou kunnen zien de blinde achterkant ervan zijn, met alleen de kleine matglazen badkamerramen, die er na het invallen van de duisternis als rechthoeken van licht uitzagen. Wat men op zijn hoogst nog meer van beneden af van haar woning zou kunnen zien was af en toe een silhouet achter matglas. Francis wist niet wat zij van hieraf kon zien en die gedachte schonk haar enige troost. Het vormde een klein beetje een tegenwicht tegen zijn macht, dit extra, onnutte oog. De ongelijke balustrade reikte op dit uitkijkpunt tot haar borst. Francis zou zich niet naar voren hoeven te buigen om van het uitzicht te genieten. De balustrade waarachter zij zich geheel kon verschuilen, zou een man van zijn lengte minder beschutting bieden, net als pastoor Goodwin. Ze zag Francis voor zich, naar beneden tuimelend en zich in de lucht omdraaiend, geluidloos, alvorens te verdwijnen. *Wat was er toch met haar aan de hand?* Hij wilde dat ze vrienden werden, maar zij ging maar door op de oude voet, voortdurend op zoek naar vijanden.

Terwijl ze naar beneden stond te kijken, dacht ze ook weer aan Matilda, die sinds Edmunds dood niet meer buiten op de bank zat. Matilda met haar vinger op haar lippen, de andere wachteres. Ze klauterde de ladder af, borg hem op, zette heel even keiharde muziek op, voordat ze naar beneden rende en de deur achter zich dichtsloeg. Ze zou het nog een keer proberen aan de voordeur van het klooster, ze zou zijn zinnetje lenen: *Ik kom mijn verontschuldigingen aanbieden.* Een brede, verstandige glimlach, het verzoek of ze later mocht terugkomen om het goed te maken, dat werkte vast wel. De zonneschijn maakte echt een enorm verschil. In het donker doken er monsters op, alleen in nachtelijke dromen tierden ze welig, maar tegen de ochtend verschrompelden ze weer. Tot ze op de deur van het klooster bonkte, keek hoe laat het was, bijna tijd voor het ontbijt, snel, snel, ik kan niet te laat op mijn werk komen, een glimlach op het gezicht toveren, haar kleren controleren terwijl ze wachtte, een spijkerbroek en schone gymschoenen, een coltrui omdat het niet warm was, haar haren frisgewassen, wie zou haar weerstaan? Agnes die achter de deur stond als een blok beton, hem een eindje opendeed en meteen weer dicht wilde doen, tot Anna haar hele gewicht ertegenaan gooide, maar er slechts in slaagde het moment iets uit te stellen en het zware ding net ver genoeg open te houden dat Agnes erdoorheen kon schreeuwen: '*Ga weg!*'

'Mag ik alstublieft binnenkomen, zuster. Ik wil Matilda spreken...'

'O, in Godsnaam, *ga weg.*' En de deur werd dichtgeduwd.

Ze ging er een eindje van af staan en dacht aan alle andere deuren binnen, de gang met de zwarte en witte tegels, de kapel, de geur van eten, en terwijl ze daar zo stond kwam de ambulance.

Anna liep een eindje verder de rustige straat in en keek vanuit het portiek van het buurhuis toe. Ze waren snel; iemand binnen was in staat van paraatheid. Ze zag de rolstoel die opgevouwen naar binnen ging en heel snel erna naar buiten werd gereden met iemand erin. Ze hoorde twistende stemmen – de discussie ging erover of een stretcher niet beter was – en Barbara's stem die goed, goed, goed, ja, ja, nee, nee, nee zei, ze zag een man die Matilda in de stoel de loopplank op duwde, terwijl hij sussende geluiden bij haar oor maakte. Ze was herkenbaar als Matilda, met grote, rode, bloederige handen die rukkerig in haar schoot lagen, met gesloten ogen, met een gezicht even uitgezakt als haar lichaam, gekleed in haar habijt maar zonder de sluier, die tegen het natuurlijke decorum in om haar hoofd was gewikkeld, als een handdoek om nat haar. Het geruzie klonk luider. Barbara stond op het stoepje. De stoel verdween in de ambulance. Zuster Joseph, geheel aangekleed, duwde iedereen met maaiende armen opzij en ging erachteraan, met een gezicht dat donkerrood was van woede en nat van tranen.

Matilda, de lieve Matilda. De enige andere bewaakster van de tuin. Anna's voeten stonden als vastgekleefd aan de grond. Tot zij ze losrukte en naar haar werk rende. Haar geest was nog steeds een trage brij, haar optimisme verliet haar en het zonlicht als bij afspraak eveneens. Bij Compucab heerste hetzelfde geroezemoes als altijd, waardoor ze zichzelf weer bij elkaar kon rapen, maar nu ze zich weer op de veiligste plek bevond die ze kende, leek het alsof haar vertraagde begrip haar schedel met een moker bewerkte, zodat haar hoofd begon te bonken. Ze kon alleen maar Matilda met haar gewonde handen voor zich zien en Ravi die verderop met een gezicht als de volle maan en een glimlach van oor tot oor naar haar keek, liet die glimlach langzaam varen toen ze slechts een grimas trok en haar koptelefoon opzette zonder nog aandacht aan hem te schenken.

'Compucab, waar kan ik u mee van dienst zijn? Uw rekeningnummer is? Dank u wel. Uw ritnummer is...'

'Ben je weer beter?' De cheffin was naast haar komen staan.

'Ja, hoor, bedankt, het gaat prima.'

'Mooi zo.'

De telefoon bleef maar gaan, drie uur achter elkaar. Een dag in de week was het altijd drukker dan anders en als het erop aankwam wilde ze eigenlijk ook helemaal niets anders dan op haar toetsenbord rammelen en steeds maar weer dezelfde woorden herhalen. Het was voor haar ongeveer zo rustgevend als het bidden van de rozenkrans voor anderen was. Ravi kwam naar haar toe en trok zijn wenkbrauwen op, een uitnodiging om naar elders te gaan, ofwel naar buiten ofwel naar het achterkamertje, voor thee of water en een babbeltje. Ze liep achter hem aan naar buiten. Ergens in de loop van de afgelopen drie uur, waarin ze van tijd tot tijd van tussen de schotten en vanonder haar koptelefoon een blik op zijn serene gezicht had geworpen, was het haar duidelijk geworden dat ze hem niets over Goudlokje kon vertellen. Daarmee zou ze op een of andere manier kapotmaken wat ze met elkaar hadden, voorzover ze iets met elkaar hadden; iets wat heel klein en kostbaar was, als een broze edelsteen die je o zo gemakkelijk kon verliezen. Ze zaten buiten op de stoeptreden en ze dronk van de thee die hij voor haar in de keuken had gezet op de manier zoals hij dacht dat ze lekker zou vinden: met een hele hoop suiker erin; daar hield ze niet van, maar ze dronk er dankbaar van, zich op een afstandje houdend.

'Zal ik je weer naar huis brengen?' vroeg hij.

'Vandaag niet, Ravi, ik moet ergens anders heen. Mag ik je wat vragen?'

'Natuurlijk.'

'Ik heb het je al een keer gevraagd, maar ik weet niet meer precies wat je toen zei. Het ging over bidden. Waarvoor bid jij eigenlijk precies?'

'Ik zei toen tegen je dat ik niet bid om dingen te krijgen.'

'Maar waarom niet? Vragen is toch niet verkeerd?'

'Niets is verkéérd, maar je kunt niets eisen. Je kunt niet onderhandelen. Je kan niet zeggen: Hoor eens, als jij nu dit voor me doet, dan doe ik dat voor jou. Wat kun je nou te bieden hebben dat de goden niet al hebben? Niets.' Hij aarzelde. 'Je bidt om eer te bewijzen en hulde te brengen. Je bidt om raad. Je zegt niet tegen God: Geef me dit of dat. Je zegt: Alstublieft, geeft u me de wijsheid om in te zien of dit iets is dat ik voor mezelf moet zoeken. Je bidt om de wijsheid en de kracht om dat te doen. Je bidt om hulde te brengen en alles wat je kunt vragen is het vermogen om dingen te zíen, voor jezelf.'

'Aha,' zei ze, 'daar ga ik de mist in.'

'Waarom zit je zo naar me te kijken?'

'Omdat ik dat fijn vind. Ik kijk graag naar je.'

Hij glimlachte en pakte haar bij haar arm, en op dat moment grepen een heleboel indrukken ineens in elkaar, en dat alleen maar door Ravi's eigenaardige, scheve, spontane glimlach, die als een zegen was, als een straal zonlicht die door het raam van de kapel naar binnen viel, waardoor de gedachte bij haar opkwam dat ze naast iemand zat die, bij gebrek aan een betere omschrijving, góed was. Hetgeen niet inhield dat hij geen fouten had, maar dat hij een soort zuiverheid bezat die niet gelijk was aan onschuld. Ze keek naar hem en vergeleek hem, zonder het te willen, met Goudlokje, een vergelijking die veel verderging dan uiterlijke dingen als de kleur van hun huid of het verschil in postuur. Als Ravi met Francis zou vechten, zou hij nooit van hem kunnen winnen. Zijn innerlijke beschaving zou hem op alle mogelijke manieren parten spelen, terwijl Francis door niets geremd zou worden. Uit Ravi's aardige, nieuwsgierige gezicht sprak karakter, wat bij Francis geheel ontbrak.

Het contrast bezorgde haar een schok. Ze glimlachte naar hem.

'Ik kijk graag naar je,' herhaalde ze. 'Dus laat me maar, goed?'

Daar had je het weer, ze deed idioot, ze zag spoken. Ze gingen weer aan hun werk.

Zodra ze op haar plek zat, ging de telefoon.

'Goedemiddag, Compucab.'

'Hè, hè, daar ben je. Goddank.'

'Hallo, meneer, hoe gaat het met u? Gaat u uit lunchen?'

Ondanks zichzelf grijnsde ze. Die oude, bekende stem, die door de hare heen praatte.

'...erg ongerust. Ik krijg steeds iemand anders als ik jou wil spreken. Gaat het goed met je?'

Iets in die oude, vermoeide stem, maakte haar het liegen onmogelijk.

'Nee, vandaag ben ik niet op mijn best. Eigenlijk ben ik van slag en weet ik niet wat ik moet doen.'

'Kom dan naar mij toe. Laat de boel de boel en kom nu meteen.'

'Dat gaat niet.'

'Ik zou heel graag willen dat je het toch deed. Ik geef je het adres. Schrijf maar op.'

Ze noteerde zijn adres in onzinkrabbels.

'Maar dat doe je toch niet, is het wel? Dat weet ik best. Hoor eens, ik bel je op om je te waarschuwen. Ik had opeens een voorgevoel. Geloof geen woord van wat die jongen zegt. Met slechte mensen valt niets te beginnen. Houdt de duivel zich ooit aan zijn beloften? De boze kent geen remmingen en is altijd in het voordeel vanwege het verrassingselement, want de goeden weten niet wat hun te wachten staat en zien het kwaad niet aankomen. De argeloze is blind voor de arglistige. Je weet waar ik ben.'

De lijn was dood. Ze belde om achter zijn nummer te komen. *Een geheim nummer.* Ze keek naar wat ze op haar notitieblokje had neergekrabbeld, maar ze kon het niet lezen. De telefoon ging weer over.

'KlereCompucab.'

'Nou, nou, liefie, je hoeft niet te vloeken, ik ben het maar, taxi nr. 110. Ik kreeg daarstraks een oproep van jullie om ene zuster Joseph uit het Paddington Community-ziekenhuis op te halen, maar ik kan 'r niet vinden.'

'Sorry, daarvoor moet u het informatienummer hebben, 291, ik doe alleen bestellingen.'

Ze beefde enigszins, zou het liefst gaan schreeuwen. De telefoon ging opnieuw. Iemand wilde een taxi naar het vliegveld. Het klonk als de beste plek op aarde.

Een straalvliegtuig snelde door de hemel, ver boven haar blikveld, boorde zich vanuit het blauw in de wolken als een verre exotische vogel die een spoor van veren achter zich liet. Therese stond op van de bank naast de maagdelijk witte voeten van de Heilige Michaël en bleef werkeloos naar de hemel staan kijken; het was halverwege de middag. Wat een verschrikkelijke dag toch; eigenlijk was die al de vorige avond begonnen, toen Barbara zo eigenaardig waakzaam was geweest. Waakzaam en schuldbewust – ze deed en praatte heel vriendelijk maar tegelijk neerbuigend – *Je bent moe, kind, en we moesten allemaal maar eens vroeg naar bed gaan, vooruit, ga maar naar bed, morgen is er weer zoveel te doen* – bijna alsof ze zich verontschuldigde en op dat punt nog meer in petto had; of wilde ze gewoon iedereen uit de weg hebben en zich ervan vergewissen dat alles veilig was? Therese wist het niet, ze was zich er alleen van bewust dat ze in de gaten werd gehouden toen ze langs de telefoon bij de deur kwam, voor het geval ze zou proberen er gebruik van te maken; ze werd in de gaten gehouden tot ze de trap op was gelopen en misschien werd zelfs geluisterd of ze zich ging wassen of niet. Ze werd in de gaten gehouden, ze werd niet vertrouwd, alsof het feit dat ze ongewild luistervink had gespeeld, was opgemerkt; alsof ze net zo was als haar zus. Dat zou ze best willen, maar het bewijs dat het niet zo was moest geleverd worden door haar gelaten gehoorzaamheid. Agnes huilde in haar slaap, zoals ze zo vaak deed, maar Matilda reageerde niet, tot er angstige geluiden uit de gang opklonken en Agnes haar kamer verliet. Therese wachtte of ze niet geroepen zou worden, maar dat gebeurde niet. En toen ze 's ochtends naar beneden ging, veel vroeger dan anders, ernaar hunkerend om iets te doen en al lang niet meer in staat om zelfs maar een poging tot bidden te ondernemen, hoorde ze geheimzinnige geluiden vanuit de gastenkamer, alsof iedereen daar was behalve zij.

Ze begreep er niets van. Iemand had 's nachts op de deur geklopt om te melden dat Matilda in de tuin was. Iemand had haar mee naar binnen genomen en het haar daar comfortabel gemaakt voor de nacht omdat zij dat wilde en omdat het belangrijk was om niet ook nog anderen wakker te maken, en zelfs dit kwam Therese alleen te weten door de conversatie aan tafel, die niet tot haar gericht was; daarbij had iemand geopperd dat het, Matilda kennende, wel zou komen door iets wat ze gegeten had en dat het heus wel goed met haar zou komen. Maar het was helemaal niet goed met haar toen Therese haar in de rolstoel had zien zitten terwijl ze door de gang met de zwarte en witte tegels werd afgevoerd. Wat voor spul het ook mocht zijn waar haar handen van waren opengebarsten en dat ze paarsrood hadden gekleurd, ze had er blijkbaar ook haar gezicht mee ingesmeerd. Haar starende ogen stonden wijdopen en zagen niets, ze zagen zelfs Joseph niet die zich met alle geweld van de stoel wilde meester maken om haar te duwen; ze hoorde niets van het geruzie in haar kielzog. Haar gezicht, een afschuwelijk masker van pijn, stond in Thereses geheugen gegrift, en daarom verkoos ze nu naar de lucht te kijken terwijl ze haar best deed haar vervangende gebeden te zeggen op wat Matilda's favoriete plekje was geweest, in de hoop dat ze haar alleen door hier te zitten kon terughalen, maar er tegelijk van overtuigd dat dit een hopeloze gedachte was, dat dit natuurlijk niet zou gebeuren; ze zou Matilda haar spijt willen betuigen over het feit dat ze er altijd zo'n hekel aan had als die haar vastgreep en klopjes gaf. Het leek zo zinloos om te bidden; ze bereikte er niets mee.

Niemand wist wat er was gebeurd, of als Barbara het wel wist dan was ze niet van plan er iets over los te laten. Ze keek naar de gladde voeten van de Heilige Michaël, die van alle mos ontdaan waren zodat de steen onnatuurlijk wit zag, en raakte ze voorzichtig aan. Veranderingen vielen haar altijd meteen op, ook als ze ergens niet zo vaak kwam. Waarmee kon je mos weghalen? Een soort loog, iets als ovenreiniger; misschien was Matilda daar wel mee in de weer geweest. Een daad van devotie voor haar heilige, vergelijkbaar met Maria Magdalena die Christus' voeten waste met haar tranen en ze droogde met haar haar. De onhandige Matilda met haar twee linkerhanden, die dingen uit haar handen liet vallen en dingen verborgen hield, allemaal uitingen van devotie. Opeens kwam al dat soort vroomheid haar weerzinwekkend voor.

Het weer was de hele dag veranderlijk geweest, het ene moment scheen de zon fel genoeg om de gevaarlijk glibberige aarde te drogen, dan verschenen er weer donkere wolken waaruit regen dreigde te vallen, maar die weer voorbijdreven, als een spiegeling van de broze stemming binnen het klooster. Zelfs Kim was chagrijnig en wilde eerder weg omdat een van haar kinderen ziek was, wat werd goedgevonden door Barbara in haar eigenaardige toestand van waakzaamheid; ze keek naar hen allemaal, en naar Therese in het bijzonder, alsof ze wilde uitvinden wie de onderkruiper was die hun ongeluk had gebracht, met een blik waaruit sprak dat ze het niet moesten wagen kritiek te uiten. En Kim was op een kwetsende manier tegen Therese uitgevaren toen die haar medeleven wilde laten blijken vanwege het zieke kind. *Ach, hou toch je kop, dat snap jij toch niet*, snauwde ze. *Wat weet jij er nou van?*

De lunch in bedrukte sfeer, met stokkende gesprekken, die vooral door Joan en Agnes gevoerd werden; ze hadden het erover dat Joseph en Matilda vroeger onafscheidelijk waren en wat er tussen hen kon zijn voorgevallen. Kwam het soms doordat Matilda tegenwoordig zo doof was en Joseph te ongeduldig om nog met haar te communiceren? Was het niet geweldig dat ze nu weer samen waren? De lege stoelen zagen eruit als de gaten in een gebit dat tanden miste. Ze praatten over Matilda alsof ze al gestorven was en het allemaal de wil van God was, niets meer dan dat, gewoon een overgangsrite. Therese werd er beroerd van en alle eetlust verging haar. Ze werd zo beroerd omdat ze besefte dat ze niet het soort geloof wilde dat het onaanvaardbare aanvaardbaar maakte.

Het vliegtuig verdween uit het zicht en het vooruitzicht weer naar binnen te gaan en zich onder te dompelen in de onbehaaglijke suffigheid die zo kenmerkend was voor de tweede helft van de middag was... slecht. Wanneer had ze voor het laatst echt goed gegeten? Vandaag niet en gisteren ook niet. Wat balletjes brood en een appel. Ze voelde zich slap doordat ze zo weinig at, maar moest toch niet aan eten denken. Ze had de deur uit kunnen gaan en naar Anna rennen, maar ze wist dat ze bang was om dat te doen na de laatste keer en even bang dat als ze het wel zou doen, ze weer zou worden afgewezen. Ze had immers partij gekozen door te zwijgen. Ze klopte op de schone witte voet van de Heilige Michaël en vroeg hem of broers soms anders waren. Hebben broers ook van die problemen? Want zusters, of ze dat nu waren op grond van zielsverwantschap, zoals Joseph en Matilda, of echte bloedverwanten waren zoals Anna en zij, maakten wel geweldige problemen. Het was alsof zij en Anna een permanent infuus in elkaars bloedbaan hadden ingebracht via welke ze elkaar een fijne cocktail van ongemakkelijke wederzijdse kennis, liefde, angst, DNA en verlangen konden toedienen, aangevuld met een hoeveelheid ergernis. Er was geen tegengif, geen pil die ze konden nemen om het effect van hun bij tijd en wijle destructieve band tegen te gaan. Afwezigheid zorgde in tijden van stress niet dat het hart van de ander verwarmd werd, integendeel: brak het eerder in kleine stukjes, ijskristallen van eenzaamheid. Iedereen zei dat Anna en zij elkaar veel te na hadden gestaan. Aan het ontbijt en tijdens de lunch werd hetzelfde over Joseph en Matilda gezegd.

Daar verscheen de zon weer, de verrader, nu zij juist op een perverse manier verlangde naar de sfeer der duisternis, zelfs die in haar eigen van gebed verstoken kamer; tegelijk vreesde ze de terugkeer van Joseph na een lange wake in het ziekenhuis, met nieuws dat ze nu al kon voorspellen, aangezien ze vanochtend al tot de conclusie was gekomen dat moeder Barbara veel en veel eerder een ambulance had moeten laten komen, in plaats van 'de vrede' te bewaren, zoals het idioot genoeg werd aangeduid. Ach, Heer, op wie kon ze bouwen?

Het was kil in de schaduw. Therese weifelde – of ze zou doorlopen of teruggaan – en liep de tuin toen verder in, zichzelf wijsmakend dat ze de eenzame kat zocht, heel goed beseffend dat het maar een smoes was, want wat ze in werkelijkheid zocht was een toevluchtsoord, en daar was het.

De schone houten bank, volledig bevrijd van de geest van Edmund; de ruimte eromheen was wonderbaarlijk vredig en kleurrijk. Een border van uitbundig bloeiende roze en witte vlijtige liesjes omgaf de halve cirkel die binnen de omsloten ruimte uitwaaierde tot de nieuwe tafel voor de bank, die zo brandschoon was dat je er zo van zou kunnen eten, en stond op een stuk grond dat zo ver was schoongeveegd dat de contouren van het plaveisel weer te zien waren. Ernaast was de schuur die er nu uitzag als een klein huisje, heel geschikt voor een kleine, vrij nutteloze persoon die blijkbaar geen ander doel in het leven had dan naar binnen te gluren. Tegen de achterwand stond een klein bed, afgedekt met een sprei van chintz. Vanuit de deuropening leek warmte naar buiten te stromen. Een sprookjeshuisje, met een ketel op een gasbrander, een geur. Je zou hier kunnen bidden. Ze was op zoek geweest naar een plekje om te bidden.

Op de achtergrond hoorde ze Francis zingen.

Hij kwam vanachter het bouwsel vandaan, nog steeds neuriënd, het vrolijkste geluid dat ze vandaag gehoord had, bleef staan en glimlachte, de eerste glimlach van vandaag. Hij zag er zo gezond uit, niets aan hem deed aan de dood denken. De krassen op zijn gezicht waren al bijna verdwenen en op zijn neus zat een zwarte veeg.

'Hallo, ik was net thee aan het zetten. Wil je ook?'

Thee, balsem tegen alle kwaad. Goede thee, zoals ze zich maar al te goed herinnerde, buitenluchtthee, maar ze schudde haar hoofd.

'Nee, dank je.'

'Gaat het wel goed met je? Je ziet er moe uit. Het was vandaag binnen ook geen pretje, zeker? Is er al nieuws over zuster Matilda?'

Er zat een geweldig brok in haar keel, dat aankondigde dat er tranen op komst waren. Zo ging het altijd. Ze kon ze heel goed verdringen, ze kon elke uiting van emotie onderdrukken, tot iets onbetekenends de uitbarsting uitlokte, bijvoorbeeld een vriendelijke vraag, of het zien van iets dat haar raakte, zoals de kat die wegsloop tussen de struiken, of de sprei op dat smalle bed. De kat was waarschijnlijk op moordenaarspad, maar dat maakte niet uit, het was een prachtig beest dat gehoorzaamde aan zijn eigen regels.

'Nee, geen nieuws,' antwoordde ze.

'Ik blijf ook maar uit de buurt,' zei hij met zachte stem. 'Ik heb Barbara om een ambulance laten bellen, weet je. Dat had ze al veel eerder moeten doen. Daarna had ze me blijkbaar niet meer nodig.'

'Mij ook niet. Mij hebben ze ook niet nodig. Ik vraag me af of er wel iemand is die me nodig heeft.'

En het volgende moment sloten zijn armen zich om haar heen en omhelsde hij haar behoedzaam. Haar hoofd drukte tegen zijn borst en zijn lichaam schermde het hare af. Ze bleef zo staan, niet in staat zich te verroeren, met haar armen langs haar zij; ze verzette zich niet, ze was niet geschokt, zijn aanraking was alleen maar verwarmend en zijn geur, een zoete geur, een geur van aarde, maakte een geweldige nieuwsgierigheid in haar los, en het enige wat ze wist toen hij haar losliet en nog even een vriendschappelijk klopje op haar schouder gaf, was dat ze niet wilde dat hij haar alleen liet en dat ze het met geen mogelijkheid erg kon vinden dat hij haar had aangeraakt. Ze hadden een paar stappen gedaan zonder dat ze het gemerkt had. Het verlangen om te huilen was over; ze voelde zich vreemd opgelucht en beverig van vermoeidheid.

'Onthoud maar dat je in mij altijd een broer zult vinden,' zei Francis. 'Vind je het leuk zoals ik die verrotte ouwe schuur heb opgeknapt?'

Ze keek naar binnen. De warmte van binnen leek naar buiten te vloeien en haar te omhullen. Therese krulde haar neus toen ze de geur van brandende wierook rook.

'Tegen de insecten,' zei hij.

Het was een geur die haar herinnerde aan de kamer die ze met Anna had gedeeld in de tijd dat ze ziek waren, waarin soms wierookstokjes brandden om medicinale luchtjes te maskeren; een zware lucht die ze was gaan associëren met een gevoel van veiligheid, loomheid en heerlijke slaperigheid.

'Vroeger had ik een kamertje dat hier op leek,' zei ze. 'Ik wou eigenlijk het liefst in een kelderkast onder de trap wonen.'

Hij lachte, ging een eindje van haar af staan, juist nu ze hem het liefst dicht bij zich zou hebben.

'Dat past beter bij jouw formaat dan het mijne. Waarom blijf je niet even hier uitrusten? Om je even aan alles te onttrekken?' Hij keek op zijn horloge. 'Niemand hoeft het te weten en ik ga zo naar huis. Dan heb je even rust, ver weg van de keuken.'

Therese stapte naar binnen, ze werd als het ware naar binnen getrokken, en ging zitten op het met de sprei afgedekte bed, dat voelde als het harde bed van een kind en er ook zo uitzag. Binnen was er verder nauwelijks iets, behalve het grote verfblik, dat als tafel voor de gasbrander diende, en een aantal planken aan de linkerwand, met daarop kleinere, bontgekleurde verfblikken, lucifers en een pak kaarsen. Francis pakte zijn jas die aan de achterkant van de deur aan een haakje hing.

'Is het naar je zin?' vroeg hij.

'Ja.'

'Dan laat ik je verder maar alleen.'

Ze hoorde zijn voetstappen zich verwijderen. Het begon te regenen, een haast komisch, fluisterend geluid in het begin, dat langzamerhand slaapverwekkend werd toen de druppels in een rustig, muzikaal tempo op het dak van de schuur tikten. Therese deed haar ogen dicht. De houten wanden van de schuur leken de warmte van de zomer vast te houden, weigerden die te laten gaan. Het begon harder te regenen. Het was zo vredig om hier stilletjes te zitten in een kleine warme ruimte met de deur open, terwijl de duizelig makende geur van een man en van wierookstokjes in een verfblik de warmte nog intensiveerden.

Toen opende ze haar ogen omdat ze een ander geluid hoorde. De deur van de schuur die zachtjes dichtging.

Francis trof Barbara aan bij de deur van de gastenkamer, waar ze, ingespannen de tuin in turend, op hem stond te wachten.

'Ga je naar huis, beste jongen?'

'Ja. Of kan ik nog iets doen?'

'Iets doen? Niemand kan ook maar iets doen.' Haar stem klonk bijna hysterisch, met een ondertoon van verdriet. 'Het begon beter te gaan met Matilda, ze had alweer heel wat praats, maar toen kreeg ze vanmiddag in het ziekenhuis een hartaanval, dus zijn we er alweer een kwijt. En Joseph schijnt nergens te vinden te zijn. Nee, niemand kan ook maar iets doen. Heb jij Therese soms gezien?'

'Wat vind ik dat erg, moeder. Ik zal voor Matilda bidden. Of ik Therese gezien heb? Is dat die kleine? Ik dacht dat ik Agnes hoorde zeggen dat ze de deur uit was gegaan om Kim met een ziek kind te helpen of zoiets. Een daad van erbarmen.'

'Erbarmen? We hebben haar hier nodig, verdorie. Ze heeft het recht niet om zomaar weg te lopen.'

Ze stond geagiteerd met haar voet op de grond te tikken, en hervond toen haar zelfbeheersing.

'Ga maar gauw, Francis, lieve jongen. Morgen is er vast een heleboel te doen als het lijk wordt gebracht. Ik neem niet aan dat er nog iemand in de tuin is in die regen?'

Hij schudde zijn hoofd.

'Bedankt, hoor, jongen. Ik zou niet weten wat we zonder jou moesten aanvangen.'

De telefoon ging en ze spoedde zich haar werkkamer in. Francis begaf zich door de betegelde gang naar de voordeur, waar Agnes hem zat op te wachten, met ogen rood van het huilen. Hij omhelsde haar en liet haar weer los met een hoorbare zoen en de gefluisterde woorden *Welterusten, moeder*, waarna hij de deur achter zich dichttrok.

13

Gij zult niet doden

Er was geen twijfel over dat de deur dicht zat en ze hem niet kon openkrijgen; het was nu een stuk donkerder binnen. Het kleine raampje in de deur was de enige bron van licht, een grijs vierkant waarop Therese haar ogen gericht hield toen ze terugliep naar het bed met de sprei van chintz, nadat ze op de tast naar de deurkruk in het ruwe hout had gezocht en geconstateerd had dat die er niet was. Therese zag de glanzende nieuwe klink die aan de buitenkant zat zo voor zich. Als dat het enige was dat haar binnensloot, kon ze hem best in haar eentje openduwen, dat wist ze zeker, en als ze één ding geleerd had in het klooster, dan was het hoe je deuren en ramen moest openkrijgen die waren kromgetrokken door vocht en klemden. Ze was sterk genoeg om hieruit te komen, maar ze vond het niet nodig om dat meteen al te proberen; ze was niet bang, alleen verwonderd, en ze voelde zich nog steeds verrukkelijk loom en lui. Wat maakte het uit als ze nog even bleef? Haar voelen aan de deur had haar alleen maar een scherpe splinter in haar handpalm opgeleverd.

Ze ging weer op het bed zitten en keek naar het vierkantje van licht, het raampje in de deur, en zag dat de relatieve afwezigheid van licht de contouren van haar verblijf veranderde. Ze kon alles zien wat nodig was, de omtrekken van de verfblikken op de planken, waarvan de kleuren in het vale licht des te feller leken, en ze vroeg zich even af wat er precies in zat. Toen dutte ze een tijdje. Ze kwam simpelweg tegemoet aan het doel van een tuin, al was het maar een klein ingesloten hoekje van een tuin, zoals waar ze nu was, door er een oord van vrede van te maken. De wierookstokjes hadden een lange brandduur: ze rookten nog steeds; ze staarde ernaar, zoals ze daar in een verfblik op de plank stonden, kwam overeind en deed twee stappen naar de deur. Het raampje zat hoog en alleen door op haar tenen te gaan staan kon ze naar buiten kijken, waar de vlijtige liesjes in het grauwe licht hun kleuren toonden en de regen viel.

Ze liep weer terug en ging met haar rug tegen de wand zitten, met haar handen om haar knieën geslagen. De wand was warm en leek alleen maar warmer te worden terwijl het vierkantje licht vervaagde en de regen zijn muziek op het dak voortzette.

Ze had over een non gelezen die in een caravan op het terrein van haar eigen klooster woonde, met een hele verzameling boeken met afbeeldingen van middeleeuwse schilderijen, die haar grote passie waren en haar hielpen bij het bidden. Deze non had jaren geleden in een televisieprogramma haar bijzondere manier van leven heel aanschouwelijk weten te maken. Therese besefte dat zij eigenlijk nooit een echte passie had ontwikkeld, afgezien van de hartsochtelijke wens dat men van haar afbleef, niet aan haar plukte of trok, en de gedachte om op deze manier verder te leven, in de buurt van de nonnen in plaats van in hun midden, sprak haar wel aan, als ze tenminste kon leren omgaan met honger, dorst en gebrek aan hygiëne. Een klein hokje en een Spartaanse omgeving, het had zijn eigen aantrekkingskracht. Het was bevorderlijk voor het proces van aanvaarding. Het paste bij iemand met weinig ambitie.

Een intelligent iemand met andere ambities, zoals Anna, zou intussen veel meer moeite hebben gedaan en allang een manier hebben gevonden om hieruit te komen, dacht Therese, maar zijzelf, zij wachtte liever gewoon af tot degene die haar per abuis had opgesloten die fout zou rechtzetten en haar eruit zou laten; in de tussentijd kon ze haar gedachten wijden aan het lot van de arme Matilda. De nonnen moesten zelf maar voor hun avondeten zorgen. Die gedachte schonk haar voldoening.

Over de hygiënische omstandigheden hoefde ze zich nog even niet druk te maken. Haar blaas leek de afgelopen dagen wel gekrompen te zijn en al begon de honger aan haar te knagen, voorlopig was het nog maar met kleine tandjes. Het was wel plezierig niet aan tijd gebonden te zijn, niet in staat te zijn je aan het dagelijkse regime te houden; ze voelde zich bijna gewichtloos, bevrijd als ze was van verantwoordelijkheid, ze was slaperig van de warmte en van de lucht die hier hing, samengesteld uit verschillende geuren die ze begon te onderscheiden. De achtergebleven dampen van verf en creosoot, gemaskeerd door de wierook, een vage kattenlucht en de geur van

Francis zelf die na hun kortstondige contact in haar neusgaten was achtergebleven, waardoor ze zich heel even afvroeg waardoor een man zo rook, hoe haar eigen geur zou zijn, van wat voor materiaal het dak was dat de regen er zo'n geluid op maakte, tot ze opeens het spiegeltje zag dat op de plank met de verfpotten stond en opstond om naar zichzelf te kijken. In de schemering kon ze alleen een heel bleek gezicht ontwaren, dat voornamelijk uit ogen leek te bestaan, en haar eigen reflectie verontrustte haar, omdat deze maar zo weinig met haarzelf te maken leek te hebben. De enige spiegel in het klooster hing bij de voordeur, waarin maar weinigen van hen ooit een blik wierpen, en als ze het wel deden alleen om even te controleren of ze er wel netjes genoeg uitzagen voordat ze de wereld buiten het klooster in stapten. Verder was het zo dat als er aan de uiterlijke verschijning van een non iets mankeerde – een habijt dat onder de gordel omhoog was gekropen, een sluier die scheef zat – een van de anderen het euvel simpelweg verhielp, zeer discreet, en daarvoor een gemompeld bedankje ontving. Ze konden zich allemaal heel goed in het donker aankleden en verlieten zich zwijgend op elkaar om details in hun toilet die ze over het hoofd hadden gezien te corrigeren. Het deed haar denken aan het ritueel van mensapen die elkaar geduldig van vlooien verlosten. Het spiegeltje herinnerde haar eraan dat het beetje licht dat er nog was snel verdween en dat ze er gebruik van moest maken om de kaarsen te pakken die ze eerder had zien liggen. Het waren goedkope kaarsen, anders dan de kaarsen van bijenwas in de kapel, en ze voelden kleveriger aan; toen ze ze gevonden had, streek ze een lucifer aan, hield de vlam bij de onderkant van een kaars om hem op de plank vast te zetten en stak hem aan; aan het assortiment geuren werd er nog een toegevoegd. Zo, nu kon ze bidden. De vlam van de kaars, rustig brandend, niet gehinderd door tocht om hem te laten flakkeren, was het beste hulpmiddel dat er was bij het bidden.

Ach, lieve Heer, waarom doet u me dit aan?

Heer, heb ik gezondigd? En zo ja, hoe dan? Hoe kan ik nu weten of ik gezondigd heb, als dat gewoon niet duidelijk is? Vertel me dat eens. Wees nu eens redelijk, ik ben maar gewoon een mens.

Ik weet niet of dit een straf is... En toen sloeg ze ongeduldig op het bed: *Waarom praat u verdorie niet tegen me?* Ik ben toch uw kind.

Ze probeerde een rozenhoedje te bidden, overigens zonder rozenkrans, want het rozenhoedje was zo'n nuttig gebed. Een waarbij je kon dagdromen en bidden tegelijk, een onzevader, tien weesgegroetjes, een gloria, en dat weer herhalen van voren af aan. Ze probeerde niet te dagdromen maar te denken aan de geheimen, die waren voorgeschreven als overweging voor elk tientje, maar merkte dat ze bleef steken in de droevige geheimen – Jezus in de hof van Gethsemane, de geseling, Calvarië – terwijl intussen op de achtergrond zich voortdurend gedachten opdrongen als: Jezus, lieve, lieve Jezus, waarom hebt U dat toch allemaal gedaan? Waarom dacht U dat wij het waard waren en waarom bent U niet gevlucht? Wat maakte het uit? Ze gaf het op. Het hield op met regenen.

Pas in de stilte die volgde en zich als een wolk om haar heen leek te sluiten, alsof ze zich in een verstikkende mist bevond, voelde Therese paniek opkomen. Ze kon hier geen lucht krijgen. Het beetje zuurstof dat er was werd opgeslokt door de nog altijd gloeiende wierookstokjes en de vlam van de kaars. Ze was te bang om roerloos te blijven zitten, ze stond op en begon aan de deur te trekken, bewerkte hem toen met haar vuisten, maar hij gaf niet mee, trilde alleen onder het lawaai. Ze wilde haar eigen haar uitrukken en schreeuwen, maar had zichzelf nog voldoende onder controle om te weten dat dat alles nog erger zou maken. Dit was geen toevluchtsoord, het was een gevangeniscel. Ze probeerde te denken aan een heilige in gevangenschap, aan wat voor heilige dan ook, en wat hij of zij zou doen in haar situatie. Zich aan contemplatie overgeven, wat haar aan kwaad geschiedde als offer aan God opdragen ten behoeve van een ziel in het vagevuur, vervuld van geloof wachten tot ze bevrijd werd, kalm geduld oefenen? Nee. Néé.

In de breedte, dus niet van de deur tot de achterwand, kon ze maximaal vier stappen zetten, van de ene wand van haar gevangenis naar de andere. Therese probeerde zich eerst voor te stellen dat ze in de keuken was, met Kim, en toen dat ze zich met Anna samen in haar slaapkamer thuis bevond, heel lang geleden, op een dag dat ze zich relatief goed voelden en de uren langzaam voorbijgingen. Dat ze samen aan het spelen waren en elkaar leerden lopen als mannequins door elkaar te imiteren, overdreven draaiend met hun heupen of hun hoofd met een ruk achterover werpend, met een heup naar voren uitgestoken op de maffe manier die ze hadden afgekeken van plaatjes in tijdschriften en van het ballroomdansen op de tv, waarnaar ze keken met het geluid uit, tot ze krom lagen van het lachen en hun moeder moest ingrijpen. Het mannequinloopje met tango-invloeden leek een fluitje van een cent, maar vergde enorm veel inspanning; het had hen uitgeput en nu probeerde ze het weer uit, steeds opnieuw. Twee stappen naar voren, twee achteruit, zich op het bed werpen om te poseren en opnieuw opstaan en van voren af aan beginnen. Toen ze met haar tiende rondje bezig was, duizelig en stikkend van de hitte, trok ze haar kleren uit. Ze zou hiermee doorgaan tot ze niet meer kon. Iets had haar te pakken gekregen: iets wat beet en krabde, wat haar huid schroeide.

Pas laat in de middag keerde Christopher Goodwin in de stad terug. Hij ademde de lucht in van de gang die het station met de ondergrondse verbond, merkte de uiteenlopende geuren en nuances van mensen en afval, kunstlicht en georganiseerde chaos op, zag een aantal dakloze jongens die er voor de rest van de dag al de brui aan hadden gegeven en vroeg zich af of Francis McQuaid ook bij zo'n groepje had behoord. Een ongewassen hoofd met piekhaar stak uit een gore slaapzak en hij geneerde zich dat hij geen geld had om weg te geven, maar als het erop aankwam, bedacht hij vervolgens, gaf hij toch de voorkeur aan dit onmenselijke mensengedoe, aan deze drukte, boven het meedogenloze getrek van het getij en de weidse harteloze hemel. Kay McQuaid zou weer moeten terugkomen, hier was ze thuis. Hij wist dat het niet verantwoord was, dat hij naderhand met zijn geweten in de knoop zou zitten omdat hij doodleuk doorging met het verwaarlozen van zijn parochie, maar toch maakte hij een omweg door het park. Op deze woensdagmiddag, de dag van de Heilige Mattheus, apostel en evangelist, voorgesteld als een man met vleugels, maar ooit tollenaar, was het jongensvoetbalteam bezig aan de laatste fase van een wedstrijd. Hij bleef staan kijken naar de geweldige energie en gratie waarmee ze rondholden, luisterde verrukt naar hun hartgrondige, maar onschuldige gevloek, tot hij het gevoel kreeg dat hij bekeken werd omdat hij daar zo in zijn eentje stond; en weer vroeg hij zich af of Francis McQuaid, simpelweg geboren als Jack de bastaard, ooit bij een groepje als dit had behoord en in de miezerige regen had gevoetbald met de vooropgezette bedoeling de regels aan zijn laars te leren lappen.

Toen hij spijtig aan zijn laatste stuk door het park bezig was zag hij een non op een bank zitten en kwam daardoor onmiskenbaar in de verleiding om een andere route te kiezen om haar maar te vermijden. Hij weerstond deze en keek toen hij bij haar in de buurt was of hij haar kende, in de hoop dat ze een volslagen vreemde zou zijn; met een schok zag hij dat ze behoorde tot wat hij in zijn bitterheid inmiddels alleen nog als Barbara's kliek kon zien. Als individu herkende hij ze nog net, maar hun namen kon hij maar niet onthouden, behalve van de een of twee die hij aardig vond en de paar die een mannelijke naam hadden aangenomen; zuster Joseph herkende hij maar al te goed aangezien zij vaak opdook in moeder Barbara's verslaglegging over alle problemen waar ze mee kampte en aangezien ze tijdens de laatste vergadering beschonken was, al wist ze zich toen bewonderenswaardig goed in de hand te houden. Blijkbaar verkeerde ze nu in een vergelijkbare toestand. Ze was niet dronken, maar wel onder invloed, hard op weg om dronken te worden en ze huilde tranen met tuiten zodat haar vochtige habijt, dat aan de zoom onder de modder zat, alleen maar natter werd. Voetgangers liepen met een boog om haar heen en toen hij naast haar kwam zitten – met de oude vertrouwde irritatie die met zo menige daad van christelijke naastenliefde gepaard ging, vooral wanneer deze hem ophield op weg naar belangrijker dingen en hij moe was en honger had – begreep hij ook wel waarom ze gemeden werd. Zelfs indien de aanblik van een non in een bevuild habijt, haar uiterlijke merkteken bij uitstek, niet schokkend genoeg was, bleef er voldoende over om het voor zuster Joseph op een lopen te zetten.

'U bent toch zuster Joseph?' vroeg hij met zijn doortrainde vriendelijkheid, die vaak de vorm aannam van een aanbod om te helpen en niet in de eerste plaats van meelevende belangstelling. Nu ook weer. 'Wat is er aan de hand, zuster? Kan ik u helpen? Zal ik met u mee naar huis lopen?'

'Flikker op.'

Dit was zo verrassend dat hij bijna in lachen uitbarstte. Hij was gewend aan eerbiedige glimlachjes en antwoorden in de trant van: 'Ach, nee hoor, eerwaarde, er is niets aan de hand', die zo typerend waren voor hun stoïcijnse reactie op hun eigen verdriet, zelfs al lagen ze op hun sterfbed. Hun eerbiedigheid had hem vaak geïrriteerd, maar het tegenovergestelde ging ook wel wat ver, zo bleek nu.

'Wat is er aan de hand, zuster?'

Een nietszeggende vraag, maar hij moest wel aandringen.

'Wat er aan de hánd is, achterlijke kérel? Wat er aan de hánd is?' Ze verhief haar stem nauwelijks en praatte redelijk verstaanbaar, zodat hij niet goed kon inschatten hoe dronken ze was, al vermoedde hij op grond van ervaring met anderen dat ze nog een eind verwijderd was van de fase waarin ze echt agressief kon worden of buiten westen raken, het een of het ander. Ze was een sterke oude vrouw. Hij had vaak gedacht dat wát oudjes nog aan kracht bezaten voor hen minstens even frustrerend moest zijn als hun kwalen, een ongerichte, nutteloze energie; hij moest er nog niet aan denken. Ze keek hem met wazige ogen aan en herkende hem toen pas.

'Jezusmina, meneer pastoor. Sul, waar ben jij als je echt nodig bent? Vanochtend kon niemand je wakker krijgen. Denk daar maar eens aan. Je had bij mij en Matilda moeten zijn. Dan had je kunnen horen wat ze mij vertelde. Ze vertelde dat Edmund en zijn vogels zijn vermoord door de duivel zelf en dat hij vergif aan haar handen had gesmeerd. Ze had zo'n vreselijke pijn. De duivel in eigen persoon, dat zei ze tegen me. En toen, toen ging ze dood, eerwaarde. Ze stierf zonder dat jij er was.' Haar sissende stem zakte weg in gemompel.

Hij sloeg een kruisteken, verpletterd door schuldgevoel. 'Is Matilda dood?'

'Matilda is vermóórd,' stootte ze uit. 'En ik hield van haar. We waren échte zusters. Ze is de enige die ooit van me gehouden heeft.'

De tranen stroomden over haar wangen. Hij weifelde, raakte toen omzichtig haar arm aan. Hij was nat van snot en tranen. Ze sloeg naar zijn hand.

'U moet terug naar het klooster, zuster. Zo wordt u nog ziek.'

'Haal die hand weg,' zei Joseph, vol oprechte haat. 'Maak je maar zorgen over een ander. Ik heb geen cent op zak en doe wat ik zelf wil. Schiet maar op met je zégening. Kwaad zijn, dat is het enige waar ik behoefte aan heb, dus *flikker op.* Of begrijp je soms niet wat die woorden betekenen?'

Hij moest toegeven dat het hem volkomen duidelijk was en geen ruimte overliet voor iets anders. Ze was een volwassen vrouw van God, geen kind.

'Wat bedoelde ze met de duivel in eigen persoon?'

'Flikker op.'

'Weet u het echt zeker?'

Ze knikte heftig. Uit een tasje van stof dat op de bank naast haar lag en hem deed denken aan een waszak of de schoenentas die hij vroeger mee naar school nam, stak de hals van een fles van ongekleurd glas. De tas zat vol, waarschijnlijk met spullen van zuster Matilda, dacht hij droevig, en was niet waterdicht. Hij tastte in de linkerzak van zijn parka naar de kleine paraplu die hij daar altijd in had zitten, maar altijd vergat op te steken, en reikte hem haar aan. Joseph keek er vol verachting naar, pakte hem toen toch aan en propte hem in de tas.

'Geen geweldig wapen, wel, eerwaarde? Ik kan wel iets beters vinden. Flikker nou maar op.'

Hij wist dat hij later weer terug zou moeten om te kijken of ze er nog zat, en hij wist dat hij tot zich moest laten doordringen wat ze hem verteld had, maar om te beginnen snelde hij naar huis. God in de hemel, toch niet weer een dode, toch niet weer een onzinverhaal? De documenten ritselden in zijn jaszak en zonder de paraplu was de parka geen gram lichter; ondanks de vreemde ontmoeting die hij net achter de rug had en ondanks de verschrikkelijke vierentwintig uur die achter hem lagen, voelde hij zich op een bepaalde manier geweldig opgemonterd en vervuld van een daadkracht en vastberadenheid die hem normaal gesproken ontbraken wanneer hij ontzettend veel te doen had. Er was meestal ofwel te veel ofwel te weinig te doen, zodat zijn leven een aaneenschakeling was van goocheltrucjes met prioriteiten, verplichtingen en dagelijkse taken, en binnen wachtten hem dan ook boodschappen van Barbara, het Bisschoppelijk Bureau en van twaalf anderen, onder andere een van de verpleger van de oude, dappere invalide met wie hij zo vaak voor de televisie had zitten kijken naar voetbalvideo's, zonder hem meer te kunnen bieden dan de stilzwijgende bewondering voor zijn dapperheid en de troostende aanwezigheid van iemand met dezelfde interesse. Ze hadden hun manier van bidden gemeen. De boodschap behelsde een verzoek om de man het Heilig Oliesel toe te dienen. Iemand wenste gezegend te worden alvorens zijn laatste reis te aanvaarden en hij had geen andere keus. Christopher Goodwin trok een andere broek aan, pakte zijn parafernalia en toog op weg naar het andere eind van zijn parochie.

Ravi had ongelijk. Anna wilde niet naar het park, ze verlangde hevig naar de kapel. Hoor nou eens even, Heer. Bidden is een instinctieve activiteit voor iedereen die er ooit aan gewend is geraakt, zelfs al weet die persoon niet meer tot wie hij of zij bad en waarom. Een slechte gewoonte die met veel gemak en oefening is aangekweekt, maar moeilijk af te leren is, een kwaal, een ontzettend vervelende behoefte die nooit verdween en die je nooit kon delen met iemand die geen idee had waar het over ging. Ravi was godsdienstig, dus hij wist wat het was, maar hij wist niet hoe het was om tot goden te bidden die je al in de steek hadden gelaten en hij had het mis als hij dacht dat je het zomaar overal kon doen. Of misschien bedoelde hij wel: overal waar een heiligdom was. Wat zij echter bedoelde was: overal waar het lukte om haar woede in te tomen, maar het aantal plekken was beperkt. Het moest een plek zijn waar ze van hield, de kloosterkapel, soms het park, of anders het dak. Andere mensen hadden waarschijnlijk iets vergelijkbaars bij het kiezen van plekken om ruzie te maken. Er moest iets zijn om tegenop te kijken, iets om op neer te kijken, of iets om naar voren te kijken, met de gedachte dat erachter nog meer was en daarachter ook. Anna dacht dat een vliegtuig wel een goede plek zou zijn om te bidden, tenminste als ze bij een raampje zou kunnen zitten.

Ze was heel erg van slag en ze voelde zich heel maf, anders zou ze het niet kunnen omschrijven, ook al was het een understatement, want maf was ze toch al, een vreselijke mafkop, en er waren trouwens nog legio andere dingen waarvan je je maf ging voelen, *mafkop*, ze maakte er als vanzelf *mafgod* van, en bleef dat maar herhalen, *mafgodmafgodmafgod.* En toen werd het *mafvangodmafvangodmafvangod. Bofgod dofgod pofgod sofgod.* De flat was maagdelijk schoon. Ze wachtte en ze wist diep in haar hart en diep in haar kolkende binnenste dat Francis, Goudlokje, haar expres liet wachten. Hij was nog niet te laat, maar nog even en hij was te laat. Ze had de ladder naar het dak klaargezet. Ze had nog tijd.

Ze had zich als een echt meisje aangekleed, als een miniatuurhoer, in een jurk. Een bloemetjesgeval, de dunne stof bedrukt met roosjes, met van voren knoopjes – van halverwege haar kuiten tot aan haar nek – en met een randje kant langs de hals, *sofgodverdrie.* Ze vond het allemaal afschuwelijk, behalve haar blote voeten, ze klom tegen de vrijstaande ladder op en maakte ze vuil in de goot van het dak, maar wie kon dat wat schelen? De gedachte aan de wijn in de koelkast maakte haar misselijk.

Aan de balustrade was het beter, de verstikkende stadslucht was opgefrist door de regen, die alleen maar dreigde opnieuw te gaan vallen, maar nu nog niet, alstublieft, *sofgod*, nog niet. Ze legde haar ellebogen op de balustrade zodat ze op dezelfde hoogte als haar schouders kwamen en zette haar voeten op de verhoging die ze had gecreëerd door een plank tussen het zink en de stenen te leggen, om een beter uitzicht te hebben. Ze zag een heldere avondhemel, die al vroeg donker was, en de tuin die nog duisterder leek door het licht uit de kapelramen, maar waarvan ze de details nog wel kon onderscheiden. Er stond een briesje dat plagend door haar lange haren streek, die ze voor de gelegenheid nogmaals had gewassen.

'Ach, Heer, help me. Moet ik mezelf offeren? Moet ik me aan hem geven om bij Therese te kunnen komen? Help me om licht in de duisternis te zien.'

Edmunds bank werd vager en vager. Ze meende vanuit de kapel gezang te horen, de klanken van het Misericordia. *O clemens, O pia, O dulcis Virgo Maria*, gezongen door de stemmen die bij Judes graf geklonken hadden, gevolgd door de stem van de hemelse jachthond. *Ik ontvluchtte Hem alle nachten en alle dagen; Ik ontvluchtte Hem over de spanne der jaren; Ik verborg me voor Hem...* Ze schreeuwde tegen de donker wordende hemel: *Laat me toch met rust.* Open mijn ogen. Zorg dat ik me kan concentreren en alles zie wat mijn verduisterde geest niet ziet. Ik ben niet oud. Ik bezit geen wijsheid.

Eerst keek ze naar de hemel die een leeg, hobbelig landschap vormde, donkerend, maar nog niet donker genoeg om sterren te zien. Er was niets om naar te blijven kijken, geen prachtige wolkenformatie, geen inspirerende maan. Ze keek naar de takken van de bomen, daagde ze uit in beweging te komen, en toen keek ze naar het raam van de kapel, dat zo helder verlicht was dat de vorm ervan, omgekeerde boot of bisschopsmijter, verlokkend scherp was en het verlangen om daar binnen te zijn even kwellend werd als heimwee. Links van dit baken en verder naar beneden zag ze licht branden in de gastenkamer en ook in de kamers op de verdiepingen erboven. Het leek wel alsof het klooster vanwege een speciale gelegenheid zo verlicht was: een crisis, bezoekers, of een sterfgeval. Zo had het eruitgezien die avond dat zuster Jude gestorven was, alsof de dood van een non de behoefte wekte een hoop drukte te maken en grote schoonmaak te houden, om alles zo te regelen dat het gat dat geslagen was aan het zicht werd onttrokken. Ze waren druk bezig.

Er klonk geen gezang van vogels, geen kreet van schrik.

Anna richtte haar aandacht op kleinere details, de vorm van de bloembakken, het nat glanzende pad dat de struiken in liep, daar waar de Heilige Michaël stond, op het moment nog goed zichtbaar, en volgde toen met haar ogen het pad tot verderop, waar de struiken het zicht erop belemmerden en waar zij had gestaan toen Francis haar besprongen had. De exacte plek zou ze niet kunnen aanwijzen, maar toen ze keek naar de plaats waar het waarschijnlijk had plaatsgegrepen, zette haar dat aan het denken over wat ze van Goudlokje wist en hoe dit alles paste in wat hij haar had verteld. Ze wist niets, maar naar de tuin kijkend kon ze wel zien wat hij had gedaan.

Er waren geen vogels meer.

Daar stond Edmunds bank, waarvan het lichte, geschuurde hout nog zichtbaar was in de open ruimte eromheen. Francis had elk spoor van zijn voorganger en mentor uitgevaagd, zodat het zelfs moeilijk was voor te stellen dat Edmund ooit bestaan had. Edmund die ze gezien had terwijl hij de tuin verwaarloosde en de vogels voederde, met wie hij die vieze bank van hem deelde. Het was ironisch dat Edmund de tuinman was die Francis had moeten heten, naar de heilige die de vogels uit de lucht kon toveren. Nu waren er alleen nog dode vogels in de tuin, ze had op een ervan getrapt; dode vogels en een moordende kat. De onterecht Francis genoemde jongen had gisteravond gelogen. Edmund zou nooit op een vogel hebben geschoten en hij zou de ruit ook nooit gebroken hebben. Francis moest dat gedaan hebben als onderdeel van zijn rigoureuze schoonmaakoperatie, zijn eerste stap op weg naar het veroveren van macht. Ze dacht erover hoe hij die macht had weten te krijgen, eerst door te zorgen dat Edmund de greep op zijn omgeving verloor en vervolgens door zichzelf onmisbaar te maken en onderwijl voortdurend mooi te wezen. Zijn engelachtige schoonheid en zijn sekse, het waren machtige wachtwoorden. Agnes liet hem in- en uitgaan wanneer hij maar wilde; Barbara aanbad hem. Geen plek was heilig voor hem, er was niets waar hij niet tegenop kon. En ook al had ze haar verbanning deels aan zichzelf te wijten, hij was het die het voor elkaar had gekregen. Ze streek met haar vingers langs de zijkant van haar gezicht, eraan denkend hoe hij haar hand als een klauw langs zijn eigen wang had getrokken. De krassen hadden hem alleen nog maar mooier gemaakt. Waarom was die herinnering op de achtergrond gebleven toen ze gisteravond oog in oog met hem had gestaan, was die weggesmolten door precies hetzelfde, zijn bescheiden charme? Waarom had ze hem geloofd? Ze balde haar hand tot een vuist en keek ernaar. Een nietig klein wapen.

En dat Therese haar die vogel had gestuurd... Therese zou een dode vogel nooit aanraken, of misschien alleen om hem te begraven. Ze zou er bang voor zijn geweest, ze was overgevoelig. *Kijk toch eens wat Francis met de vogels heeft uitgevoerd.*

En toen herinnerde ze zich Edmunds vuist, zijn arm die uitgestrekt op de bank lag, met het gouden kruisje en het gebroken kettinkje ernaast, waarvan zij had gedacht dat het van Edmund was en dat ze bewaard had voor Matilda, totdat Francis het weer had teruggepakt. Een kettinkje dat hij van kleins af had gedragen, waar hij bijna te groot voor was geworden. Het was in ieder geval veel te klein voor Edmunds vlezige nek. Een hypocriet sieraad, een uiterlijk kenmerk van solidariteit, een teken van geloof. Ze dacht eraan dat het in haar zak had gezeten, naast het beeldje van Ganesha, en terwijl ze naar de bank stond te turen, stelde ze zich Edmund voor die in zijn doodsstrijd het kruisje van de nek van de man die hem misschien probeerde te helpen rukte. Of van de man die hem vermoordde. Het tafereel speelde zich akelig helder voor haar geestesoog af. Matilda was de enige die hier mogelijk weet van had. Matilda met haar starre ogen en verbrande handen. Dat moest dan ook zijn werk zijn geweest.

Zich over de balustrade naar voren buigend kon ze nog net de deur naar de tuin zien. Dat was de weg die hij gebruikte. Hij had Agnes niet eens nodig als medeplichtige. Bovenal herinnerde ze zich nu hoe ze vannacht als een waanzinnige aan de schoonmaak was geweest, haar instinct om alle sporen van hem uit te wissen, hoewel ze, toen hij daar nog zat, elk woord dat hij zei geloofd had, een en al lichtgelovigheid. Ze had medelijden met hem gehad; ze wilde het liefst aardig worden gevonden. *O, heer*, zei ze. *We geloven wat we willen geloven.* En we weigeren te geloven wat ons niet goed uitkomt. Was U het die belde om te waarschuwen? *De argeloze is blind voor de arglistige. De boze kent geen remmingen.*

Ze keek op de verlichte wijzerplaat van haar horloge. Ze kon de zoemer vanaf hier horen. Francis was niet gekomen, maar wat ze nu begreep was dat hij ook nooit van plan was geweest om juist op deze avond te komen. Zijn belofte was niets meer dan een leugen, nóg een leugen. Misschien verkneukelde hij zich bij de gedachte dat zij op hem zat te wachten, een object voor zijn machtsmisbruik, met de opzet haar te vernederen en te doen smachten naar de volgende keer dat ze hem zou zien. Of misschien had het een andere reden. Misschien wilde hij gewoon dat ze in haar eigen flat gevangenzat, wachtend zoals hij kon vermoeden dat ze zou doen, alleen al op grond van het feit dat hij het over Therese had gehad, of uit het zielige verlangen naar liefde of vriendschap: ze zou wachten, zij arm, eenzaam, hulpeloos ding. En toen dacht ze aan wat hij ook had gezegd: *Je bent nog knapper dan je zus*; hangend over het muurtje kokhalsde ze. Hij wilde haar uit de weg hebben, en toen die overtuiging zich bij haar had vastgezet, diende zich onmiddellijk de volgende aan: dat Therese het moeilijk had.

In de periode dat ze ziek waren, hadden ze aanvankelijk uiteenlopende symptomen gehad, maar die waren steeds meer gaan samenvallen toen ze elkaar over en weer steeds opnieuw aanstaken; nog weer later ging dit nog verder. Ze ontwikkelden een fysieke empathie met hoe de ander zich voelde, een instinctieve kennis van elkaars toestand, die weliswaar minder was geworden naarmate hun gezondheid verbeterd was en ze elkaar minder vaak zagen, maar die nog niet verdwenen was. In vriendschappelijke gesprekken, de normale gesprekken die volgden op hun veelvuldige confrontaties nadat Therese in het klooster was gegaan, hadden ze er vaak samen om gelachen. Gisteren dacht ik aan je, zei Therese dan bijvoorbeeld. Had jij ook kiespijn? Want ik had kiespijn. En menstruatiepijn? Ja. Nu ze bij de balustrade stond speelde haar lege maag verschrikkelijk op. Ze voelde een geweldige angst om haar zus in zich opkomen, alsof Therese op dat moment naast haar stond, klaar om van het dak te springen, en jegens Francis, Goudlokje, koesterde ze op hetzelfde moment zo'n intense haat dat ze de maan ermee had kunnen vergiftigen. Hij was een monsterlijk wezen. Haar instinct vertelde haar precies hoe het zat. En haar instinct wist het het beste. Hij had de vogels gedood. Hij was iemand die kwaad deed en verderf zaaide zonder een geweten dat in opstand kon komen.

Ze kon het niet verdragen naar Edmunds bank te kijken, die nu in het niets oploste terwijl het allerlaatste daglicht verdween. Vergeefs probeerde ze haar aandacht te richten op wat ze nog wel kon zien, het liefst zou ze het dwingen zich duidelijker aan haar te tonen. Ze kon net de omtrekken van de schuur zien. Binnen zag ze een lichtje.

Een klein, flakkerend schijnsel, zo miniem dat ze het zich had kunnen verbeelden. Een signaal, de bundel licht uit het kapelraam wees in de richting van het kleine lichtje in Edmunds schuur.

Lam Gods, dat de zonden van de wereld wegneemt, ontferm U over ons... Agnes was aan het mompelen en aan het mopperen tegelijk, ze was in alle staten, ze had honger en... *Agnus Dei, qui tollis peccata mundi.* Joseph was thuisgekomen, maar God mocht hen genadig zijn. Dit was toch geen manier om de doden te eren, dit kon toch niet, thuiskomen na voor de lieve Matilda te hebben gezorgd, stinkend naar drank en moord en brand schreeuwend, de hele gang door; half ziek, half waanzinnig, met een kleur als een overrijpe pruim, schreeuwend: *Waar is hij, waar is hij?*, blijkbaar niet eens in staat zich te herinneren of het nog dag was of al avond. *Waar is wie, zuster? Wie bedoelt u?* Om als enig antwoord te krijgen: *Waar is ze, waar is die teef?* Heilige Maagd Maria, ze konden de politie toch niet bellen om een van de hunnen in te rekenen... Als Francis, haar allerliefste zoon, nu eens terug zou komen om... Maar nee, daar kwam Anna aanrennen in een prachtig jurkje en op die vreselijke gymschoenen – die ze stiekem heel graag zelf zou willen hebben. Agnes zou niet nog iemand binnenlaten die voor herrie zorgde, de enige die ze graag zou binnenlaten was haar lieverd, haar eigen jongen. Of anders de pastoor. De hemel mocht haar bijstaan, maar ze was de aanblik van vrouwen spuugzat. Nadat ze de deur had dichtgegooid keerde ze naar haar hokje terug om zonder veel hoop te wachten tot ze eindelijk voor het avondeten geroepen werd of tot de rust zou zijn weergekeerd, waarvoor moeder Barbara beslist zou zorgen. Ze zette de telefoon onder haar stoel, waar hij de hele avond op had gestaan met de hoorn ernaast. Ze had unilateraal beslist dat ze al genoeg sores aan hun hoofd hadden. Ze hoorde Joseph schreeuwen, van ver uit de gang met de zwarte en witte tegels, en ze probeerde haar oren te sluiten voor wat ze allemaal riep, maar dat lukte haar niet. Joseph was nu eenmaal goedgebekt.

Opgezweept door angst kwam Anna met nog veel meer gemak boven op de muur dan de vorige keer. Het maakte haar geen reet uit wie er keek. Ze kon wel trappen, gillen, krijsen, en haar extra kracht kwam voort uit de gedachte: Als ze nou nog één keer die deur in mijn gezicht dichtsmijten dan... Dat ze haar jurk scheurde toen ze schrijlings op de muur ging zitten, maakte ook niks uit; ze bleef even zitten om een reep van de zoom af te scheuren die ze als een armband om haar pols wikkelde, waarna ze met een beangstigende snelheid aan de andere kant naar beneden gleed, omdat de klimop nat was en zo glibberig als olie; ze kon zich net voldoende vastgrijpen om geen vrije val te maken en landde met een geluidloze smak die haar de adem benam en haar goed deed beseffen waar ze was. Het was het avondlijk uur waarop geluiden van de straat hier soms verder doordrongen dan gebruikelijk. Ze hijgde nog na van de harde landing en bleef gehurkt zitten, ineens behoedzaam als een kat. En daar wás de kat, oog in oog met haar. Ze siste naar hem en hij schoot weg, bang voor haar.

Je bent nog knapper dan je zus. En sterker ook. Anna liep op haar tenen van de tuindeur naar de plek waar de bank stond, speurend naar de rommel die ze hier nog geen drie weken geleden had zien liggen, maar die nu weg was, wat haar van de wijs bracht. De geur van herfstbloemen deed haar even stilstaan, maar toen trok het flakkerende lichtje in de schuur haar naar de cirkel ervoor. Ze hoorde gejammer vanuit de halfopen deur komen, bespeurde lichaamshitte en zweet. Het gejammer was afkomstig van het lichaam onder het andere lichaam op de bedrukte sprei die ze door de deur heen zag en ze hoorde ook de stem van Goudlokje die, zijn naakte lijf drijfnat van het zweet, zijn benen te lang voor het bed, half knielde boven het lichaam van haar zuster die met haar gezicht naar beneden lag, met haar handen graaiend in haar haar, en 'Nee, moeder, nee' zei; ze probeerde haar benen tegen elkaar te duwen, die hij met zijn knieën van elkaar had gehaald, zodat haar onderbenen wild spartelden, doelloos, en terwijl ze toekeek boog hij zich helemaal over haar heen en beet in haar oor. Je weet dat je dit wilt, je wachtte me op, naakt. Ik ben je broer. We doen het zo, dan hoef je het niet te zien, vertrouw mij maar.

Anna aarzelde. Toen nam ze in zich op hoe hij zijn enorme geslacht masseerde en met speeksel bevochtigde, terwijl zijn andere grote bruine hand Therese bij haar nek vasthield en tegen het bed drukte. Misschien wilde Therese het, maar hij had haar vast bij haar nek. Jammeren deed je toch niet van hartstocht? En toen schreeuwde Therese, ze spartelde heftig tegen, gebruikte haar volle onbetekenende gewicht om hem van zich af te duwen. Anna tastte in het rond om een steen te vinden. Zijn stem weerkaatste. *Ssst, zo hoort iemand ons.* Ze ging hem vermoorden, ze ging hem zijn hersens inslaan, nu. Terwijl in haar hoofd het gebod opklonk: *Gij zult niet doden, of uw eigen ziel zal sterven.*

Goudlokje had een berg van brokken beton liggen. Ze pakte er een op van naast haar voeten. Ze ging hem vermoorden.

Maar toen werd ze opzijgegooid. Een in het zwart gehulde gestalte stoof langs haar heen, rukte de deur open en stompte herhaaldelijk in op die naakte rug, alsof ze hem trachtte te reanimeren, waarbij ze herhaaldelijk onherhaalbare geluiden maakte: *humpf, humpf, humpf, humpf.* En toen *humpf, humpf, humpf*, alsof ze in zijn nek aan het graven was. Hun kreten werden een symfonie, de zijne als van een geëlektrocuteerd varken, de hare van woede, terwijl het lichaam dat eronder lag een bijdrage leverde in de vorm van gejammer. Toen trok zuster Joseph van Aragon Francis' hoofd naar achteren en plantte het kleine lemmet van haar mes in zijn keel. Ze deed het met een zekere mate van vastberaden genegenheid, zevenmaal, en ondanks de heftigheid van haar aanval, vermeed ze het hem in de ogen te kijken. De kaars viel om door alle heftige trillingen, raakte de natte zoom van haar habijt, en ging sputterend uit. Daarna waren er alleen nog stemmen en duisternis.

Anna liet haar dodelijke brok beton vallen. Ze rende de schuur in en trok Thereses lichaam onder een warm, schokkend lijf uit. Ze hoorde alleen aanhoudend gesnik, dat van Joseph afkomstig was. Zusters verdrongen zich om Therese, susten haar, bedekten haar en leidden haar met zachte hand terug naar het huis, haar naaktheid maskerend en stil maar, stil maar, stil maar zeggend. Iemand anders voerde Joseph mee, eveneens met zachte hand. Barbara bleef achter, schraapte met haar voet over de grond en richtte zich met haar autoritaire stem tot de hemel terwijl ze met haar zaklantaarn de schuur in scheen. Goudlokje leek met zijn vele wonden erg op Sebastiaan. Ze stapte naar binnen, probeerde een hartslag te voelen, en deed een stap terug, met bloed aan haar handen.

'Joseph dronken voeren, hè? Matilda's handen verbranden, hè? Jij hield mij zeker voor een volslagen idioot, hè, Francis. Nou, dat was ik ook, duivel die je bent. Maar probeer een bruid van Christus te verkrachten en je bent net zo dood als ik blind was.'

Ze gloeide van woede, haar stem klonk kouder dan ijs.

Anna stond achter haar, Agnes en Margaret stonden aan weerszijden van haar. Anna wilde naar Therese, ze ging zo naar Therese, maar op dat moment, te midden van wat er verder allemaal aan de hand was, ervoer ze de immense opluchting dat niet zij het was die dit had gedaan. Drie trillerige stemmen klonken op, zingend. '*Tot U roepen wij, bannelingen, kinderen van Eva, tot U smeken wij, zuchtend en wenend in dit dal van tranen... sla op ons uw barmhartige ogen. O clemens, O pia, O dulcis Virgo Maria...*'

Ze bleven steken in de noten. Toen viel er een lange stilte. Barbara's zaklantaarn scheen bestendig. Haar boezem ging op en neer.

'Zo,' zei ze uiteindelijk, 'zullen we hem verbranden of begraven?'

Ze richtte zich tot de anderen.

Een klein stemmetje dat uit het niets leek te komen, zei dat ze er misschien beter de pastoor bij konden halen.

14

In de tweede week van de maand was Kay McQuaid op een regenachtige dag een tijdlang zoet met het verslepen van de gouden boeddha uit het huis naar de schutting achter, zodat ze hem vanuit het keukenraam kon zien. Het metaal sloeg in een mum van tijd uit waardoor hij een prachtige glanslaag kreeg. Om de volgende dag ook iets te doen te hebben plantte ze een haag van lage coniferen om het beeld, coniferen van een soort dat vogels aantrok, zo had ze zich laten vertellen. Ze begroef er een gouden kruisje aan een kettinkje tussen. Terwijl ze met zweet op haar voorhoofd en een glas gin in haar hand naar het resultaat stond te kijken, bedacht ze dat ze behoefte had aan meer van dit soort werkzaamheden en ging het centrum weer in om tientallen bloembollen te kopen die ze zou planten voor de lente. Het beeld was al helemaal vergroeid met zijn omgeving en stond daar tevreden omringd door vruchtbare aandacht. Zo had ze in ieder geval een soort heiligdom gecreëerd, wat haar enig vrede schonk. Volgend jaar zou ze hier buiten echt aan de slag gaan, want ze wist inmiddels dat ze niet zou verhuizen. Ze ging er echt iets van maken. Weg met die nette borders, het werd tijd voor woeste vormen en kleuren. Ze mompelde een schuldig dankgebedje omdat ze zich zo veilig voelde. De tuin zou haar helpen haar leven te beteren. Het zou liefdewerk zijn. Iemand daarboven, wie het ook was, was het er vast mee eens.

De derde week van oktober en als door een wonder brandde er een vuur in de gastenkamer.

'Ikzelf geloof eigenlijk niet zo erg in het bestaan van de duivel,' zei pastoor Goodwin tegen Anna. 'Ik vind het idee duivel veel te gemakkelijk. Het kwaad bestaat, ja, maar de duivel, nee. Geen duivel met hoorntjes en een staart in ieder geval. Een gevallen engel misschien. Zo begon Satan immers? Een engel, gescheiden van God na een onsmakelijk gevecht.'

Ze zaten achter in de kapel en spraken op normale toon, niet fluisterend, met elkaar, alsof het enorme kruisbeeld niet boven hen hing. De ruimte rook heel fris en het was er een beetje kil met de zijramen open. Geen spoor van wierook of extra versieringen. Er waren recentelijk geen uitvaartmissen meer gehouden; de vier die er vier weken terug kort na elkaar waren opgedragen, met alles erop en eraan – voor zuster Jude, Edmund, Matilda en Jack McQuaid – waren een record, maar nu was er al een hele maand geen meer geweest. Zo ging het zo vaak, had Christopher Goodwin vol overtuiging verkondigd. Een reeks rampzalige gebeurtenissen snel na elkaar vormde nog geen regelmatig patroon, zoals dat van de vloer in de gang. Niets is voorspelbaar, behalve de seizoenen, en nu waren er alweer de eerste tekenen van de winter, met zijn belofte van lange, knusse avonden, lekkere dingen op toast en de zegening van diepe slaap. Aan dat soort dingen moest je denken, en aan andere kleine genietingen.

'Fijn dat u dat toegeeft, Christopher, maar het is denk ik geen idee waar ik bij Therese mee kan aankomen. Voor haar is het het gemakkelijkst om domweg in wonderen te geloven. Zoals dat de duivel zich vermomt in de gedaante van een mens, zoals Christus een mensengedaante heeft aangenomen, maar dan met tegengestelde bedoelingen. Het is ook veel schilderachtiger, geloven in twee bovenmenselijke mannen die elkaar te lijf gaan, met de duivel als de macht van het kwaad dat alleen voor God herkenbaar is en alleen door Hem vernietigd kan worden. Dat maakt het veel gemakkelijker om op God te vertrouwen.'

Hij stak zijn handen onder zijn oksels om ze te warmen.

'Als dat zo is, dan is ze niet geschikt voor een leven in Christus, of, als het erop aankomt, voor een religieus bestaan in wat voor vorm dan ook. Als ze vasthoudt aan dat soort ideeën, en vooral als ze gelooft dat ze zich geheel en al op God kan verlaten, dan onthoudt ze zich van kennis die fundamenteel is. Zodra God een menselijke gedaante aanneemt, zoals alle goden doen, dan wordt Hij kwetsbaar. En goden zijn dan ook kwetsbaar, ze kunnen hun functie alleen vervullen in samenwerking met ons. En dat geldt ook voor de zogenaamde duivel, en Francis was niet de vleesgeworden duivel, wat

Therese ook zou willen geloven. Hij heeft zich misschien wel tot een duivelachtig persoon kunnen ontwikkelen, met behoorlijk wat hulp van mensen.'

'Maar hij was slécht, toch? Misschien niet slecht geboren, maar slecht gemaakt, dat wil ik wel toegeven, maar toen hij hier kwam was hij al door en door slecht. Niet meer te redden. Misschien zou je beter kunnen zeggen dat hij vervloekt was...'

'Zo zou ik het inderdaad liever noemen,' onderbrak pastoor Goodwin haar, verschuivend op de ongemakkelijke rieten zitting van zijn stoel. 'Vervloekt, niet door en door slecht van nature. Vervloekt op een manier waaraan heel veel mensen hebben bijgedragen. Met inbegrip van zijn in de steek gelaten moeder en vrienden die hij misschien niet eens zelf heeft uitgezocht; hij was heel erg op zoek naar erkenning van zichzelf. Een vervloekt man neemt uiteindelijk wraak bij gebrek aan een eigen identiteit.'

'Hij was vroeger toch een... hoerenjongen?'

Christopher zuchtte. 'Ja, dat is mij verteld. En daarom is de politie ook geneigd te geloven dat hij een seksuele afwijking had, dat hij op heterdaad is betrapt en gedood uit zelfverdediging door een derde, een vrouw die niet goed bij haar hoofd is, en dat dat zijn verdiende loon is.'

'Maar dat klopt allemaal toch ook, tot op zekere hoogte dan.'

Hij dacht aan Kay McQuaid en de geschoonde versie van de gebeurtenissen waarmee hij bij haar wilde aankomen, tot hij inzag dat ze liever de zuivere waarheid wilde horen.

'Als je de zaken wilt voorstellen zoals het het beste uitkomt, ja, maar ik zou er geen eed op durven zweren dat het echt zo gegaan is. Ik heb maar steeds het idee dat hij sinds hij hier was misschien nog de goede kant had kunnen uitgaan als iedereen niet zo poeslief over hem had gedacht, hem verkeerd had ingeschat. Je kunt met geen mogelijkheid zeker weten of hij Edmund heeft vermoord of dat hij er alleen maar bij was toen hij stierf. Je kunt ook niet zeker weten of hij niet gewoon zijn positie wilde versterken toen hij jou greep en met een hoop leugens aan Barbara overdroeg, omdat hij wist dat zijn positie wankel was, waar hij ook gelijk in had. We weten ook niet of het werkelijk zijn bedóeling was dat het zo met Matilda zou aflopen of dat hij de voeten van de Heilige Michaël zo ijverig gewassen heeft om haar een plezier te doen. Misschien wilde hij de heilige wel plezieren of deed hij het omdat het hem gevraagd was. Hij was immers een schóónmakerig type, net als zijn moeder. En het is toch ook vreemd dat hij liet mérken wat hij gedaan had en steeds ook aankondigde wat hij van plan was, als wilde hij tegengehouden worden... Hij liet zijn moeder weten dat hij hier was, hij droeg het kruisje om zijn nek... We weten niet wat hem bewogen heeft. We weten ook niet of hij Therese werkelijk in haar gevangenis heeft opgesloten of dat de deur alleen maar klemde.'

'Hij was het die terugging, niemand anders.'

'En daar een naakt meisje aantrof dat op hem wachtte.'

'Hij kwam terug. Hij ensceneerde het allemaal. U kunt niet suggereren dat het anders was.'

'Nee, ik wil ook niets anders suggereren. Maar haar naaktheid was een factor die meespeelde, dat is wat ik wil zeggen. Therese had geen enkel idee wat ze in hem had wakker geroepen door wat ze was en waar ze was, maar toch droeg ze eraan bij, hoe onschuldig ook. Het punt is namelijk dat duivels, gesteld dat ze bestaan, het van de omstandigheden moeten hebben. Ze slaan hun slag door van onwetendheid gebruik te maken. Ze zijn niet slim genoeg om een cultuur waarin ze kunnen floreren zelf uit te vinden en daarom kunnen en mogen ze niet overal de schuld van krijgen.'

'En u bent de advocaat van de duivel.' Ze ging in een bank aan het middenpad zitten. 'U stelt tegen alles in dat de deugd het zich niet kan permitteren blind te zijn, want dat het anders geen echte deugd is. En u stelt ook dat iedereen slechte daden kan plegen bij gebrek aan tegenwicht, omdat God en de duivel allebei geen idee hebben waar ze nou helemaal mee bezig zijn. Daar zal ze weinig mee kunnen. Ik denk dat ze veel meer heeft aan mijn gezonde verstand.'

'Precies, lieve meid. Je bent weer waar we begonnen.'

Ze stond weer op, haar lijf was rusteloos maar verder was ze kalm. Haar lange haar was kortgeknipt: ze zag eruit als een jongen met vrouwelijke vormen. Hij wenste met heel zijn hart dat ze het zou redden, waarmee hij bedoelde dat ze hier met glans doorheen zou komen en de zeer bijzondere vrouw zou worden die er volgens hem in haar stak. Iemand die kon liefhebben en kon toestaan dat anderen van haar hielden, die gebruik zou maken van haar verbluffende intellect en in iets positiefs kon geloven als ondersteuning, het deed er niet toe waarin. Hij had goede hoop voor haar, zoveel hoop zelfs dat hij zich met grote vastberadenheid had voorgenomen in leven te blijven om datgene te doen waar hij goed in was. Mensen bemoedigen. Met mensen discussiëren. Met mensen praten. Ze hadden in de voorbije periode iedere dag met elkaar gepraat en gediscussieerd over alle feiten die bekend waren. De kapel was hun ontmoetingsplaats. Ze liep een poosje heen en weer en ging toen weer zitten.

'U denkt toch niet dat ik zelf niet ook aan dit soort dingen heb gedacht, dat ik niet ook naar alternatieve verklaringen voor het gedrag van die arme zak heb gezocht? Want wat dat betreft had ik geen keus, ik moest wel. Ik had Francis immers ook zelf gedood kunnen hebben, alleen op basis van wat ik dacht dat ik zág, en al denk ik dat die impuls gerechtvaardigd en hij inderdaad vervloekt was, toch zou ik oprecht willen dat hij niet dood was, wat voor persoon hij ook was. Ik noem het geen gerechtigheid. Het was immers mijn familie die er in belangrijke mate toe heeft bijgedragen dat Francis werd zoals hij geworden is. En het was mijn vader die deze hele boel in gang heeft gezet door dat verschrikkelijke, onzinnige testament te bedenken. En daardoor heeft het zo kunnen aflopen. En wíj hebben er natuurlijk ook een bijdrage aan geleverd, door zijn brieven niet te lezen. Wij hebben ook een rol gespeeld.'

'Jullie waren heel jong.' Wíj zei ze, wíj. Niet Therese. Anna nam nog steeds de verantwoordelijkheid voor Therese op zich. Die last weigerde ze van zich af te schudden.

'Laten we in de tuin een sigaret gaan roken.'

'Nee. Het is koud buiten. De Heer vindt het heus wel goed als we hier roken. Ik durf te wedden dat de apostelen hasj zaten te roken bij het Laatste Avondmaal. Hier, neem er maar een van mij. Wanneer kan ik bij Kay McQuaid op bezoek?'

'Als zij eraan toe is. Weet je, volgens mij ben jij maf genoeg om haar nog áárdig te vinden ook.'

'Tenzij ze veranderd is, ik mocht haar altijd erg graag. Ze was heel aardig voor me. Hoe zou je iemand anders moeten beoordelen?'

'Hoe dan ook,' zei Christopher, op zijn horloge kijkend. 'Je had het over hoe het is afgelopen, maar er zit ook een begin aan het verhaal. Het begon met een verkrachting. Het begon met een kind dat niemand wilde, maar dat niemand kon vernietigen. Het begon met het isolement van Jack McQuaid. En het ging verder en na een aantal tussenliggende hoofdstukken kwam het verhaal uit bij je vader die op een koude, natte avond, gekweld door verdriet en verbittering, een testament opstelde. Waarschijnlijk toen hij wat borrels op had. Je weet wat voor invloed drank kan hebben.'

Ze dacht aan zichzelf, aan de gezichten die ze tegen moeder Barbara had getrokken, iets waarvoor ze zich aanhoudend bleef schamen.

'Vertel nog eens wat Francis zei toen u nog net op tijd kwam om hem te bedienen. Vlak voordat hij doodging.'

'Hij zei: *Zeg tegen ze dat hun vader een goed mens was.*'

'Het klinkt als een akte van berouw. En ontzettend dubbelzinnig. Wélke vader? U moet het me vergeven, Christopher, maar ik weet niet of ik u wel moet geloven.'

'Je weet heel goed dat ik geen invloed heb op wat je wel en niet gelooft.'

'Ik geloof dat God, of een aantal goden, een hemelse jachthond, me heeft geholpen om dingen in te zien, en dat dat nog steeds zo is. Ik ben niet meer zo arrogant dat ik het bestaan van goden ontken, en dat wil ik ook helemaal niet, maar ik zou niet in maar één God kunnen geloven. Het monotheïsme leidt tot oorlogen. Maar hoe dan ook is er geen een die me echt duidelijk kan maken waarom mijn vader dit gedaan heeft. Ik bedoel niet dat hij dat testament geschreven heeft, maar waarom hij het op die manier heeft opgeschreven en nog verstuurd heeft ook.'

Ze bevonden zich op bekend terrein.

'Laat het gewoon tot je doordringen en uiteindelijk snap je het dan wel. Gebruik gewoon je hersens. Hij wilde jullie aandacht trekken. Hij wilde jullie aan het denken zetten. Hij wilde jullie laten weten hoe het kwam dat hij zo'n document kon schrijven. Hij wilde jullie vóór alles nieuwsgierig maken. Hij wilde jullie laten schrikken en van slag brengen om jullie zover te krijgen dat jullie gingen nadenken en op onderzoek zouden uitgaan. Hij wilde jullie laten weten wie hij was. Hij was doodsbenauwd dat jullie ook ten prooi waren gevallen aan de godsdienstwaanzin van jullie moeder, en hij was woest op jullie. Maar natuurlijk was het nooit zijn bedoeling dat het op deze manier zou aflopen. In geen miljoen jaar. Niemand had zoiets kunnen plannen. Hij wilde alleen maar provoceren.'

Ze trok aan haar sigaret en keek hoe de heiligschennende rook in een spiraal wegdreef in de richting van het zijraam. De kale takken van de bomen achter het grote boogvenster voor hen bewogen zachtjes heen en weer. Ze keken hier altijd naar als ze het vermeden in elkaars ogen te kijken.

'Christopher, ik geloof dat het wat veelgevraagd is van mij te verlangen dat ik Francis vergeef hoe hij was en wat hij heeft gedaan, of dat ik mijn vader vergeef, nu we het er toch over hebben. Ik heb ontzettend de pest aan dat cliché: alles begrijpen is alles vergeven, blablabla. Daarmee ontken je iemands recht om boos te zijn, wat vaak veel en veel constructiever is.'

'Wat nou, blablabla, het is gewoon waar, en ik vraag helemaal niets van je, alleen maar dat je erover nadenkt. Het effect van de daden van de zogenaamde duivel is niet altijd geheel en al negatief volgens mij. Kijk bijvoorbeeld wat Francis per ongeluk voor elkaar heeft gekregen. Je zus is nu zo ver dat ze nog eens heel goed nadenkt over haar roeping, en dat werd hoog tijd. Door hem herinnerde ze zich de hand van jullie moeder die zich om haar nek sloot. Door de schok is ze eindelijk weer terug in de wereld van de waarheid. Jij en zij zien nu ook het moorddadig potentieel van liefde en leugens...'

'En van goede bedoelingen. En ik ben Joseph ook heel erg dankbaar, omdat ze gedaan heeft wat ik anders misschien gedaan zou hebben. En dat is iets waar ik nooit mee in het reine had kunnen komen, mijn hart, mijn ziel, alles zou kapotgaan. Ik heb aan haar mijn leven te danken.'

'Dat is haar enige troost. Daargelaten dat ze hem heeft vermoord om Matilda te wreken en daar niet echt spijt van heeft, is ze er blij om dat ze hierdoor iemand anders heeft behoed voor deze daad. Ik had alleen gehoopt dat je misschien in staat zou zijn geweest je vader te vergeven, op de uitzonderlijk edelmoedige manier waarop je je moeder schijnbaar wel hebt kunnen vergeven.'

'Ho, ho, nou moet u even ophouden. Wat is dit? Blijft u me met de deugd bestoken? Christopher, we hebben zoveel met elkaar gepraat dat ik ook al begin te praten als een ouwe priester als u. Laat ik één ding duidelijk stellen, ik vergééf haar niet. Om uw jargon te gebruiken: ik ben zo beleefd geweest pogingen te doen om de vreselijke angst die ze voor ons koesterde te begrijpen, in te zien dat het afgrijselijke waanzin was die haar ertoe bracht ons tot gevangenen te maken, me voor te stellen hoe vreselijk bang ze was om in de steek te worden gelaten, en het enige wat dit alles een beetje goedmaakt is dat ik weet dat ze niet door haat werd gedreven. Volgens mij was ze dom, niet in staat tot zelfanalyse en had ze een geweldige afkeer van zichzelf. Wat ze deed was een verwrongen vorm van liefde, maar ik denk niet aan vergeving, neem dat maar van me aan. Ik geef Hém de schuld.' Ze wees met haar duim in de richting van het kruisbeeld. 'Hij zegende alles wat ze deed, zoete, brave Jezusje.'

Nu werd hij kwaad, zo kwaad dat hij bijna ging schreeuwen. Een van de nonnen was net bij de deur, maar maakte dat ze weer wegkwam. Wat had dit kind hem misdaan, behalve dat ze hem hernieuwd geloof had geschonken? Hij kon niet hebben dat ze Jezus Christus aanviel en beledigde.

'Néé, dat deed Hij niet! Ze vond een andere God uit, een God die zoiets zou doen. Mensen vinden God steeds opnieuw uit. Tot wie denk je dat terroristen bidden? Tot de God uit de bijbel of tot de God die ze zelf hebben bedacht?'

Ze schonk hem een grijns en hij kreunde. Hij hapte ook altijd.

'Ik wist wel dat u uit uw vel zou springen. Zullen we toch maar naar de tuin gaan? Het is verkeerd om hier te roken.'

'Goed.'

Nerveus en aarzelend liep hij de kapel uit en de gastenkamer door, terwijl hij om zich heen keek alsof iemand achter hem aan zat. Wat raar toch van God dat Hij het hierbuiten warmer wist te maken dan in die kille mooie kamer. De laatste eindjes van hun sigaret rookten ze bij het beeld van de Heilige Michaël. Christopher leek heel onrustig en ze was hem dankbaar voor alle moeite die hij deed en voor wat hem dat kostte, maar tegelijk was ze op haar hoede. Ze wilde niet dat iemand haar geest naar zijn hand probeerde te zetten. Daar had ze meer dan genoeg van. Ze had geen indoctrinatie nodig, ze had behoefte aan alle educatie die ze had gemist, haar geest had oefening nodig. Ze wilde leren.

'En hoe moet het nu met je vader?' vroeg hij, as van een voet van de Heilige Michaël vegend. Als zij wilde dat hij nog verder deze tuin in liep, dan ging hij dat niet doen, hij kon het niet: het was een oord dat hem achtervolgde als de plek waar hij altijd te laat zou aankomen. Ze haalde diep adem. In de afgelopen maand was er verder geen moment geweest waarop ze de behoefte had gehad om te huilen. Zelfs niet toen ze Ravi verteld had dat het beter was dat ze elkaar niet meer zagen tot zij haar leven wat beter op orde had; daarna misschien.

'Met mijn vader? Ik wou toch zo ontzettende graag dat ik hem gekend had. Ik wou dat het me was toegestaan hem te leren kennen. Ik wou dat dit niet de reden was dat ik niet in staat ben mijn moeder te vergeven, want dit is het ergste wat ze gedaan heeft. Ze leerde ons hem te haten, omdat zij hem haatte. Ik neem aan dat wij er zelf het nodige aan hebben bijgedragen. En hij ook. Hij moet verschrikkelijk eenzaam zijn geweest, eenzamer dan ik, en alles wat ik me herinner is het lachen in de kerk. De vragen. Hij was net als ik, net zo kwaad als ik. Ik zou heel graag de kans hebben gekregen ruzie met hem te maken. Ik had niemand van wie ik dingen kon leren en ik had alleen de godsdienst om tegenaan te schoppen. Ik had graag de kans gehad om de schade in te halen. De kans om het allemaal goed te maken, voorzover dat mogelijk zou zijn. Om foute beoordelingen terug te draaien en af te rekenen met die verschrikkelijke onwetendheid.'

Christopher voelde hoe het zweet hem uitbrak.

'Zelfs al was hij een manipulator en speelde hij spelletjes? En al was hij af en toe oneerlijk?'

'Dat geldt voor de besten onder ons, tenminste als het niet anders kan. Misschien gaan al die dingen voor mij ook wel op, voor u zeker, en met zuster Jude was het al net zo. Het hangt van het motief af. Het kan zijn dat je dit soort dingen doet in een vergeefse poging om goed te zijn. Of om gehoord te worden. Of om te vermijden dat je anderen pijn doet. Ze zijn niet met elkaar te verenigen.'

Ze slaakte een diepe zucht van spijt.

'En dus heb ik eigenlijk maar één groot probleem, Christopher, waar ik niet mee om kan gaan. Iets waardoor ik een geweldige hoeveelheid medelijden met mezelf heb. En dat komt allemaal doordat ik te jong ben om een wees te zijn. Ik wou dat ik het niet was. Er is een geweldig groot gat dat ik met mijn verstand niet gevuld krijg. En daardoor loop ik het risico dat ik iets onechts probeer te vinden om het op te vullen. Ik voel me bedrogen, er is mij iets afgepakt dat ik niet kan missen. En dat gold ook voor mijn vader.'

Hij probeerde eerst diep adem te halen om dan langzaam en duidelijk te zeggen wat hij te zeggen had, maar toch verslikte hij zich in de woorden.

'Ik denk dat hij nu wel in de gastenkamer zit te wachten. Twaalf uur had hij gezegd.'

'Wie?'

'Je vader. Misschien herken je zijn stem wel. Al weet hij die heel goed te verdraaien.'

Ze stond op en sloeg een vuiltje van de achterkant van haar spijkerbroek. Toen gaf ze een klap tegen de zijkant van haar gezicht, niet hard, alleen om een einde te maken aan haar gebibber. Hij verbleekte, alsof hij de slag van haar hand voelde. Toen lachte ze onzeker.

'Is dit een wonder? Leugenaar die u bent, ik dacht dat we hadden afgesproken dat u nooit meer tegen me zou liegen.'

'Dat heb ik ook niet gedaan,' zei hij, en maakte met twee vingers achter zijn rug een kruis. 'Niet over je vaders verdriet of zijn motieven of waarom hij zijn leven zo ondraaglijk vond dat hij een testament maakte en verdween. Niet over wat hij hoopte te bereiken door te sterven. De aandacht van zijn dochters. Het was een ingewikkelde, stomme, zelfzuchtige en boze samenzwering, want hij ging niet dood. Hij wachtte gewoon af. En waar we het al eerder over hadden: de duivel zelf is vaak niet slechter dan een man met goede bedoelingen.'

'U praat te veel. Hij belde me op. Dat was híj. Ik droomde vaak dat hij het was. Jezus, schurk die u bent. Wat moet ik in godsnaam tegen hem zeggen? Waar zei u dat hij was?'

'Je hebt me best gehoord. In de gastenkamer. Waarom dacht je anders dat Barbara een vuur had laten aansteken?'

Ze rende erheen. Christopher bleef bij de voeten van de Heilige Michaël zitten en verwonderde zich hoe schoon ze waren. Toen richtte hij zijn ogen op de hemel en de geruststellende gebouwen om hem heen. Een minuutje, toen kon hij de verleiding om te gaan kijken niet meer weerstaan. Ze zouden het toch niet merken.

Hij zag Theodore Calvert. Een klein ventje, hij zag eruit zoals hij zich Christus en de Heilige Christoforus had voorgesteld, klein maar dapper, en misschien een tikkeltje agressief. Hij had wel iets van een brutale Italiaanse restauranthouder die wist dat zijn eten beter was dan van wie ook.

Anna stond een paar passen van haar vader vandaan. Ze namen elkaar omzichtig op. Ze zou zich niet op het verkeerde been laten zetten door zijn tranen, die haar het spreken bijna onmogelijk maakten. Bijna. Hij kon geen woord uitbrengen. Zij sprak als eerste.

'Waar heb je uitgehangen? Al die tijd?'

'Ergens in de hel,' zei hij.

'En hoe was het daar dan?'

Hij zuchtte, struikelde over zijn woorden.

'Volgens mij weet jij dat wel, heb jij er ook gezeten. Je draagt het met je mee. Een doornenkroon.'

Daarop liep ze naar hem toe, naar de kleine, haast lelijke man die haar op hetzelfde moment alweer vertrouwd was, met zijn geweldig ronde voorhoofd, een gezicht zo rimpelig en levendig als van een oude jachthond, en met tranen die over zijn kin dropen. Ze greep hem vast bij zijn jasje en trok aan zijn haar om te zien of hij wel echt was en omhelsde hem toen stevig. Ze zwaaiden heen en weer, met hun armen onhandig om elkaar heen geslagen, en hielden elkaar overeind.

'Het spijt me,' mompelde hij tegen haar schouder. 'Het spijt me zo. Ik had niet... ik had niet...'

'Hou daarmee op. We gaan niet van dat soort dingen zeggen, allebei niet. Niet doen, niet doen, niet dóén.'

Zijn diepe stem klonk gebroken.

'O, God zij dank. God zij dank.'

Ze stonden zwijgend bij elkaar. Het vuur knapperde. Barbara had kosten noch moeite gespaard.

Haar stem klonk heel zacht vanuit de binnenkant van zijn jasje.

'Zei je dat nou echt?'

'Wat zei ik? God zij dank, dat je in leven bent... God zij dank.'

'Heb je jezelf nou gehoord, pap? Hoorde je het nou of niet? Moet je jezelf eens horen. Je moest je schamen. Je hebt God nog nooit ergens voor bedankt.'

Hij had een melodieuze lach, die verrassend veel op de hare leek. Hun geschater steeg op naar het plafond, totdat Anna zich weer van hem losmaakte, alleen zijn handen vasthoudend, om hem opnieuw van top tot teen te bekijken; hij huilde nog steeds.

'Pap, wat moet ik nou met jou aanvangen?' kermde ze. 'Ik heb iedereen verteld dat je heel groot was. Een reus. Hoe kan ik me nu met jou vertonen?'

Zijn grijns was even breed als de hare.

'Dan zorg ik wel dat ik blijf zitten.'

Christopher Goodwin meende dat hij nog nooit zoiets moois had gehoord als hun gelach. Of het moest het gejuich op een tribune zijn. Het volgende moment zouden ze misschien al samen aan het bekvechten slaan, en dat was ook prima, het zou zelfs de natuurlijkste zaak van de wereld zijn. Hij had tegen Theodore Calvert gezegd dat hij niet moest verwachten dat hij het leven van zijn dochters zou kunnen overnemen. Of dat hij hun op wat voor manier dan ook de wet kon voorschrijven.

Hij snoot zijn neus en overdacht zijn volgende probleem. Het zou hem wat meer moeite kosten Kay McQuaid ervan te overtuigen dat haar zoon toch nog iets goeds had gedaan. Want, zo werd altijd gezegd, om goed te doen diende je intentie goed te zijn.